F

GW00400054

Dominique Manotti

Or noir

Gallimard

Née à Paris en 1942, Dominique Manotti a enseigné l'histoire économique contemporaine à l'université Paris VIII. Après avoir été militante politique et syndicale dans les années 1960 et 1970, elle publie ses trois premiers romans à partir de 1995, *Sombre Sentier* (sur le problème des sans-papiers), *À nos chevaux!* (sur le blanchiment d'argent) et *Kop* (blanchiment, dopage et trucages dans le foot) dans lesquels elle campe le personnage de Daquin. Le quatrième, *Nos fantastiques années fric*, a été adapté au cinéma sous le titre *Une affaire d'État*. En 2008, elle a reçu le Duncan Lawrie International Dagger pour *Lorraine connection*. Après *Bien connu des services de police*, elle a obtenu le Grand Prix de littérature policière 2011 pour *L'honorable société*, écrit avec DOA, et le Grand Prix du roman noir 2016 pour *Or noir*. Dominique Manotti chronique notre société à travers tous les prismes, économique, social et politique.

Prologue

Mai 1966, New York

Au mois de mai à New York, il fait beau, l'air est doux, loin des chaleurs écrasantes de l'été, un temps propice aux mondanités. Ce jour-là, Michael Frickx, le trader le plus en vue de CoTrade, société de trading de minerais dont le siège est à New York, épouse Emily Weinstein, la petite-fille de Nat Weinstein, le patron de la Société des Mines d'Afrique du Sud, à la grande synagogue de la 5e Avenue.

Après la cérémonie religieuse et avant un grand dîner de plusieurs centaines de couverts dans un grand hôtel de la ville, Joshua Appelbaum, le patron de CoTrade, reçoit chez lui une cinquantaine de proches, pour leur présenter lui-même la jeune épouse, et arroser entre amis l'heureux événement.

Il habite un appartement de deux étages au sommet d'un gratte-ciel sur la 5e Avenue. Debout dans le petit salon qui jouxte l'entrée, il reçoit ses invités en compagnie de la mariée, âgée de vingt ans. Les invités la dévisagent avec curiosité et une touche de méfiance. Personne ne la connaît, elle débarque directement de l'Afrique du Sud, une terre anglophone certes, mais terriblement… exotique et effrayante. Grande, mince, sportive, cheveux bruns coupés court, yeux sombres et sourire éclatant, bien prise dans sa robe longue blanche et sage, à peine décolletée, à la fois accueillante et empruntée, elle ressemble à n'importe quelle fille de bonne famille américaine. Verdict favorable, jeune femme fréquentable. À ses côtés, son époux, Michael, trente-six ans, très grand, élégant dans un costume sombre bien coupé, cheveux châtains courts, soigneusement coiffés, le visage allongé, mobile, facilement souriant, accueille les invités à bras ouverts. Un mot pour chacun, un sourire, une anecdote, sa mémoire fonctionne comme une machine de guerre. Félicitations, embrassades, il est l'enfant chéri des amis de Jos.

Puis les invités se dirigent vers la grande salle dont la large baie vitrée donne sur une terrasse qui domine Central Park. Dans l'embrasure de la porte, ils passent devant la ketouba, l'acte de mariage de Michael et Emily, exposée sur un chevalet. Un parchemin calligraphié en araméen, orné d'un décor de fleurs et de fruits stylisés qui se mêlent à l'écriture. Chaque invité se penche sur le parchemin, s'applique à déchiffrer les signatures des témoins. Joshua Appelbaum, leur hôte, le patron de CoTrade, a signé pour le marié. Nat Weinstein ne pouvait pas signer en personne pour sa petite-fille, puisqu'il a des liens de sang avec la mariée, c'est donc son second dans la Société des Mines d'Afrique du Sud, le directeur général Leo Blumenfeld, venu tout exprès de Johannesburg pour la cérémonie, qui a signé. Quand ils ont vu de leurs propres yeux les deux signatures côte à côte, les invités passent dans le grand salon, où trois buffets de boissons et d'amuse-gueules divers ont été dressés, s'agglutinent en groupes, les femmes d'un côté, les hommes de l'autre, et les discussions vont bon train.

Quelques femmes s'étonnent : les parents des mariés ne sont pas présents ? Hélas non, les deux jeunes gens sont orphelins, les malheureux. Gémissements de convenance. Michael, beaucoup le savent déjà, est né à Anvers, a perdu son père et sa mère en 1943 dans les camps nazis, puis a atterri aux States avec sa tante à l'âge de sept ans. Elle, la pauvre petite, a perdu son père et sa mère dans un accident d'avion quand elle avait deux ans. Elle a été élevée par son grand-père, Nat Weinstein.

Les hommes parlent des deux signatures, Appelbaum et le représentant de Weinstein, sur le même document. Un séisme dans le monde des affaires, n'hésitent pas à dire certains. Le rapprochement de CoTrade, leader mondial du trading de minerais, et de la Société des Mines d'Afrique du Sud, qui produit des minerais et possède des gisements richissimes sans avoir pour l'instant les débouchés suffisants pour les exploiter de façon rationnelle, un mariage inhabituel entre exploitant et trader qui risque bien de bouleverser l'économie traditionnelle des deux secteurs. D'ailleurs, la Bourse ne s'y est pas trompée et, lorsque la nouvelle du mariage a commencé à circuler il y a deux semaines, CoTrade a pris plus de 20 % en une journée. Et depuis, l'engouement boursier ne s'est pas démenti. Décidément, c'est un beau mariage.

Quand tous les invités ont été accueillis et présentés à la mariée, Jos embrasse Emily.

— Vous êtes parfaite, madame. J'espère être pour vous, sur cette terre étrangère, un ami solide sur lequel vous pourrez toujours compter. Maintenant, détendez-vous, allez vous amuser un peu avec nos invités, je vous prends votre mari pour quelques minutes, votre grand-père nous attend dans mon bureau.

Emily entre dans le grand salon, trois violonistes accordent leurs instruments, ils vont jouer quelques airs de fête traditionnels, les invités se sont agglomérés par petits groupes, les conversations sont animées. Elle traverse la salle, tous les regards convergent vers elle, elle n'y accorde pas la moindre attention, se dirige vers un jeune homme en uniforme militaire assis seul dans un coin, visage fermé. Elle l'embrasse, l'entraîne vers la terrasse.

— David, ne prends pas cet air sinistre. Regarde cette vue, regarde cette ville.

— Tu y es arrivée, tu es à New York, c'est ce que tu voulais, tu es heureuse ?

— Heureuse, je ne sais pas. Mon mari a un petit air de représentant de commerce…

— C'est un représentant de commerce.

— Mais je suis dans cette ville où je voulais être. Ici, la vie pulse. Tu ne la sens pas ?

Silence.

— J'échappe à Joburg, à l'enlisement. Je suis au centre du monde. Ma vie commence ici, maintenant.

— Dur pour moi d'entendre ça. Je croyais que nous avions passé quelques belles années ensemble dans le monde de là-bas.

— Nous étions des enfants, mon cousin. Parle-moi de toi, raconte. Pourquoi as-tu choisi d'être soldat ? Rien ne t'y obligeait.

12

— Pour commencer ma vie. Toi c'est New York, moi c'est l'armée.

Le bureau est austère, bois et cuirs sombres, sans aucune décoration. Nat Weinstein est enfoncé dans un grand fauteuil et boit du whisky. Il est né avec le siècle, a une allure de petit taureau, ramassé et fonceur, et une crinière blanche en semi-liberté. Quand Jos et Michael entrent dans la pièce, il lève son verre :

— Je bois à la réussite de ce mariage, et au bonheur des mariés.

Jos et Michael se servent et trinquent.

— Michael, parlons un peu avant de passer aux affaires. Je vous connais à peine. Emily et vous, vous ne vous connaissez pas du tout. Je vous ai donné ma petite-fille parce que mon ami Jos s'est porté garant de vous (Michael s'incline légèrement en direction de Jos), et parce que Jos et moi nous nous engageons ensemble dans un cycle d'affaires sur la longue durée. J'aime profondément Emily. Je ne supporterai pas que vous la rendiez malheureuse.

— Soyez certain que ce n'est pas mon intention.

— J'ai quelque expérience en la matière, croyez-moi, les bonnes intentions ne suffisent pas.

— Je m'engage à faire tout mon possible pour rendre Emily heureuse.

Weinstein a une légère hésitation, puis enchaîne :

— Bon, parlons affaires. Nous avons longuement mis au point, Jos et moi, les modalités financières de l'association CoTrade-Société des Mines. Affaire réglée. Parlons maintenant de ce qui se passe sur le terrain, chez moi en Afrique du Sud, et sur tout mon continent. L'Afrique bouge dans sa profondeur, j'en ai la certitude. Beaucoup de mes concitoyens ne le voient pas, mais moi je le sens jusque dans mes os. Ses mouvements seront violents, très violents, et chaotiques. J'ai besoin de l'appui d'un très bon logisticien pour m'aider à stabiliser, autant que possible, mes réseaux de communication en Afrique même, et d'un excellent trader pour ouvrir les voies commerciales que je suivrai pour implanter ma compagnie à l'étranger, et peut-être un jour, ce que je ne souhaite pas, pour quitter l'Afrique. Je veux que mon entreprise survive si jamais, par malheur, mon pays s'écroulait dans un bain de sang. Jos m'assure que vous êtes l'homme de la situation. Est-ce vrai ?

Michael prend le temps de réfléchir, puis sourit.

— Je suis un aventurier, et Jos le sait. Oui, je pense que je suis l'homme qu'il vous faut.

— Nat, Michael est mon héritier spirituel à CoTrade. Tout est dit.

Les trois hommes boivent :

— À l'avenir !

1

Dimanche 11 et lundi 12 mars 1973

Dimanche, Marseille

Un dimanche matin du mois de mars 1973, le commissaire Théodore Daquin débarque à la gare Saint-Charles, avec deux grosses valises et très peu d'expérience. Vingt-sept ans, de brillantes études, Sciences Po, licence de droit, École des commissaires dont il est sorti dans les premiers, et une année à l'ambassade de France à Beyrouth dans le service de sécurité, bien loin de la rue marseillaise. Il traverse le hall de la gare, débouche sur le terre-plein, s'arrête ébloui par la lumière. Devant lui, un escalier monumental descend vers la ville inondée de soleil, prolongé par une avenue large, toute droite, bordée d'arbres, une perspective qui a de la gueule. Sur le premier palier de l'escalier, un café-bar, des tables, des chaises. Daquin s'installe, commande un café. Il a le physique puissant d'un joueur de rugby, il joue d'ailleurs occasionnellement au poste d'avant troisième ligne, un visage carré, charpenté, sans aspérités, des yeux et des cheveux marron, une gueule assez passe-partout en somme, mais une présence intense dès qu'il s'anime. Il étend ses jambes,

15

ferme les yeux, s'imbibe de la chaleur fraîche du soleil d'un matin de mars. Bel accueil, bonnes sensations. Le café arrive, tiède et médiocre, il faudra sans doute s'y faire. Marseille, un plongeon dans une ville inconnue, le premier poste, les premières responsabilités, envie de jouer la partie à fond, de séduire, de convaincre, de gagner.

Taxi. Daquin donne une adresse : 80 quai du Port, celle d'un appartement qu'un de ses camarades de la fac de droit de Paris, un dénommé Porticcio, un Marseillais rentré exercer son métier d'avocat au pays, a proposé de lui prêter pendant la durée de son stage à New York.

— Tu l'entretiendras pendant mon absence, et tu auras un an pour voir si tu t'acclimates à Marseille. Je ne veux pas être pessimiste, mais ce n'est pas gagné. Tu verras.

Le taxi s'arrête le long du Vieux-Port, un grand bassin très animé, des bateaux partout, pêche, plaisance, petits cargos dans un bruyant désordre, en plein centre-ville. Le bassin est fermé par des forts aux allures médiévales rafraîchis par Vauban. Daquin cherche la mer, et ne la voit pas. Il se retourne. Son appartement est dans cet immeuble tout en longueur, en belle pierre blonde, architecture moderne rigoureuse, décoration soignée, il est séduit.

Il monte au troisième étage. Dans l'obscurité, il pose ses valises, ouvre les stores, devant lui une loggia plein sud, noyée de soleil, et le Vieux-Port à ses pieds, dans la cacophonie, les quais comme un chapelet de terrasses, bars, restaurants, boîtes de nuit, et au-delà, les hauts de Marseille, Notre-Dame-de-la-Garde et un ciel immense. Une vue dont on ne doit pas se lasser, un décor qui pourrait bien avoir le goût du bonheur. Il se retourne : la pièce à vivre, peinte en blanc cassé, parquet de bois clair, est meublée très simplement d'une grande table de ferme en bois foncé flanquée de deux bancs. Dans le coin salon, fauteuils et canapé de cuir souple, une table basse en acier brossé. Et dans une bibliothèque quelques livres, une chaîne hi-fi et des piles de disques et de cassettes. Dans la cuisine, petite, suréquipée, Daquin note la présence de deux livres de recettes. Salle de bains carrelée en émaux de Briare de tons gris-bleu. Dans la chambre, tout un mur d'armoires à portes coulissantes, et un lit immense, accueillant. Daquin sourit, souvenir de certaines virées avec Porticcio, des dérapages plus ou moins contrôlés, du temps qu'ils étaient étudiants, dans l'immédiat post-68. Une séance de baise, tous les deux coincés dans la cabine de projection d'un amphi de la fac de droit pendant tout un cours magistral particulièrement ennuyeux, et le projectionniste qui continuait son boulot d'une main et se branlait de l'autre en les regardant. Il croit encore sentir les montants en fer de l'appareil de projection encastrés dans son dos. Le séjour marseillais commence bien.

Daquin ne s'attarde pas. Après avoir défait ses valises, il descend avaler un sandwich dans le premier bistro qu'il rencontre dans le vieux quartier, juste derrière chez lui, et file à l'Évêché, le siège du commissariat central de Marseille, qui abrite aussi le service régional de police judiciaire (SRPJ) auquel il a été affecté, pressé de prendre contact, de respirer l'air ambiant. Une dizaine de minutes de marche à travers un lacis de ruelles misérables en pente raide, et il débouche sur un ensemble de bâtiments imposant, où se mêlent le plutôt moderne et le très ancien. Après quelques errances dans un enchevêtrement de couloirs et d'escaliers peu fréquentés, il finit par trouver le siège de la PJ, au troisième étage, dans l'ancien Évêché, où une poignée d'inspecteurs s'agite dans des locaux presque déserts. Daquin arrête celui qui lui semble détenir un peu d'autorité, se présente :

— Commissaire Daquin, je viens d'avoir mon affectation ici, je prends mon poste demain, je passais aux nouvelles…

— Vous tombez bien. Je suis l'inspecteur principal Courbet de la section criminelle. Nous venons de recevoir un coup de fil de la police du quartier, fusillade à la Belle de Mai, deux morts, il faut y aller. Un dimanche, à l'heure du déjeuner, par grand soleil et bonne neige dans la montagne toute proche, comme vous pouvez le constater, nous ne sommes pas très nombreux. Je laisse deux inspecteurs ici pour tenir la permanence, et je vous embauche dans la voiture de patrouille pour aller sur les lieux. Ça vous va ?

— Ça me va très bien.

Dans la voiture qui roule à allure raisonnable, sirène hurlante pour le standing, l'ambiance est décontractée et le Parisien bien accueilli. Une fusillade, deux morts, personne n'a l'air de se faire beaucoup de souci. Daquin regarde défiler le quartier de la Belle de Mai. Des artères larges quasi désertes, des rangées de pavillons pauvres, ponctuées ici ou là de blocs de HLM construits à l'économie, des terrains vagues, quelques rares commerces bon marché, il a le sentiment de traverser un quartier sinistré. Un tout autre visage de Marseille.

Le carrefour des boulevards Guigou et Burel est bloqué par un attroupement de policiers et de curieux. Sur la chaussée, une Simca rouge aux vitres éclatées, à la carrosserie lacérée.

Courbet gare la voiture, et va rejoindre les policiers qui ont alerté l'Évêché. Le substitut du procureur et le médecin légiste ne sont pas encore arrivés, la PJ est la première sur le terrain, elle a fait la preuve de sa réactivité, c'est l'essentiel. Daquin s'approche de l'épave, se penche. Deux corps mitraillés, hachés, dans un habitacle lacéré, imprégné de sang, d'éclats de verre, de lambeaux de tôle. Le conducteur, ou ce qu'il en reste, semble un homme plutôt mûr, son passager a la moitié du visage emportée et, dans son corps abandonné, la grâce de l'adolescence. Les policiers du quartier font leur rapport. À voir leurs blessures, les deux victimes ont dû être abattues au fusil à canon scié, sans doute à la chevrotine, et achevées d'une balle de gros calibre dans la tête à bout touchant. Des témoins, peu nombreux, n'ont pas vu grand-chose : la Simca aurait roulé tranquillement sur le boulevard Guigou, une autre voiture venant du boulevard Burel lui aurait bloqué le passage, la Simca se serait arrêtée, deux hommes à pied qui semblaient attendre sur le trottoir se seraient approchés, auraient tiré puis seraient repartis avec la voiture qui bloquait le carrefour. Quelle marque, quelle couleur ? Personne ne sait. À quoi ressemblaient les deux hommes à pied ? Taille moyenne, impers mastic, pantalons, pour le reste…

Le médecin légiste arrive. Il aide deux inspecteurs à fouiller les cadavres, en évitant autant que possible de se maculer de sang. Dans la poche arrière du pantalon du conducteur, son permis de conduire. Un inspecteur annonce à voix haute :

— Marcel Ceccaldi.

— Ceccaldi ! Courbet pousse un long soupir de soulagement : nous en avons donc fini avec lui… Il se tourne vers Daquin : un homme à Francis le Belge, il est passé une dizaine de fois dans nos bureaux. Donc c'est un règlement de comptes du milieu. Je vais attendre le substitut, mais c'est plié. L'enquête va être confiée au juge Bonnefoy, qui va nous saisir. Nous ne trouverons pas les assassins qui doivent être des tueurs italiens, déjà rentrés chez eux. Et personne ne s'en inquiétera.

— Et le petit jeune ?

— Inconnu, pour l'instant. Sans doute une victime collatérale. Vous voulez que je vous fasse raccompagner ?

— Pas tout de suite. J'aimerais tourner un peu dans les alentours. Je repartirai vers l'Évêché avec vous.

— Comme vous voulez.

Daquin fait le tour du carrefour. L'endroit est désert, pas de boutiques, pas de bars. Mais un peu plus haut à une centaine de mètres, sur le boulevard Burel, il repère le parking d'un immeuble, quelques voitures garées devant un HLM et une cabine téléphonique sur le trottoir d'en face. Il remonte le boulevard Guigou, en suivant le trajet de la Simca rouge, sur plus d'un kilomètre. Il ne croise qu'un seul bar, à près de huit cents mètres du carrefour. Il fait demi-tour quand il atteint une nouvelle cabine téléphonique, et rejoint ses collègues de la PJ sur les lieux du massacre.

Lundi, Marseille

Quand Daquin arrive à l'Évêché le lundi matin, le patron de la PJ, le contrôleur général Payet, l'attend. Il

20

l'accueille debout derrière son bureau, lui désigne une chaise d'un geste, et s'assied.

— Commissaire Daquin, heureux de vous accueillir. Vous êtes le bienvenu chez nous.

Les deux hommes sont face à face. Payet est mince et même maigre, costume gris, visage osseux, cheveux coupés en brosse très courte, figé dans la crainte permanente de perdre le contrôle, Daquin, grand, athlétique, animal, à la recherche de sensations et de surprises. Le courant ne passe pas entre eux deux.

— Réglons d'abord quelques questions administratives. Votre affectation : la brigade criminelle, Groupe de répression du banditisme, vous êtes le deuxième adjoint du chef de groupe. Vous avez une petite équipe sous vos ordres : l'inspecteur Grimbert, un très bon connaisseur de la situation marseillaise, il est depuis plus de dix ans à l'Évêché, et l'inspecteur Delmas, un jeunot tout frais débarqué du Sud-Ouest. Le bureau 301 est affecté à l'équipe. Tout est clair ?

— Parfaitement clair, monsieur le directeur.

— Soyez ici à midi, je vous présenterai au patron de la section criminelle et au chef du Groupe de répression du banditisme. Et je vous confie une première affaire, pour vous mettre dans le bain. Courbet m'a dit qu'il vous avait embarqué hier sur les lieux de la fusillade de la Belle de Mai.

— C'est exact.

— Une bonne entrée en matière. Ce sont des faits malheureusement fréquents dans notre région. Tous les dossiers des règlements de comptes récents ont été regroupés, et les instructions confiées au juge Bonnefoy. Vous allez renforcer l'équipe de la PJ qui travaille

21

avec Bonnefoy, en vous chargeant plus spécifiquement du dossier Belle de Mai. Cela vous convient ?

— Très bien, monsieur le directeur.

— Il ne me reste plus qu'à vous souhaiter bon travail et bonne chance.

— Merci, monsieur le directeur.

Daquin cherche le bureau qui lui a été attribué, le trouve rapidement, tout au fond d'un couloir, à l'écart des grands courants de circulation à l'intérieur du SRPJ. Une pièce trop petite, mais lumineuse et tranquille, aménagée à la hâte, trois sièges et trois bureaux dépareillés, deux machines à écrire, deux téléphones et deux armoires métalliques. Il choisit son bureau, face à la porte, dos à la fenêtre, et lit la presse régionale sur les meurtres de la Belle de Mai, en attendant ses équipiers.

Les deux inspecteurs arrivent ensemble une demi-heure plus tard. Daquin se lève et salue d'abord le plus âgé, Grimbert, le bon connaisseur de la vie marseillaise, l'homme dont il pense que le patron l'a mis là autant pour le surveiller que pour l'aider, celui dont il va falloir gagner la confiance. Son physique surprend Daquin. Trente-cinq ans environ, grand blond, cheveux mi-longs et grands yeux bleus dans un visage allongé, osseux, un air romantique, vaguement british. Il pose un gros carton rempli de dossiers sur un des bureaux vacants, et serre la main de Daquin en le dévisageant. Round d'observation. Delmas suit, petit bonhomme noiraud de vingt-six ans, une boule de muscles avec une gueule de bon vivant. Il arrive les mains vides, salue Daquin avec bonne humeur, et prend le dernier bureau disponible.

Quelques mots de bienvenue, puis Daquin dit :

— Prenez le temps de vous installer, je vais chercher des cafés, puis nous nous mettrons au travail.

Grimbert cesse de ranger ses dossiers, se redresse.

— Des cafés ? Où ça ?

— À l'étage. Pas de machine à café ?

— Non, pas que je sache.

— Au bar de la maison, alors. Il y en a bien un ?

Grimbert pose une fesse sur un coin de son bureau, un demi-sourire aux lèvres.

— Oui, il y en a un, bien sûr, au sous-sol, au Garage, un bar tenu par les mécanos de la maison. Mais il faut que je vous explique. Vous n'y êtes pas le bienvenu, pour un paquet de raisons. La première, parce que c'est le domaine de la Sécurité publique, des agents en tenue, ceux qui font la rue, qui se vivent comme les prolos de la profession. Ils nous considèrent, nous les flics en civil, les enquêteurs de la police judiciaire, comme des branleurs et des intellos, et ils ne veulent pas nous voir chez eux, au Garage. Deuxième raison, vous êtes commissaire, donc un chef, et aucun commissaire, même ceux de la Sécurité publique, n'est le bienvenu au Garage. Enfin, vous êtes parisien. Quand un Parisien débarque à l'Évêché, le tocsin sonne dans toute la maison. Ça se calmera, mais il faudra un peu de temps.

Grimbert parle avec un accent marseillais très appuyé. Surjoué, pense Daquin, ou appris.

— Je vous remercie de m'éviter un moment pénible. Je me passerai de café aujourd'hui, ce sera dur, mais j'y arriverai. Et je trouverai le moyen d'installer une cafetière électrique dans ce réduit.

Quelques minutes plus tard, les trois hommes se mettent au travail.

— Vous savez que nous avons hérité du dossier des meurtres de la Belle de Mai ?

— Oui, le patron nous a informés.

— Il vous a dit que j'avais fait un tour sur les lieux avec l'inspecteur Courbet ?

— Oui, ça m'a surpris.

— Le hasard, je passais par là.

— Un dimanche ?

Le dossier contenant les relevés sur place, les premières constatations et les photos est ouvert sur le bureau de Daquin qui le pousse devant Grimbert et embraye :

— Sur ce dossier, le patron et Courbet parlent tous les deux spontanément d'un règlement de comptes du milieu. Vous les identifiez comment, ces règlements de comptes du milieu, Grimbert ?

— D'abord le modus operandi des tueurs : ils ne fignolent pas, ils massacrent, à bout portant ou à l'arme automatique. Dans la rue, ou des lieux publics. En plein jour et à visage découvert. Pas d'indices, on ramasse bien quelques douilles, mais les armes sont exportées ou détruites, en règle générale elles ne servent pas deux fois. Et pas de témoignages non plus. Ensuite la personnalité des victimes : ils se tuent entre eux, dans des luttes de pouvoir. Il y a bien parfois des victimes collatérales, mais c'est la faute à pas de chance et nous n'en tenons pas trop compte… Enfin aucun de ces dossiers n'aboutit à l'identification des assassins, encore moins à leur arrestation.

— C'est un portrait assez fidèle de ce que j'ai vu hier. Le patron m'a dit que ces règlements de comptes étaient fréquents. À quel rythme, depuis quand ?

— Depuis septembre dernier, nous en avons eu cinq,

à peu près un par mois, qui ont fait huit morts. Je vous ferai une note détaillée, si vous voulez.

— Pourquoi cette concentration soudaine ?

— On parle d'une guerre de succession pour le contrôle du milieu marseillais entre Zampa et Francis le Belge après la chute de la maison Guérini.

— D'où sortent-ils, ces deux-là ?

— Tous les deux de la pouponnière Guérini. Zampa y a incubé un peu plus longtemps que Le Belge, il est plus expérimenté. Pour l'instant, il semblerait qu'il l'emporte par six morts à deux.

— Un score de match de tennis, note Delmas. Zampa gagne le set, mais pas encore la partie.

Daquin l'ignore.

— Un peu paresseux comme explication. Je débarque, je ne connais pas bien la situation marseillaise, mais je sais que les Guérini, qui faisaient régner l'ordre, ont disparu depuis au moins quatre ans, Antoine abattu en 67 et Mémé mis en tôle en 69. Alors pourquoi cette recrudescence de règlements de comptes si longtemps après ?

— Vous voulez mon avis ?

— Évidemment.

— C'est un contrecoup du démantèlement de la filière de l'héroïne à Marseille qui n'a réellement commencé qu'en février dernier, en 72, avec une très grosse prise sur un petit cargo, le *Caprice des Temps*, plus de 400 kilos d'héroïne pure. Depuis, les arrestations se sont multipliées, ça bouge beaucoup, dans tous les sens et chacun essaie de tirer parti de la situation. Les truands dénoncent leurs concurrents ou leurs rivaux, pour que les flics nettoient et leur fassent place nette. Les différents services de police font alliance avec un clan contre un autre, chaque service a sa propre politique d'alliance…

— Ce qui expliquerait que les enquêtes ne débouchent jamais sur rien ?

— Je vous laisse la responsabilité de votre conclusion, commissaire. Mais sachez que vous débarquez dans une ambiance assez… disons « marseillaise ».

— Bon. Revenons à notre dossier Belle de Mai. Pas d'indice, pas de témoin, je suis d'accord. Mais j'ai traîné dans les alentours. Il s'agit d'un guet-apens, mis au point de façon très minutieuse. L'itinéraire et l'emploi du temps des victimes étaient connus. Comment ? Il est impossible de bloquer le carrefour pendant longtemps. Quelqu'un a donc donné le top départ, et il y avait au moins un guetteur à proximité du carrefour pour donner le deuxième top. Donc, beaucoup de complices qu'on peut éventuellement pister. Quels moyens de transmission des informations ont-ils utilisés ? J'ai repéré sur le boulevard Burel, à proximité du carrefour, une cabine téléphonique juste en face d'un parking en plein air devant un immeuble. Les tueurs ont pu attendre là et recevoir le dernier top par le téléphone de la cabine. Sur le boulevard Guigou, à moins d'un kilomètre, il y a un bar, ouvert le dimanche, et une cabine téléphonique. Le dernier top a pu être donné de l'un de ces deux points. On peut contrôler les appels provenant de ces lignes téléphoniques, et chercher des témoins à proximité. Maintenant du côté des victimes : avec qui avaient-elles rendez-vous, à cette heure-là ? Avec qui étaient-elles en conflit ? Qui a pu les trahir ? Que disent les familiers ? Quel rapport entre les deux victimes, Marcel Ceccaldi et le petit jeune ? Nous pouvons avancer sur tous ces points. Et derrière, se profileront les commanditaires.

Grimbert retrouve son demi-sourire.

— Sans doute commissaire. Mais avant que nous nous lancions dans cette aventure, allez donc voir le juge Bonnefoy. N'oubliez pas, c'est son enquête, pas la vôtre.

Au palais de justice, le juge Bonnefoy, un homme souriant, la cinquantaine tranquille, reçoit Daquin sans délais dans son bureau ensoleillé avec vue sur le Vieux-Port. Il l'écoute faire un compte rendu du massacre de la Belle de Mai, et proposer quelques pistes de travail. Il ne prend pas de notes, il pianote sur son bureau.

— Commissaire, vous êtes nouveau ici, si j'ai bien compris ce que m'a dit le contrôleur général Payet. Comme n'importe quelle autre ville, ici, à Marseille, la police et la justice manquent cruellement de moyens. Et la criminalité dont pâtissent les honnêtes gens explose, les braquages de petits vieux à la sortie des bureaux de poste et des banques, les braquages de petits commerçants, et, la dernière mode, les braquages de chauffeurs de taxi. C'est cette criminalité qu'il faut impérativement faire baisser. Quand les truands s'entre-tuent, ce qui est le cas dans l'affaire dont nous parlons, les honnêtes gens s'en moquent. Ils ne se sentent pas menacés. Ce que je vous demande, c'est de bien identi-fier les victimes, pour que nous puissions suivre les guerres du milieu, l'évolution des clans, pour ne pas être pris au dépourvu. J'attends de vous et de votre équipe un travail et un rapport en ce sens.

Quand Daquin sort du palais de justice, il entend Grimbert, «son enquête, pas la vôtre», et voit son demi-sourire dont il comprend enfin la tonalité : désa-busée.

2

Mardi 13 mars 1973

Mardi à l'aube, Nice

Bientôt 3 heures du matin. La nuit est froide, odorante et silencieuse sur la Promenade des Anglais, une des plus belles avenues du monde selon certains. Un couple sort des salles de jeux du casino par la grande porte du Palais de la Méditerranée. Au loin, le bruit d'une moto qui démarre. Le couple s'arrête à l'abri des hautes arcades qui soutiennent la façade monumentale, décor pompeux de carton-pâte imprégné de l'esprit des années 30. Un chasseur en uniforme se précipite vers l'homme, la cinquantaine bien portée, large d'épaules, la silhouette massive dans un costume sombre et sobre, qui lui donne les clés de sa voiture. Le chasseur s'éloigne en direction du parking. La jeune femme en robe claire largement décolletée frissonne, saisie par le froid, il a neigé sur les hauteurs dans l'arrière-pays. Ronronnement d'une moto qui s'approche, dissimulée derrière les jardinières de fleurs qui isolent les arcades et l'entrée du Palais du trottoir de la Promenade. L'homme se penche vers sa compagne, lui sourit, l'aide à ajuster sur ses épaules une écharpe multicolore en cachemire. Le chasseur disparaît au coin du bâtiment.

La moto s'arrête devant le tapis rouge qui monte jusqu'aux portes de l'entrée, le passager assis sur le siège arrière en descend, casqué, fait face au couple, prend une assise stable, jambes écartées, genoux pliés, lève ses deux mains armées d'un pistolet à hauteur de ses yeux, et tire. Une balle, le corps de l'homme sursaute, sa main se crispe sur le châle de sa compagne, deux, trois, quatre balles en rafale, le corps de l'homme, accroché au châle, tombe au ralenti, le sang jaillit par saccades, le visage de la femme, ses épaules nues, sa robe claire sont maculés de sang, un, deux, trois, quatre nouveaux tirs groupés, la femme est figée, bouche ouverte, sans un cri. L'homme s'est écroulé. Le tueur tire encore deux balles sur le corps inerte. Fin de l'opération. Il glisse son arme dans son blouson, vers l'étui attaché sous l'épaule gauche, au passage il effleure son sein gauche avec le canon de l'arme, brûlure, douleur, il aime cette douleur, contraction des muscles du ventre, excitation, plaisir intense, il est vivant, bien vivant. Il grimpe sur la moto qui s'arrache en force. La femme s'effondre, inconsciente, dans les flaques de sang qui imbibent le tapis rouge, maculent le sol de marbre blanc.

La scène a duré moins de vingt secondes.

Le chasseur revient du parking en courant, les employés sortent du Palais, crient, s'éparpillent sous les arcades, les derniers clients s'enfuient en direction de la plage, toute proche. Puis arrivent les gyrophares et les sirènes hurlantes des voitures de police, suivies de celles des ambulances du Samu. Policiers et infirmiers se mettent au travail au milieu d'une scène de panique hystérique dans ce décor d'opérette.

Pendant que les policiers tentent de calmer et de regrouper dans une salle du casino tous les témoins potentiels de la fusillade, un médecin constate la mort de l'homme qui gît au sol, criblé de balles, le corps est recouvert d'une bâche, la police isole la scène de crime, le Samu prend en charge la jeune femme, toujours évanouie. Personne ne sait si elle a été blessée, si le sang dont elle est couverte est le sien ou celui du mort, on l'évacue vers l'hôpital. Un policier, chargé de recueillir son témoignage dès que possible, l'accompagne dans l'ambulance.

Après un examen complet, qui ne repère aucune blessure, une injection de calmants, et une douche chaude, la jeune femme est installée dans une chambre, où elle répond comme elle peut aux questions du policier. Elle s'appelle Emily Frickx, de nationalité américaine. Elle est en séjour dans la région, son mari Michael Frickx loue une villa à l'année à Saint-Jean-Cap-Ferrat. Son domicile principal est à Milan, où son mari a ses bureaux. Il dirige la succursale européenne de la maison de trading de matières premières CoTrade, dont le siège est à New York. Non, en ce moment, il n'est ni au cap Ferrat, ni à Milan, mais en voyage d'affaires dans des mines en Afrique du Sud. Oui, on peut sans doute le joindre, mais ce n'est pas simple, elle ne sait pas où il est et il n'y a pas le téléphone partout. Il faut passer par le siège de la Société des Mines d'Afrique du Sud, à Johannesburg, qui sait toujours où le contacter par radio. Oui elle connaît l'homme qui a été abattu à ses côtés, il s'appelle Maxime Pieri. Il est en relation d'affaires régulière avec son mari. C'est d'ailleurs dans le bureau de son mari qu'elle a fait sa connaissance, à Milan. Elle pense qu'il travaille et habite à Marseille, mais n'en est pas sûre. C'est une connaissance plus qu'un ami. Hier, elle l'a rencontré par hasard dans une galerie d'art qu'elle fréquente régulièrement à Villefranche. Et il l'a invitée à dîner au Palais de la Méditerranée. Oui, c'était la première fois qu'il l'invitait à dîner. La soirée s'est déroulée très agréablement. Ils ont longuement discuté, essentiellement d'art contemporain. Pieri semblait intéressé, il posait beaucoup de questions. Non, il n'était ni tendu, ni inquiet. Ils ont dansé, quelques danses calmes, et joué, un peu, au casino. Il s'apprêtait à la raccompagner chez elle, à sa villa, avant de rentrer à Marseille, ou dormir à Nice, elle ne sait pas, ils n'ont pas évoqué la question. Elle raconte la fusillade secouée de frissons nerveux.

— J'ai vu l'homme. Grand, un casque sur la tête. Il était debout à côté d'une moto. La visière était relevée. Mais il était loin, loin des lumières, pas de visage sous le casque, juste un trou noir. Le visage de la mort. Il a tiré. Je n'ai pas pu m'enfuir, je n'ai pas pu crier, j'étais tétanisée. Je n'ai pas compris ce qui se passait. J'ai senti le sang très chaud sur mes yeux, dans ma bouche, le goût du sang. Une horreur. Quand il a arrêté de tirer, je crois que je me suis évanouie. Effondrée comme un vieux tas de chiffons.

Elle pleure. Les médecins recommandent de la laisser dormir, maintenant.

Sur place, les policiers recueillent les témoignages. D'abord, le chasseur. Il refait tous les gestes qu'il a accomplis avant et pendant la fusillade devant des policiers munis de chronomètres. Pieri lui a donné les clés

31

de sa voiture. Non, à ce moment-là, il n'avait l'air ni inquiet, ni particulièrement pressé, et lui n'a pas remarqué de moto dans les environs. Les clés en main, il a pris la direction du parking. Premier top chrono. Le chasseur refait le trajet, tourne au coin du bâtiment, s'arrête à l'endroit précis où il se trouvait quand il a entendu les premiers tirs. Deuxième top chrono. De là où il était, dans la rue latérale, il ne pouvait pas distinguer l'entrée du casino. Il s'est arrêté, surpris, il n'a pas identifié immédiatement la nature des bruits qu'il entendait, il a tendu l'oreille. Puis il a entendu la deuxième rafale. Il s'est mis à courir pour revenir en direction de l'entrée du casino. Il ne se souvient pas d'avoir entendu d'autres détonations. Il est arrivé sur l'avenue au moment précis où la moto démarrait. Stop chrono. Une très grosse moto, couleur sombre, des passagers en noir qu'il n'a vus que de dos, il ne peut rien dire de plus, il était paniqué. Il a continué à courir, et découvert le spectacle des deux corps effondrés sur le sol, il se souvient des flaques de sang sur la pierre blanche. Près de quinze secondes pour la phase d'action proprement dite. En y intégrant la phase d'approche, les policiers en concluent que l'opération dans son ensemble n'a pas duré plus de trente secondes. Ils se regardent. Des professionnels, des vrais. Ce ne sera pas un cas facile.

Les employés du casino, les quelques consommateurs ou joueurs encore présents sont interrogés, un par un. Ils parlent de deux hommes grands, habillés de noir, casqués, une grosse moto. Le portier, qui était dans le hall au moment de la fusillade, croit avoir reconnu le bruit du moteur d'une Ducati. Rien à tirer de plus. En fait, personne n'a rien vu, et chacun a attendu la fin de la fusillade pour se risquer à sortir. Ce qui se comprend. Une exécution en règle, accomplie par de grands professionnels. Italiens peut-être. Je parie sur l'affaire non résolue, dit un policier. Une de plus, soupire le brigadier. On n'avait pas besoin de ça.

Coulon, le procureur de Nice, réveillé très tôt ce matin par le substitut de permanence conscient de la complexité de la situation, fait les cent pas sur la Promenade des Anglais, devant le Palais de la Méditerranée. L'inspecteur principal Leccia marche à ses côtés, légèrement en retrait. Le cadavre a été évacué, les techniciens de scènes de crime ont achevé leur travail. Ils ont ramassé dix douilles, soigneusement numérotées, photographiées, et ensachées, du gros calibre, du 11.43, pas d'autres indices. Ils ne sont pas optimistes. Après leur départ, le calme est revenu.

Coulon, lui, est sur les dents depuis qu'il a appris l'identité de la victime.

— Quel besoin ce type a-t-il eu de venir se faire descendre chez nous, à Nice ? Comme si nous n'avions pas assez de soucis en ce moment. Vous pouvez me le dire, Leccia ?

Aucune réponse.

— Ce Pieri n'est pas le premier venu, c'est un personnage important.

— Sans doute, monsieur le procureur.

— Un homme d'affaires en vue à Marseille. Il a une société de transport maritime importante, la Somar. En ces temps de fléchissement du trafic portuaire et de reconversion difficile de l'économie de la ville, ce n'est pas rien. D'après Mme Frickx, il serait même en relations d'affaires avec son mari qui dirige le bureau pour l'Europe d'une grosse société américaine de trading de minerais. Il est de notre responsabilité d'éviter à une économie marseillaise fragilisée des difficultés supplémentaires.

— Je ne crois pas que ce soit du côté des hommes d'affaires qu'il faille chercher, monsieur le procureur. C'est peut-être de la déformation professionnelle, mais je pense plutôt à son passé d'ancien lieutenant des Guérini, du temps où le clan tenait la ville de Marseille et le commerce de l'héroïne.

— Oui, je sais bien, et je crains par-dessus tout ce mélange des genres. Tout le monde va vouloir s'en mêler. Les notables, les élus, le ministère. J'ai horreur de ces dossiers. Il n'y a que des coups à prendre.

— Sans compter que cela pourrait plomber encore un peu plus la police niçoise, qui n'est pas au mieux ces temps-ci. Sans insister, je vous rappelle, monsieur le procureur : douze incendies ou mitraillages de bars et de boîtes de nuit en un an, treize hold-up en un mois l'été dernier, notre patron de la Sécurité publique qui, avant de sauter, reconnaît que, dans toutes ces affaires, il n'a pas le moindre début de piste, la guerre qui continue entre le clan des Corses et celui des Pieds-Noirs, un commissaire de la Mondaine englué dans une histoire de putes avec son homologue marseillais, et un nouveau patron que le ministère nous parachute du Nord. Je fais ce que je peux pour calmer le jeu, mais les critiques pleuvent de partout, nos hommes sont au bord de l'explosion, il faut en tenir compte, et ne pas leur demander l'impossible.

— J'en suis aussi conscient que vous, Leccia. Qu'est-ce que vous me suggérez ?

— Il faut être prudent, prendre le temps de bien regarder cette affaire sous tous les angles.

— Ne tournez pas autour du pot, Leccia, pas avec moi.

— Je suis frappé par deux aspects très particuliers dans cette exécution. D'abord le tireur est excellent. Il met toutes ses balles dans sa cible. La jeune femme n'est pas touchée, et nous n'avons même pas de carreau cassé. Pourquoi éprouve-t-il le besoin de tirer dix fois ?

— Aucune idée. D'après vous ?

— Je pense qu'il s'agit d'une mise en scène sophistiquée. Le choix de la victime, la moto, le nombre de tirs à l'arme de poing, le gros calibre, on nous rejoue la scène de l'assassinat d'Antoine Guérini, abattu d'une dizaine de balles de 11.43 en pleine rue à Marseille par un tueur à moto, il y a cinq ou six ans. Comme Pieri était un des meilleurs lieutenants d'Antoine, nous avons là un message à peu près clair : un des aspirants à la succession des Guérini achève de faire le ménage et liquide la vieille garde.

— Zampa ou Le Belge ?

— Pas impossible. Entre ces deux-là, la chasse est ouverte depuis septembre dernier. Au tableau déjà huit morts. Avec celui-ci, cela fera neuf.

— Cette guerre ne concerne pas Nice.

— Ce n'est pas tout à fait exact, monsieur le procureur. Il y avait déjà eu un coup de semonce l'été dernier, Giaume, le caïd niçois allié des Guérini, avait eu sa boîte de nuit incendiée, ici, à Nice. Aujourd'hui, ils passent à la vitesse supérieure, ils font plus spectaculaire pour être bien compris.

— Admettons le message aux survivants du clan Guérini. Vous aviez dit deux aspects particuliers. Quel est le second ?

— Le choix du lieu, monsieur le procureur, tout sauf

anodin. Et là, nous touchons à une question beaucoup plus délicate pour nous, les Niçois. Le casino du Palais de la Méditerranée est visé.

— Je sais de quoi vous allez me parler, Leccia, vous me faites peur.

— L'assassinat d'Antoine Guérini était déjà selon toute vraisemblance un épisode de la guerre des jeux pour le contrôle des cercles parisiens.

— Toujours loin de Nice.

— Pas pour longtemps. Fratoni, à partir de son fief, son casino, ici, en centre-ville, veut faire de Nice le Las Vegas français, ce n'est un secret pour personne, il affiche clairement ses ambitions. Cela passe par le contrôle des casinos du bord de mer. Sa première cible, le Ruhl. Tous nos informateurs nous disent qu'il a réussi à réunir un gros capital avec l'aide d'un consortium italien et que la prise en mains se fera dans les semaines qui viennent. Après le Ruhl, il a déjà programmé le contrôle du Palais de la Méditerranée. La mairie pense que la ville de Nice a beaucoup à gagner au renouveau de ses casinos.

— Je sais, marmonne le procureur, je suis au courant.

— Imaginons maintenant que des truands veuillent nuire à Fratoni, un assassinat sur les marches d'un casino pourrait être un bon avertissement, la violence, le sang, la mort…

— Vous y allez un peu fort.

— Je ne dis pas que Pieri a été assassiné dans ce but, mais on a choisi de lui tendre un guet-apens sur les marches d'un casino…

— Je reste sceptique. Mais en tout état de cause, nous avons intérêt à limiter les remous au maximum et à nous

36

en tenir à la liquidation des restes du clan Guérini par un héritier potentiel indéterminé. Le genre d'affaires qui n'intéresse pas le public. Tant que les voyous se massacrent entre eux, tout est oublié au bout de deux jours, si personne ne cherche de complications. Et nous ciblons Marseille, loin de Nice, et de ses casinos.

Le procureur marche encore quelques instants, puis s'arrête.

— Bon. On fait simple. On s'en tient à l'hypothèse d'un règlement de comptes, probablement à l'initiative de l'un de ces deux cinglés, Zampa ou Le Belge, sans plus de précisions. Il y a peu de chances qu'on débouche sur quoi que ce soit ici. Ces deux-là opèrent beaucoup plus sur Marseille et Paris que chez nous, Dieu merci. C'est à Marseille que le juge Bonnefoy dirige une instruction sur l'ensemble de ces dossiers de règlements de comptes. Je pourrais le saisir et lui confier le dossier.

Le procureur reprend sa marche, réfléchit encore, puis se décide :

— Je le connais peu, ce Bonnefoy. Je vais attendre avant de mettre un juge dans ce pataquès. Je vais ouvrir une enquête de flagrance qui restera sous mon contrôle direct, et que je vais confier au SRPJ de Marseille, ce qui se justifie compte tenu de la personnalité de la victime. Comme cela, nous faisons coup double. Nous évitons que votre patron fraîchement nommé ne déboule dans nos affaires comme un chien dans un jeu de quilles. Et nous éloignons le centre des opérations de Nice et de ses casinos. C'est bien ce que vous souhaitiez, Leccia ?

— Tout à fait, monsieur le procureur.

— Mais, Leccia, je vous demande de garder un œil sur toute l'activité autour de cette enquête. On n'est

37

jamais trop prudent, il ne faudrait pas qu'elle dérape hors de tout contrôle, ne nous laissons pas surprendre. Je compte sur vous, comme d'habitude.

Mardi matin, Marseille

Daquin est convoqué en début de matinée par le directeur du SRPJ de Marseille, qui l'accueille très aimablement. Pas forcément bon signe.

— Un meurtre, cette nuit à Nice, la victime, Maxime Pieri, est une personnalité complexe, un grand entrepreneur marseillais, avec un passé chargé dans sa jeunesse. Grimbert vous en dira plus. Le procureur de Nice, dans le cadre d'une enquête de flagrance, nous a chargés du dossier. J'ai consulté le juge Bonnefoy, il pense que le dossier Belle de Mai est un dossier classique de règlement de comptes entre truands, et il n'a pas l'intention de déclencher une enquête tentaculaire. Vous ne serez pas surchargé de travail dans ce dossier. J'ai donc décidé de vous confier aussi celui-ci, à vous et à votre équipe. Pour vous, ce sera un tour de chauffe. Voici ce que Nice nous a transmis par télex. Le patron tend à Daquin une chemise mince, quelques feuilles. Vous avez les rapports de police établis sur les lieux du crime, les témoignages recueillis sur place, et les coordonnées du bureau du procureur de Nice. L'inspecteur Bonino sera votre correspondant à l'antenne du SRPJ à Nice. Vous avez ses coordonnées dans le dossier, il est au courant, il attend votre coup de fil. Bonne chance, Daquin.

Daquin prend le dossier, le visage lisse, sans réaction.

— Merci, monsieur le directeur.

Il se lève et s'en va. Chasse sur les terres niçoises, personnalité complexe de la victime. Mission pourrie ? Peut-être, mais enquête de flagrance, une chance. Il faut essayer d'y aller à fond.

Daquin rejoint Grimbert et Delmas qui l'attendent dans leur bureau.

— Qu'est-ce qu'il voulait, le directeur ?

— Il nous donne le dossier de l'assassinat de Maxime Pieri, qui a eu lieu cette nuit à Nice.

Grimbert émet un sifflement de surprise.

— J'ai entendu la nouvelle de son assassinat ce matin à la radio, je n'aurais jamais pensé que nous aurions une chance d'hériter de cette affaire. (Daquin sent l'excitation dans sa voix.) Expliquez-nous, commissaire.

— Le procureur de Nice a décidé une enquête de flagrance qui reste sous son contrôle, et il a saisi le SRPJ de Marseille. Le patron nous l'a confiée, je n'en sais pas plus. Voilà le dossier, mince, normal, le type a été tué il y a sept heures. Nous le lisons, et nous en discutons ensuite.

Quelques minutes plus tard :

— Qu'est-ce que vous en pensez, Grimbert ? Moto, gros calibre, une dizaine de tirs, c'est le énième règlement de comptes du milieu ?

Grimbert hésite. Sourcils froncés, plus trace du demi-sourire. Il se lance :

— Je note de sérieuses dissonances. D'abord, l'exécution est trop propre. Le tueur ne tire pas à bout portant, et malgré tout, il ne touche pas la femme au bras de Pieri, pas de dégâts matériels aux alentours, les

39

tueurs du milieu sont rarement aussi précis. Ensuite la personnalité de Pieri. Il a été un des lieutenants d'Antoine Guérini, c'est vrai, mais depuis une dizaine d'années, il s'est reconverti dans les affaires. Maintenant, c'est un homme en vue dans la vie économique marseillaise, il possède une entreprise, la Somar, qui fait naviguer une dizaine de cargos. Je ne le vois pas prendre sa part dans les luttes actuelles des clans pour le pouvoir.

— D'après le patron, vous en savez un peu plus que ce que vous nous dites là.

Grimbert hésite, puis se décide :

— Pieri appartenait à cette génération de Corses qui a noué des rapports étroits avec les hommes politiques à la fin de la guerre et dans l'après-guerre. Il avait la réputation de faire des affaires à la limite de la légalité…

— De quel côté de la limite ? En deçà ou au-delà ?

— Au-delà, bien sûr, c'est le sens de la formule je crois, et avec beaucoup de monde dans la bonne société de Marseille. Mais ce sont des bruits, je n'ai aucun élément concret.

— Ça pourrait constituer une bonne raison de se faire descendre.

— Oui, sûrement.

— On peut imaginer une mise en scène de règlement de comptes du milieu, pour éviter une enquête approfondie ?

— Ce serait amusant. Et intelligent, en pleine guerre de Zampa contre Le Belge. On pourrait même penser que les dix balles tirées sur Pieri sont une sorte de citation des dix balles qui ont abattu Antoine Guérini. Histoire d'être sûr que nous ferions bien le rapprochement.

— Quels sont nos rapports avec l'antenne de Nice ?

— Compliqués. Nice et Marseille sont deux villes différentes. Pas la même population, pas les mêmes hommes politiques. Pas les mêmes truands et pas les mêmes flics. Ceci dit, comme nous ne travaillons pas ensemble de façon très régulière, les rapports ne sont pas exécrables. Je dirais à mi-chemin entre pas fameux et corrects. Plutôt meilleurs qu'entre les différents services ici même à l'Évêché.

— Je récapitule. Un assassinat, peut-être un règlement de comptes du milieu, peut-être pas. Nous sommes saisis dans le cadre d'une enquête de flagrance. Une enquête de flagrance dure quinze jours. Pendant ce temps, nous avons de vrais pouvoirs d'investigation, nous échappons à l'emprise du juge Bonnefoy qui est hors jeu, et nous sommes sous le seul contrôle du lointain procureur Coulon, qui siège à Nice. On peut gérer le dossier a minima, personne ne nous en voudra, ou foncer sur l'occasion et bosser comme des malades pendant quinze jours. On joue le coup ou on ne le joue pas ? Grimbert ?

— On le joue.

— Delmas ?

— Pareil.

Montée d'adrénaline, coup de chaleur. Sentiment de vivre la naissance d'une équipe, comme parfois au rugby, au milieu du danger et des chocs.

— Au travail, pas de temps à perdre. Je vais foncer à Nice, voir Bonino à l'antenne du SRPJ et le procureur Coulon. Je demande une perquisition de l'entreprise de Pieri ?

— Vous pouvez toujours essayer, ça m'étonnerait…

— On verra. Vous ici, vous récupérez les fiches de

41

police sur Pieri, vous trouvez des flics qui l'ont connu et qui peuvent nous parler de lui, vous localisez sa famille, et vous ramassez le maximum de renseignements sur ses entreprises. Vous avez le droit de faire preuve d'imagination, mais attention à rester dans les clous tant que la mécanique n'est pas lancée. Ne donnons aucun prétexte à ceux, quels qu'ils soient, qui voudraient nous enlever le dossier. On se revoit ici demain matin.

Delmas et Grimbert se retrouvent au Bar-Tabac situé sur la grande place devant l'entrée de l'Évêché. C'est l'annexe pour les policiers de la PJ. Un bistro ordinaire, mais avec une grande terrasse qui offre une vue dégagée sur l'hôtel de police. Histoire de ne pas être dépaysé. Flics à toutes les tables. Grimbert entraîne Delmas à une table à la terrasse, au soleil.

— Ici, il faut se méfier, les journalistes traînent partout, à la recherche du moindre tuyau. J'en ai repéré un au bar, je suis sûr qu'il est là pour pêcher des infos sur Pieri, je ne tiens pas à le croiser.

Grimbert propose à Delmas de se partager le travail.

— Toi, tu prends les archives de l'Évêché, tu sors tous les dossiers qui concernent Pieri, si possible tu localises sa famille, et tu prépares une note de synthèse pour demain matin. Moi, je passe à la Chambre de commerce et aux Impôts, voir ce que je peux ramasser. On fait le point avec le commissaire demain matin.

La Chambre de commerce a son siège dans un bâtiment au décor monumental, tape-à-l'œil et surchargé, chef-d'œuvre de la politique de communication des entreprises marseillaises à la fin du XIXᵉ siècle : il convenait de «faire riche», c'est réussi. Les responsables de la Chambre, d'un même élan, refusent de recevoir l'inspecteur Grimbert. Trop de travail, pas de temps à perdre, rien à dire. Et le renvoient sur leurs secrétaires qui ont dû apprendre leur texte dès les premières heures de la matinée : Pieri, un entrepreneur dynamique, très présent dans toutes les réunions professionnelles. Certes, il n'appartient pas au même monde que les grandes familles des huileries et savonneries, qui n'iraient pas jusqu'à le recevoir chez elles, mais qui l'apprécient, à distance. Elles n'ont jamais entendu parler du moindre conflit violent. Ce meurtre n'a rien à voir avec la vie des entreprises de Marseille.

— Dix balles dans le corps, un gros calibre genre bazooka, une précision de tireur d'élite, d'après vous ce serait sans doute une femme jalouse qui tue sur un coup de colère, un crime passionnel, dit Grimbert, l'air sérieux.

— Et pourquoi pas, répondent les filles en riant.

Grimbert, agacé par cette façon désinvolte de le traiter, est pris d'une inspiration subite.

— Où est le centre de documentation de la Chambre, je veux consulter le dossier de la Somar.

Demande inattendue, conciliabule chez les secrétaires.

— Le centre n'est pas ouvert au public, il est réservé aux adhérents.

— Je ne suis pas «le public», je suis inspecteur de la brigade criminelle de Marseille, et j'enquête sur l'assassinat de l'un de vos adhérents. Indiquez-moi immédiatement où est ce centre.

Le centre est sous les toits. En marchant dans des

couloirs étroits et aveugles, Grimbert a de sérieux doutes sur l'utilité de sa démarche. Mais maintenant qu'il a fait la demande…

La documentaliste l'oriente très vite.

— Maxime Pieri, bien sûr je suis au courant de son assassinat, j'ai écouté la radio. Je l'avais croisé plusieurs fois, un homme très courtois. Je vais vous donner sa nécro.

— Déjà une nécro ? Il est mort ce matin…

— Nous avons des dossiers nécro que nous tenons à jour sur tous les entrepreneurs importants de Marseille. Coupures de presse et quelques notes dactylographiées. Pour pouvoir alimenter des communiqués de presse et des éloges funèbres dès que nécessaire.

— Charmant. Et personne n'a encore demandé celui de Pieri ?

— Non. Elle rit. Les candidats à l'homélie ne vont pas se bousculer. Abattu dans la rue, comme un gangster, ça fait mauvais genre. Et les journalistes n'ont pas encore pensé à venir nous voir. Voilà le dossier, prenez-en soin, laissez-le en ordre.

Grimbert s'installe à une petite table dans le centre désert, la documentaliste retourne à ses occupations.

D'abord, une notice biographique succincte : Maxime Pieri est né en 1926 à Calenzana, en Corse. Il arrive très jeune à Marseille. À l'été 44, il participe à la libération de Marseille les armes à la main. Engagé volontaire en septembre 1944, il rejoint la 2e DB. En juin 1945, il est décoré de la croix de guerre.

Calcul rapide, à l'époque, il avait dix-neuf ans. Respect.

La séquence suivante commence en 1962 avec la création de la Somar. Dix-sept années de carrière criminelle passées sous silence. Écrire l'Histoire, c'est savoir ménager l'oubli.

Grimbert note : Pieri crée son entreprise, la Somar, avec un seul cargo en 1962. Il a donc trente-six ans. Croissance quasiment continue. La Somar possède aujourd'hui une flotte d'une dizaine de bateaux et s'intéresse à l'affrètement de pétroliers.

Un article d'un hebdomadaire économique, *Info Éco Avenir*, a été découpé et classé. Il est daté de novembre 1964, et signé d'un certain Pascal Thiébaut, dont la photo apparaît en format timbre-poste en haut de la page, à côté du titre : « La fin du modèle marseillais ? »

Grimbert passe rapidement sur la description du « modèle marseillais » : activités portuaires et industrielles puissamment intégrées, le port alimentant l'industrie de transformation en matières premières agricoles tropicales. Quand l'activité portuaire fléchit, l'industrie qui en dépend recule, la crise s'installe. L'article est de 1964, et déjà la crise ? Nous sommes en crise depuis dix ans et ça continue ? Ils font quoi là-haut ? Un moment rêveur, Grimbert reprend sa lecture. Le journaliste s'interroge sur les causes : l'écroulement de l'empire colonial et l'industrialisation du tiers-monde qui assécheraient l'approvisionnement en matières premières ? Non. La cause principale du déclin marseillais est la faillite de ses élites économiques, écrit-il : « Un capitalisme familial usé par la succession de trois ou quatre générations aux commandes, rendu méfiant face à toute mutation, qui préfère investir dans l'immobilier que dans l'industrie, et des héritiers qui s'enfuient vers les professions libérales. »

Grimbert s'étonne de la force du réquisitoire dans une publication somme toute très peu révolutionnaire. Le plus intéressant pour lui est à venir :

«Ce déclin serait-il irrémédiable? Peut-être pas, si les élites économiques parviennent à se renouveler. J'ai rencontré quelques entrepreneurs d'un nouveau genre, fourmillant de projets. Maxime Pieri a fondé son entreprise de transport maritime de marchandises il y a deux ans, avec des capitaux limités, et un taux de croissance du chiffre d'affaires spectaculaire, avoisinant les 25 % par an. Je lui demande d'où vient ce dynamisme. De deux facteurs principaux, me dit-il. Le monde change, il faut s'adapter et trouver de nouveaux clients. Il prospecte vers les pays de l'est de la Méditerranée, la Turquie, la Syrie, le Liban, des circuits commerciaux qui ne passent plus nécessairement par Marseille. Et pour trouver les capitaux nécessaires à son développement, il prospecte auprès d'un public qui a des économies, mais pas l'habitude d'investir dans les affaires. Il met au point des formes nouvelles de participation-investissement à durée limitée pour les attirer, et ne fait pas confiance aux banques, trop chères et trop frileuses. Enfin, il lorgne vers le pétrole, sans doute l'avenir, dit-il, mais c'est une autre histoire.»

Le journaliste esquisse ensuite le portrait de deux autres «Marseillais de l'avenir». Grimbert arrête de lire, la documentaliste est occupée ailleurs, il empoche l'article d'*Info Éco Avenir*, referme le dossier, va le lui rendre, la salue et s'en va.

Dans la rue, il marche vite, pour se rafraîchir les idées. Il a du mal à avaler l'article de cette revue intello qui fait le portrait de Pieri en héros de l'économie marseillaise.

Au programme, après la Chambre de commerce, les Impôts du secteur de la Joliette. Il monte directement dans le bureau de l'inspecteur Micchelozzi, un voisin avec lequel il joue parfois à la pétanque en buvant un pastis, le dimanche à l'heure de la messe. Salutations chaleureuses. Moins de chaleur quand Grimbert embraye :

— Tu as appris l'assassinat de Pieri ?

— Bien sûr.

— Je travaille dessus. Tu connais un peu la Somar. Qu'est-ce que tu en penses ?

— Je ne m'occupe pas personnellement de la Somar, mais je suis comme tout le monde, je connais les rapports que Pieri a eus autrefois avec les Guérini. Pour moi, ses liens avec les Guérini, c'était de l'histoire ancienne. L'entreprise est saine. L'activité est réelle, les bateaux existent, les contrats, les marchandises aussi. Et pour autant que je sache, la société paie ses impôts. Les deux contrôles fiscaux qu'elle a eus en cinq ans n'ont pas donné lieu à des redressements fiscaux spectaculaires. Juste des brouilles, comme partout.

Grimbert parle de choses et d'autres, la météo, le cabanon, la pêche, pour donner le temps à Micchelozzi de peser le pour et le contre. Puis :

— Bon, je vais te laisser. Tu ne vois rien d'autre à me dire ?

— J'ai entendu çà et là, dans les couloirs… tu sais, les gens causent sans toujours savoir… Il y a eu quelques histoires pas très nettes autour de la construction du port pétrolier de Fos. Les terrains ont flambé là-bas, il y a eu aussi une embrouille autour d'une raffinerie indépendante des grandes compagnies pétro-

47

lières, on a parlé d'une tentative de chantage, Pieri aurait été dans le coup, rien de bien certain.

Dès que Grimbert quitte son bureau, Micchelozzi décroche son téléphone. Les flics s'intéressent à la Somar. Il faut faire circuler l'information et prendre des précautions en conséquence.

Grimbert a vite fait le point. Fos, probablement une fausse piste pour m'envoyer voir ailleurs. Mais Pieri disait, dans la conclusion de l'article : «le pétrole, l'avenir, une autre histoire». Cela mérite quand même une vérification rapide. Micchelozzi prétend ne pas s'intéresser à la Somar, mais il est parfaitement au courant des contrôles fiscaux de l'entreprise. Ça, c'est une vraie information, parce qu'à son poste, aux Impôts, il est une plaque tournante de toutes les magouilles financières à Marseille. Prometteur.

Mardi après-midi, Nice

L'inspecteur Bonino a été averti de l'arrivée de Daquin, et l'attend dans les locaux de l'antenne du SRPJ, au commissariat central de Nice. Il trouve sa propre situation franchement inconfortable. Le directeur général de la police judiciaire l'a chargé de travailler à l'enquête de flagrance sur la mort de Pieri, mais sous la direction et la responsabilité de Daquin et de son équipe de Marseillais. Ce qui n'est guère stimulant. Et sous le regard vigilant du procureur Coulon, à qui il est loin de faire une confiance aveugle. Bref, il est en porte-à-faux sur un dossier pourri. Il fera le job, sans excès. Avec le souci majeur d'éviter les mauvais coups qui risquent de jaillir de toute part.

Les flics niçois ont averti la Somar de la mort de Pieri. Apparemment, il n'y a pas de famille à prévenir. Deux policiers font le tour des garages de la région, à la recherche d'une grosse cylindrée Ducati, sans trop y croire. Tout le monde pense à une équipe de tueurs italiens qui aurait déjà repassé la frontière. Bonino s'est renseigné sur le couple Frickx. La femme est la petite-fille d'un magnat des mines d'Afrique du Sud. Le mari est un trader important, représentant pour l'Europe de la firme CoTrade, première mondiale dans le trading des minerais. Il ne sait pas exactement ce que cela représente, mais méfiance. Le mari est actuellement en voyage d'affaires en Afrique du Sud, où Bonino est parvenu à le joindre pour l'informer des mésaventures de son épouse, qui est toujours à l'hôpital, sérieusement commotionnée. Le mari a promis d'être là demain soir. Bonne nouvelle, parce qu'il faudra bien lui poser quelques questions, puisque sa femme affirme qu'il était en relation d'affaires régulière avec Pieri.

Pendant ce temps, deux inspecteurs vérifiaient le témoignage d'Emily. À la galerie d'art de Villefranche, le galeriste, qui connaît très bien Emily – elle fréquente régulièrement sa galerie –, a confirmé qu'elle avait rencontré Pieri la veille au soir sous ses yeux, et par hasard, semble-t-il. Les employés du casino connaissaient bien Pieri, qui était un habitué. Il y était venu dîner à plusieurs reprises dans les trois derniers mois, il jouait un peu, sans passion, toujours seul, sauf le soir de son assassinat. Emily Frickx, elle, n'y était jamais venue auparavant. Bonino en conclut que l'assassinat de Pieri peut avoir été programmé, puisqu'il était un habitué du casino, et que le témoignage d'Emily est validé. Elle serait donc hors de cause. Plutôt une bonne nouvelle.

Daquin n'est toujours pas là. Bonino consulte, plus par ennui que dans l'espoir d'y trouver des renseignements, les fichiers de police. Emily Frickx. Surprise, elle a bel et bien une fiche au commissariat central de Nice.

28 mai 1971. Le policier de permanence au commissariat central de Nice enregistre un coup de téléphone anonyme signalant une bagarre impliquant au moins une dizaine de personnes sur la Promenade des Anglais, à la hauteur du Palais de la Méditerranée. L'équipe du brigadier Kosciusco se rend sur les lieux, et constate les faits suivants :

« Une bande d'une dizaine d'individus, en costumes et chapeaux melons pour les hommes, les femmes en robes longues avec des fleurs dans les cheveux, ont installé un piano droit sur le trottoir de la Promenade des Anglais. Nous identifions immédiatement les habituels jeunes "artistes" perturbateurs qui se regroupent autour de la boutique de Ben Vautier. Les hommes balancent des grands coups de masse sur le piano, sous les applaudissements de leurs compagnes. Le piano résonne, craque et se disloque au milieu des hurlements et des chants. Des passants, alertés par le vacarme, scandalisés, protestent, veulent interrompre le massacre du piano, et se heurtent à la bande des femmes hystériques qui protègent à coups de poing les démolisseurs. Des bagarres éclatent ici et là. Nous décidons alors de procéder à l'arrestation des perturbateurs, pour rétablir le calme. Les ruines du piano sont abandonnées sur les lieux, et les services de nettoyage de la ville sont alertés. »

Suit la liste des personnes interpellées, parmi lesquelles figure bel et bien le nom d'Emily Frickx.

Bonino se reporte immédiatement à la déposition de la jeune femme.

Emily Frickx nous déclare :
« Nous tapions sur un piano, nous faisions de la musique. C'était un concert. La femme avec laquelle je me suis battue, et que par ailleurs je ne connais pas, ne voulait rien entendre du point de vue que je développais, et s'en est prise très violemment à l'un de mes amis, qu'elle a tenté de mordre. J'ai voulu l'en empêcher, et nous en sommes venues à échanger des coups. »

Après plusieurs heures de cacophonie dans le commissariat, les policiers, excédés, avaient fini par relâcher tout le monde.

Bonino est surpris, il n'imaginait pas Emily, la jeune femme défaillante de la nuit précédente, l'épouse d'un homme d'affaires important, fréquenter ces cinglés de jeunes artistes niçois. Cela ne fait pas d'elle pour autant la complice d'un assassin. Il faut raison garder. Cette fiche atteste de son goût ancien et avéré pour ce qu'on appelle communément l'art contemporain, ce qui peut crédibiliser son témoignage.

Daquin arrive à ce moment précis. Prise de contact plutôt fraîche. Bonino est plus âgé que Daquin, et n'a guère d'espoir d'être un jour commissaire. Il est petit, rond, un début de calvitie, un costume-cravate sans fantaisie, et il n'aime pas les grands costauds plutôt beaux mecs qui viennent lui piquer ses enquêtes, mais Daquin la joue presque déférent, il vient lui rendre compte. Les Marseillais souhaitent s'orienter vers des recherches sur l'entreprise de Pieri. Qu'en pense-t-il ?

— Que dit le procureur Coulon ?

— Je n'en sais rien. Je voulais en parler avec vous d'abord. Je vais le voir en sortant d'ici.

— Tenez-moi au courant.

— Bien sûr.

Bonino donne à Daquin des notes contenant toutes les informations dont il dispose. Frickx sera là demain soir, parfait, il est convenu que Daquin revienne à Nice après-demain, et qu'ils rencontrent Frickx ensemble. Puis Bonino glisse vers Daquin la fiche de police d'Emily. Celui-ci la lit très attentivement, en demande un double, qu'il met dans son dossier. Il apprécie le travail de l'équipe de Bonino, et le dit.

Les deux hommes se séparent sans animosité.

Daquin se rend chez le procureur Coulon, au palais de justice de Nice. La première rencontre est importante, il faut rester concentré. Cette enquête est un tour de chauffe, a dit le patron du SRPJ de Marseille. Un tour de chauffe qui peut ressembler à une façon de se défausser du mistigri sur le dernier arrivant, le Parisien. Ou pire, à une chausse-trappe. Je vais être fixé très vite.

Le procureur l'attendait. Il le reçoit tout de suite, et semble surpris : un commissaire si jeune ! Après quelques phrases d'entrée en matière, Daquin évoque la possibilité de mener une perquisition dans l'entreprise de Pieri. Le procureur hausse les sourcils, Daquin argumente :

— Démarche classique. Commencer par enquêter sur la victime pour éclairer le mobile du crime.

— Si jeune et déjà classique ? Allons-y en douceur, commissaire. M. Pieri est la victime, pas le coupable, et nous devons éviter toute démarche qui pourrait ternir l'image d'une entreprise marseillaise estimée de tous et dynamique, ce qui est exceptionnel dans le contexte de crise de l'économie marseillaise. Vous avez rencontré vos collègues niçois ?

— J'en viens, monsieur le procureur.

— Ils ont une hypothèse, je crois.

— Laquelle, monsieur le procureur ? Ils ne m'en ont pas parlé.

— Pour eux, l'assassinat de Pieri est à relier à tous les règlements de comptes qui ensanglantent la Côte depuis de longs mois, un épisode de la lutte entre Zampa et Francis Le Belge pour le contrôle de l'héritage des Guérini. Il est possible que Pieri ait payé avec retard son passé sulfureux auprès d'Antoine Guérini. Si c'est le cas, les clés de ce règlement de comptes sont ailleurs que dans la Somar, qui est, tout le monde vous le dira, une entreprise respectable, et qui doit le rester. Ne mélangeons pas tout. Malgré son passé, Pieri était devenu une notabilité de la vie économique marseillaise depuis une dizaine d'années.

— Quand pourrons-nous organiser une reconstitution de la scène de crime ?

— Ce serait peut-être une mauvaise publicité pour nos casinos, à la veille de la saison touristique. Et puis ça coûte cher. N'engageons pas de dépenses inconsidérées. La façon dont Pieri a été abattu semble très claire. Vos collègues niçois m'ont remis un rapport là-dessus.

Le procureur se lève, serre la main de Daquin avec chaleur.

— Tenez-moi très régulièrement au courant. Nous comptons sur vous pour avancer avec prudence sur ce dossier extrêmement délicat, vu la personnalité de la victime.

Retour vers Marseille, plus de deux heures de route, une corvée, Daquin n'a aucun goût ni pour les voitures ni pour la conduite, sportive ou non. En quittant Nice par la Promenade des Anglais, il passe au ralenti devant le Palais de la Méditerranée. Une haute façade d'une blancheur agressive, façon pièce montée recouverte de chantilly. Un empilement de styles, arcades pseudo-romanes, encadrées de pilastres pseudo-grecs, surmontées de bas-reliefs et de statues très XIXᵉ siècle. Un temple du mauvais goût niçois des années 30. Cette scène de crime est un décor de théâtre qui convient parfaitement à un crime mis en scène. Tant que je n'ai pas droit à une reconstitution, cela reste pour moi un théâtre d'ombres. J'ai besoin de voir, de mes yeux, ce qui s'est passé. Nous allons organiser notre propre reconstitution.

Sur la route, sa pensée vagabonde. Bilan de la journée contrasté. Positives, les réactions de Grimbert et Delmas. L'équipe est en voie de constitution, je la sens bien. Correcte la rencontre avec Bonino. Désastreuse l'entrevue avec le procureur Coulon. Il délivre la thèse « officielle », c'est-à-dire la sienne, pas celle de Bonino : exécution par le milieu. Qu'a dit Grimbert ? « Je note de sérieuses dissonances. » Et il n'a pas écarté l'hypothèse d'une mise en scène. Ce flic a la fibre. Et le procureur Coulon, pour des raisons que j'ignore, compte sur moi, le petit jeune, pour valider rapidement la thèse du règlement de comptes, et enterrer le dossier. Il ne pouvait pas le dire de façon plus claire. Et si je ne suis pas la ligne officielle, ce sera le placard, et rien à attendre, ni du directeur, ni du proc, personne pour me soutenir. Bien. Je ne vais pas me laisser enfermer. Seule façon de m'en sortir, trouver les assassins, ou au moins produire des pistes, des faits, des preuves. Coulon a une position de blocage trop rigide pour pouvoir la tenir si j'avance, même de quelques pas. Je ne m'en tirerai pas sans un peu, beaucoup de chance. Sortir, renifler, me promener, multiplier les occasions de la croiser, ma chance, si je la croise, je saurai la saisir. En attendant, rester embusqué, la patience est une vertu. Peut-être, mais nous n'avons que quinze jours devant nous. Pas gagné. Excitant.

Marseille, plaisir de retrouver l'appartement perché au-dessus de l'agitation, des bruits et des odeurs du Vieux-Port. Ce soir, projet : cognac sur la loggia. Seul. Plaisir d'être seul. Toute cette année à Beyrouth, il ne l'était jamais, seul. Et cela avait fini par lui peser. Beyrouth, une idée de Lenglet. Quand Daquin avait rencontré Lenglet, il avait seize ans. Sa mère, suicidaire puis suicidée à l'alcool et aux médicaments, était morte depuis trois ans. Il avait un goût prononcé pour les garçons qu'il ne savait trop comment vivre, et était en guerre ouverte contre son père. Lenglet lui avait appris à baiser sans complexe. Une sexualité ni affichée, ni clandestine, normale. Sans qu'il n'y ait jamais eu entre eux de rapports sexuels, ou de concurrence amoureuse, ce qui permettait à leur amitié d'être solide et de durer. Ils avaient fait Sciences Po ensemble, tous les deux très brillants, puis à la sortie, avec un même penchant pour l'aventure intellectuelle et physique, Lenglet s'était orienté vers la diplomatie dans sa version proche des services secrets, Daquin vers la police, par révolte contre son père, pour qui, si la diplomatie était envisageable, la police, un métier de gueux, ne l'était pas, et il avait fait une licence de droit, puis intégré l'École des commissaires. Ensuite Beyrouth, le service de sécurité de l'ambassade de France où Lenglet était en poste depuis deux ans, la rencontre avec Paul Sawiri, un Libanais de quarante-cinq ans, collaborateur de Lenglet, intelligent, cultivé. Sa première liaison durable, un an, une éternité. Pesant, à la longue, comme la présence continue de Lenglet d'ailleurs. Une rupture pas encore soldée. Et maintenant Marseille, cognac, Vieux-Port et solitude.

Quand il arrive, il dépose la voiture à l'Évêché, et rentre à pied. Passage par la brûlerie de café de la Canebière, où il achète une cafetière électrique et un kilo de café moulu en provenance d'Italie. Rentré à l'appartement, il a à peine le temps de prendre une douche, coup de téléphone. Vincent Royer, un condisciple de la fac de droit.

— Porticcio m'a téléphoné pour me dire que tu étais à Marseille pour un bout de temps, et qu'il t'avait prêté son appartement. Tu aurais pu plus mal tomber !

— Salut, oui, disons que je ne me plains pas.

— Tu sais que je suis rentré m'installer comme avocat à Marseille ?

— Oui, Porticcio me l'a dit. Tu te plais ici ?

— Oui, je l'aime, ma ville. Et j'ai beaucoup de

chance. Je suis associé avec Me Lombardino, nous assurons la défense de quelques prévenus dans l'énorme procès qui se prépare, sur le démantèlement de la fameuse French Connection, plus de trente inculpés. J'imagine que tu en as entendu parler à l'Évêché? (Daquin grogne.) J'ai la charge du dossier de la femme du principal accusé. C'est passionnant, sur le plan professionnel.

— Je n'en doute pas.

— Nous pourrions peut-être nous voir…

— Demain, viens dîner chez moi, ou plutôt chez Porticcio, au quai du Port. Tu connais l'adresse si j'ai bien compris. Un peu tard, vers 9 heures, je ne sais pas à quelle heure je finirai à l'Évêché…

— Entendu. Avec plaisir.

Vincent, un membre de la petite bande de la fac de droit. Souvenir vague… J'y penserai demain.

Ce soir, Daquin entreprend de trouver du jazz dans la discothèque de son ami, plutôt classique, et s'installe avec son verre de cognac sur une chaise longue dans la loggia. Les lumières du Vieux-Port clignotent dans la nuit. Il fait frais. Demain est un autre jour.

3

Mercredi 14 mars 1973

Mercredi, Marseille

Les grands quotidiens nationaux annoncent l'assassinat de Pieri sur une colonne en page intérieure, rubrique Faits divers :

UN ARMATEUR MARSEILLAIS ABATTU SUR LA PROMENADE DES ANGLAIS À NICE

Maxime Pieri, un des acteurs économiques de la reconversion du port de Marseille, semble avoir payé, avec bien des années de retard, ses liaisons sulfureuses avec le clan Guérini dans l'immédiat après-guerre.

Dès le matin, Daquin et les deux inspecteurs se retrouvent dans leur bureau. Grimbert prend les devants :

— Comme vous nous l'aviez demandé, j'ai cherché un flic qui aurait bien connu Pieri. Je suis passé voir hier un de mes vieux amis qui est aux Stups de Marseille. Il faut que vous sachiez, commissaire, que les rapports entre les Stups et le reste de la PJ sont exécrables. Il y a moins de deux ans, le ministre en personne a accusé les flics des Stups marseillais d'être des feignants et des incapables, tous plus ou moins corrompus. L'année dernière, ils ont donc tous été priés d'aller voir ailleurs, et une équipe toute constituée est descendue de Paris pour les remplacer, avec un chef issu des grandes brigades du Quai des Orfèvres. La presse régionale a écrit qu'ils étaient là pour « attaquer la police des Corses ». Imaginez l'ambiance… Pour aggraver leur cas, les Parisiens ont exigé d'être autonomes de la PJ marseillaise, ont quitté l'Évêché et se sont installés dans des appartements en ville. Une vraie gifle. Toute la PJ marseillaise s'est sentie agressée et a coupé les communications avec les Stups. Alors, pour trouver des soutiens, les Parisiens ont joué à fond la collaboration avec les Américains, qui ont installé des prétendues superpointures de la CIA au consulat américain à Marseille pour tuer la French, et ont filé du fric, des bagnoles, des radios aux Stups. Et puis les Parisiens ont fini par s'apercevoir que sans connaissance du terrain, les fichiers étaient morts, et que les Ricains les emmenaient dans des culs-de-sac. Je ne vous dis pas les bourdes qu'ils ont faites. Un coup, les Ricains ont dépensé des millions dans la fabrication d'un camion renifleur, hérissé d'antennes et de capteurs, un labo ambulant qu'ils promenaient dans les rues de Marseille et de la banlieue, et qui était censé renifler les vapeurs de l'héroïne en fabrication et localiser les usines de raffinage. Sur son passage, tous les Marseillais sortaient des bistros, levaient leur verre et buvaient un coup de pastis à la santé du Renifleur. Évidemment, ils n'ont trouvé aucune usine, il n'y en a pas, simplement des artisans chimistes qui bossent dans la cuisine de villas en pleine campagne. Au bout d'un moment, les Parisiens en ont eu marre d'être ridicules, et ils ont récupéré Casanova, mon copain, la mémoire vive du service, et le seul Marseillais survivant de la purge. Il accepte de venir nous donner un coup de main ce matin sur Pieri, parce que c'est mon copain. À condition qu'on garde ça pour nous, qu'on n'en parle à personne à l'Évêché et qu'on ne lui pose pas de questions gênantes sur le fonctionnement des Stups. Vous êtes d'accord ?

— Delmas ?

— Pas de problème.

— Très bien, appelez-le, pendant ce temps j'installe la cafetière que j'ai achetée hier.

Premier café avec cette cafetière. Ce n'est jamais le meilleur. Avant même d'avoir fini de le boire, Daquin embraye :

— Je vous donne rapidement un premier bilan de ma journée à Nice, avant l'arrivée de votre copain.

« Bilan contrasté. Bonino à l'antenne du SRPJ à Nice me semble faire du travail sérieux. De ce qu'il m'a dit, Frickx est le représentant pour l'Europe d'une grosse entreprise de trading, CoTrade, et il y aurait des relations d'affaires régulières entre Frickx le trader et Pieri l'affréteur, d'après le témoignage de Mme Frickx. Frickx était en Afrique du Sud hier, il sera à Nice aux côtés de sa femme ce soir, nous devrions avoir un entretien avec lui demain, à Nice. Mme Frickx, elle, semble hors de cause. Moins positif du côté du procureur. Coulon refuse reconstitution et perquisitions. À se demander pourquoi il ouvre une enquête de flagrance. »

Grimbert, avec un demi-sourire :

— Pour laisser retomber la mousse pendant quinze jours avant de mettre un juge dans le coup.

— Vous devez avoir raison.

Casanova arrive au bon moment, celui du deuxième café. Les quatre hommes s'installent comme ils peuvent dans l'espace restreint du bureau, et l'on passe à l'étude du passé de Pieri. Delmas commence :

— Les fiches de police nous donnent des indications sur l'état civil de Pieri. Il est né en 1926, en Corse, à Calenzana. À l'âge de dix ans, il perd son père et sa mère, abattus sous ses yeux dans une fusillade probablement liée à une vendetta, affaire jamais élucidée. La grand-mère le prend sous le bras et passe sur le continent, pour échapper aux tueurs. Direction Marseille, le Panier, rue des Pistoles, une rue peuplée de Corses, majoritairement originaires de Calenzana. Elle vend des fruits et légumes sur les marchés pour survivre. Puis c'est la guerre et l'occupation allemande.

Grimbert prend le relais :

— D'après son dossier à la Chambre de commerce, en 44 Pieri participe à la libération de Marseille, s'engage dans l'armée, croix de guerre en juin 45. Il a dix-neuf ans. Après, silence radio jusqu'en 1962.

Casanova s'adresse à Daquin :

— Vous le Parisien, il faut que vous compreniez ce qui se noue à ce moment-là à Marseille. Un clan soudé a commencé à se former autour des frères Guérini, dès avant la guerre. Tous corses, tous à Marseille, beaucoup du même village, Calenzana. Le village, pour un Corse, c'est important. Pendant la libération de Marseille, les Guérini se battent aux côtés de Defferre et des socialistes. On dit même que Mémé Guérini lui aurait sauvé plusieurs fois la vie. C'est le tournant de leur histoire. Dans la période très agitée qui suit la Libération, le clan Guérini fait fortune dans le trafic de cigarettes, une énorme entreprise qui s'étend sur toute la Méditerranée occidentale, gérée depuis Tanger. Et il s'impose petit à petit comme le maître de Marseille grâce à son alliance avec la mairie, qu'elle appartienne à la droite ou à Defferre. Quand la mairie a besoin d'hommes de confiance pour casser une manifestation communiste en 1947, ou la grève des dockers en 1950, elle fait appel aux Guérini, et ça marche. Dans les deux cas, l'ordre est rétabli. Forcément, ça crée des liens.

Delmas reprend :

— Les fichiers de police mentionnent que Pieri n'est pas marié, n'a pas de maîtresse officielle connue ni d'enfant.

— Je confirme, dit Casanova.

— Il vit avec sa grand-mère jusqu'aux années 60. À cette date, il lui achète une petite maison à Calenzana où elle s'installe. Il lui rend visite tous les mois. Elle meurt en 68. Pour le reste, les fichiers sont extrêmement discrets. Quelques rares signalements des douanes pour des suspicions de contrebande de cigarettes, pas d'arrestation, pas de condamnation. En 1959, un policier note un bruit selon lequel Pieri serait mort au cours d'un règlement de comptes, mais il réapparaît en 1960. Rien sur une éventuelle participation à un trafic d'héroïne.

Daquin intervient :

— C'est pourtant l'époque où, parmi leurs multiples activités, les Guérini organisent la French Connection. Pieri se tient à l'écart de la drogue ?

— Certainement pas. Nous savions que Pieri avait été un des plus fidèles soldats des Guérini, avant d'être le premier lieutenant d'Antoine Guérini. À ce titre, il nageait dans l'héroïne. Mais c'était une période de relative impunité. Quand je dis relative… Les frères Guérini non plus n'ont pas été inquiétés.

Grimbert prend le relais :

— En 1962, Pieri fonde la Somar, qui va donc cohabiter pendant sept ans avec le clan Guérini en état de marche. Y avait-il des rapports entre la Somar et le clan ?

Casanova sourit :

— Fais pas ton innocent, l'Angliche. Il est exclu qu'il n'y ait eu aucun rapport entre la Somar et les Guérini, et tu le sais aussi bien que moi. Quand la famille Guérini est tombée, entre 67 et 69, on n'a pas trouvé beaucoup d'argent ici, à Marseille et en France. Mon avis personnel est que la Somar, dès sa création, leur a servi à le mettre à l'abri.

Au tour de Daquin de jouer les naïfs :

— Il n'y a pas eu d'enquête sur cet aspect des choses à ce moment-là ?

Casanova est visiblement gêné.

— D'abord, à l'époque, ce n'était pas la mode, les enquêtes financières. Ensuite, il serait étonnant que la Somar n'ait travaillé qu'avec l'argent des Guérini, si vous voyez ce que je veux dire.

Il y a un temps de silence, puis Delmas embraye :

— À partir de son retour, en 1960, les fiches de police notent que Pieri a fait des voyages très réguliers aux États-Unis, au moins quatre fois par an. Et n'en disent pas plus.

Casanova précise :

— Ne vous y trompez pas, ce n'était certainement pas un passeur. Il était en charge des négociations globales avec les familles new-yorkaises. La French était une entreprise bien gérée, les tâches étaient strictement

63

réparties. Aucun mélange des genres : c'était la règle. Pour que vous compreniez bien, les Guérini, qui contrôlaient la filière de l'héroïne, possédaient aussi tout le quartier de l'Opéra, ici, à Marseille, bars, bordels, boîtes de nuit, tout. Les revendeurs de drogue n'y étaient pas tolérés, pas un gramme de poudre n'y circulait. Pas de mélange des genres. Nous pensions à l'époque que Pieri était l'intermédiaire entre les Guérini et les familles américaines qui vendaient l'héro à New York. Ils étaient très liés depuis que les Guérini avaient cassé les communistes en 47 et les dockers en 1950, et la CIA les trouvait aussi à son goût. Les Guérini et leurs soldats étaient les champions de la lutte anticommuniste. Nous n'allions pas troubler cette lune de miel. Personne n'y trouvait à redire, à l'époque. Y compris dans les hautes sphères, françaises comme américaines.

Encore quelques échanges, puis Casanova se retire :

— Je vous laisse travailler en paix.

Grimbert pose sur le bureau de Daquin l'article de *Info Éco Avenir* «détourné» du centre de documentation de la Chambre de commerce.

— Un papier intéressant sur la crise économique à Marseille en 1964, qui m'a fait réfléchir, mais qui contient un portrait ahurissant de Pieri en pionnier du renouveau du patronat marseillais.

Daquin parcourt l'article en diagonale. Une ode à Pieri. Curieux dans un journal économique, d'habitude plus réservé. Il le met de côté. À lire attentivement, au calme. Grimbert continue :

— Je suis aussi passé aux Impôts. Le dossier Somar est suivi de façon attentive par les spécialistes des magouilles financières de la ville et des sphères qui gravitent autour. C'est un signal d'alerte.

Daquin résume :

— Il me semble qu'il ressort de tout ce qui s'est dit ici ce matin qu'il faut confirmer notre choix de départ : caractère central de la Somar. En attendant mieux, premier objectif : trouver des informations sur CoTrade, c'est important, pour que je n'arrive pas les mains vides demain à l'entretien avec Frickx. La section financière du SRPJ peut peut-être nous donner un coup de main ?

— Ils ne sont que deux, mais je connais bien l'un des deux, je peux essayer.

— Je peux aussi demander à nos collègues du consulat français de New York de nous envoyer ce qu'ils peuvent trouver sur CoTrade et Frickx. Qu'est-ce que vous en pensez ?

— Pourquoi pas ? Après tout, le consulat américain à Marseille est hyperactif, on peut essayer de leur rendre la pareille...

— Ensuite, traînez du côté du domicile de Pieri, classique enquête de voisinage. Peut-être pourriez-vous faire un tour chez nos amis des douanes, leur poser quelques questions sur la Somar. Et demain matin, il faudra aller à la Somar et, sous le prétexte d'informer les employés sur les circonstances de la mort de Pieri, leur tirer un maximum de tuyaux sur sa personne et le fonctionnement de la boîte. J'aimerais aussi faire une reconstitution officieuse du meurtre, sur les lieux, puisque le procureur ne veut rien d'officiel. Vous connaissez un bon spécialiste du maniement des armes en milieu urbain dans l'Évêché, un homme discret ?

— Un spécialiste sûrement, un homme discret, il ne faut pas trop en demander. Adressez-vous à notre patron, il est très fier de la mise en place des Groupes d'intervention de la police qu'il vient de créer, il se fera un plaisir de vous mettre en contact, et ce sera bon pour nos relations avec la hiérarchie.

— Et dites-moi, Grimbert, d'où vous vient ce surnom, l'Angliche ?

— Rien ne vous échappe… Quand je suis arrivé à Marseille, j'avais cinq ans, j'étais anglais. Je suis né à Malte. L'île était anglaise, à l'époque. Mais je parle mal l'anglais, ma langue maternelle, c'est le maltais. Je parle aussi l'allemand, pas trop mal, mon père était allemand. Juif allemand. Il s'est enfui en 38, et ne s'est arrêté qu'à Malte, où il a épousé ma mère, mais il n'a jamais pu se faire au parler maltais. À la maison, on parlait maltais et allemand.

Daquin passe une partie de l'après-midi à relire le dossier. S'imprégner des personnages, des moindres détails, ne rien laisser filer. Y compris la fiche d'Emily Frickx, avec sa touche de frivolité déjantée, et l'article d'*Info Éco Avenir* et son portrait d'un truand marseillais en héros du patronat moderniste. Il ne sait pas ce qui est important et ce qui ne l'est pas, il faut donc tout prendre.

Il quitte son bureau assez tôt, pour faire des courses et la cuisine, sans avoir encore décidé d'un menu. Normal. Il se souvient à peine de Vincent, il ne sait pas s'il a plaisir à le revoir ou pas, il ne sait pas pourquoi il l'a invité à dîner. Comment faire un menu dans ces circonstances ? Il traverse le Panier, longe le Vieux-Port, puis monte vers le marché de Noailles, attiré par les couleurs, le bruit, les gens qui traînent au soleil, se croisent, s'interpellent, s'engueulent, une ville qui se donne en spectacle pour son propre plaisir. Il s'arrête devant l'étal d'une vieille marchande de fruits et légumes toute ridée, la regarde voler d'un client à l'autre, déverser un flot de paroles, tout en choisissant attentivement chaque fruit, chaque légume, le regard vif et le geste précis. Elle doit ressembler à la grand-mère de Pieri… Pourquoi je ressens une forme de tendresse pour elle ? La vieille l'a senti ? Elle l'interpelle :

— Et pour vous, jeune homme, qu'est-ce que ce sera ?

Daquin hésite : des tomates… et puis pourquoi pas laisser faire la vieille :

— Donnez-moi de quoi faire une ratatouille pour deux.

— Ah ! Une soirée en amoureux ?

— Sourire. Si vous le dites…

— Je vais vous arranger ça.

Elle lui prépare tomates, poivrons, courgettes, oignons, aubergines soigneusement rangés dans un sac, puis le regarde d'un air suspicieux :

— C'est vous qui cuisinez ? Vous savez la faire, au moins, la ratatouille ?

— Pas de souci, j'ai ma recette…

— Pas d'originalité surtout, la meilleure recette, c'est celle de votre mère.

Daquin a de sérieux doutes sur ce point, mais choisit de ne pas en faire état.

Il passe ensuite par la brûlerie de café de la Canebière, pour faire sa provision personnelle d'Arabica torréfié à l'italienne et moulu sur place. Il n'y a pas foule, le bon café n'est pas un incontournable de la culture marseillaise. Puis il rentre à l'appartement du quai du Port.

Dès qu'il y arrive, il se met à la cuisine, pour la première fois depuis son arrivée à Marseille. Plaisir de retrouver le contact des légumes frais dans les paumes de ses mains. Resurgit le souvenir de Beyrouth, et Beyrouth a un nom : Paul Sawiri, son amant plus âgé que lui et bien plus sage qui lui a appris à aimer cuisiner. La cuisine, lui disait-il, on ne la fait pas pour soi, mais pour un autre, ou des autres, amis, amants. Chaque plat est un acte d'amour, la façon de le réaliser, le goût qu'on lui donne, dépendent de la personne avec qui on va le manger. La difficulté est bien celle-ci : qui est Vincent ? Avec qui va-t-il dîner ce soir ? Il se met au travail. D'abord monder les tomates, quelques secondes dans l'eau bouillante puis enlever la peau. Couper tous les légumes en brunoise. Couteau affûté, gestes minutieux, précis, qui évacuent peu à peu les tensions de la journée. Puis faire revenir les légumes dans l'huile séparément en commençant par les aubergines, qu'on réserve ensuite sur du papier absorbant, pour éponger le surplus d'huile. Après les aubergines, faire revenir les oignons, les courgettes, les poivrons, le travail est moins prenant, la pensée vagabonde. Vincent, le bon élève de leur bande, à la fac de droit. Effacé, appliqué, rondouillard. Certains disaient : secrètement amoureux de toi, Théo. Il ne les avait jamais pris au sérieux, et ne s'était jamais intéressé à lui. Vincent jouait au tennis et au golf. Toute la bande l'appelait « le gendre idéal ».

Maintenant, courgettes, oignons, poivrons sont revenus, l'essentiel est fait. Il n'y a plus qu'à mettre tous les légumes sautés dans une cocotte, y ajouter les tomates coupées en dés, un bouquet garni, vérifier le sel, le poivre. Et laisser cuire, le temps nécessaire. Il s'allonge sur le canapé, met un disque de Count Basie. Il respire l'odeur des légumes qui mijotent, et pour la première fois, il se sent chez lui dans cet appartement.

Porticcio m'avait prévenu que selon toutes probabilités, Vincent chercherait à me joindre. Il avait ajouté : «Tu verras, tu seras surpris. Le "gendre idéal" est en passe de devenir un ténor du barreau marseillais, qui en compte pourtant déjà une belle brochette.» Je l'ai invité à dîner par curiosité ? Pour savoir à quoi ressemble un futur ténor du barreau marseillais, et ce qu'il a à me raconter ? Autre hypothèse : j'en ai déjà assez de la solitude. Un ex-amoureux transi ? Je vais le baiser.

Vincent arrive à 21 heures exactement, une bouteille de champagne à la main.

— Tu aimes toujours le champagne ?

— Toujours. La bouteille est fraîche… Installe-toi sur le bout de terrasse, j'apporte de quoi lui faire honneur.

Quand Daquin revient avec un plateau, Vincent contemple le voilier du maire amarré dans le Vieux-Port à quelques dizaines de mètres de là, il se retourne, lui fait face, silencieux, offert. Daquin pose le plateau, se penche vers lui.

— Comme tu as changé. Il effleure de la main son visage : tu as maigri, les joues ont fondu, la charpente est enfin visible, libérée. Il caresse du bout des doigts le saillant de la pommette : j'aime toucher la force de ton visage. Il suit l'arcade sourcilière, l'arête du nez : l'œil s'est enfoncé, j'aime ce regard gris sombre. La main effleure la bouche, les lèvres s'entrouvrent, Daquin se penche, les embrasse dans un souffle.

Vincent demande :

— Avant ou après l'apéro ?

— Après le champagne et avant le foie gras.

Deux heures après, les deux hommes sont affalés dans des fauteuils bas sur le balcon, Daquin en peignoir, Vincent dans un tee-shirt trop grand trouvé dans la salle de bains. Cela fait une bonne demi-heure que Vincent raconte des histoires du milieu des avocats marseillais, Daquin écoute et rit. Une deuxième bouteille de champagne est entamée, le bloc de foie gras et les toasts ont été engloutis.

— Je ne veux pas entendre parler de ratatouille, dit Vincent.

Daquin soupire.

— Je comprends. C'était une erreur de casting. Pour ma peine, je vais en manger pendant trois jours, heureusement, c'est un plat qui vieillit bien.

Daquin finit la deuxième bouteille de champagne, puis se décide à parler.

— Je suis ici depuis trois jours, et j'ai l'impression de vivre au milieu de sables mouvants. Un inspecteur de mon équipe me tient par la main et m'explique où je peux mettre les pieds et où je ne peux pas, à qui je peux parler, et à qui je ne peux pas, et je ne sais pas encore si je peux lui faire confiance ou non. D'après lui, les Stups de Marseille sont aux mains des Américains. Et d'après toi ?

— Oui la pression américaine sur le gouvernement français est très forte, et, aux Stups de Marseille, ils sont omniprésents.

— Pourquoi ?

— Raisons multiples. Pendant vingt ans, l'héroïne française aux États-Unis a été une « success story ». Les Américains pensaient que c'était un excellent sédatif à faire circuler dans les prisons. Quand la jeunesse de la bonne société a commencé à en consommer en quantité, ils ont trouvé cela moins drôle. Et puis les Américains sont foncièrement protectionnistes. Nixon a quelques amis dans la mafia de Floride qui font dans la cocaïne, une drogue produite aux portes des États-Unis. Il a entrepris de leur déblayer le terrain en liquidant l'héroïne française.

— Pourquoi on les laisse faire sur notre territoire ?

— Parce qu'ils ont gagné en 45 et que de Gaulle est mort.

— Comment la guerre Zampa-Le Belge s'articule-t-elle sur la guerre américaine à l'héroïne ?

— La question a l'air simple, j'ai peur que la réponse soit très compliquée. D'abord, aucun des deux ne me semble avoir la carrure des Guérini. Le Belge essaie de faire des affaires en récupérant tous les débris qu'il trouve de la French. Aucune vision d'avenir. Zampa est plus solide. Il est multicarte. Un peu de drogue, beaucoup de racket et de prostitution, du classique. Et les jeux. Dans ce secteur, Nice monte en puissance, Zampa contrôle les casinos par l'intermédiaire d'un homme à lui, Fratoni, et la mairie lui est acquise. Sur Nice, il a sans doute réussi à pérenniser son entreprise.

Daquin allonge ses jambes, ferme les yeux. Zampa, héritage des Guérini, assassinat de Pieri, Nice, casino du Palais de la Méditerranée. Pas de hasard. Mais quel enchaînement ? Il soupire.

— Marseille est une ville terrifiante. Tout le monde se connaît, tout le monde se surveille, tout se sait et rien ne sort.

— Je vais le dire d'une autre façon : c'est une ville remarquable par la densité de son tissu de relations sociales.

4

Mercredi 14 et jeudi 15 mars 1973

Mercredi en soirée, Nice

Frickx atterrit à Nice en provenance de Londres à peu près à l'heure prévue, aux alentours de 21 heures. Il n'a pas de bagages, juste une mallette noire en cuir, utile pour marquer sa qualité d'homme d'affaires pressé. Il traverse rapidement le hall des arrivées de l'aéroport, se dirige à grands pas vers le parking, y pénètre, coups d'œil discrets à droite et à gauche, il ne remarque rien. Faire confiance. Il arrive à l'allée la plus reculée, proche de l'entrée des voitures, cherche la grosse Peugeot de Simon, le numéro 2 de la Somar, avec qui il a rendez-vous. Il ne la voit pas. Une camionnette blanche lui fait des appels de phares. Frickx s'approche, reconnaît la silhouette de Simon assise derrière le volant. Il n'a pas pris sa voiture. Pourquoi ? Méfiant ? Il ouvre la portière, s'assied sur le siège passager, referme la portière. Conversation animée. Les minutes passent. Puis Frickx ouvre la portière, se met debout à côté de la camionnette, commence à enlever sa veste. C'est le signal. Frickx entend le moteur d'une moto qui s'approche. Il continue à parler à Simon par la portière ouverte, il faut capter son attention, tout en pliant soigneusement sa veste sur son bras gauche, l'esprit et le corps en alerte. La moto passe au ras du capot de la camionnette, sans marquer l'arrêt, le passager, debout sur les cale-pieds, tire trois fois en direction de Simon, les détonations sont très assourdies. Le pare-brise explose, le corps de Simon s'allonge au ralenti sur le siège passager, la moto disparaît en douceur.

Frickx, immobile, sa veste sur le bras, respire à fond. Plus un bruit autour de lui. Il inspecte la camionnette. Simon semble aussi mort que possible, bouche grande ouverte, yeux fixes, trois blessures sanglantes dans la cage thoracique. Il ramasse sa mallette de cuir noir qui traîne sur le plancher, claque la portière et s'éloigne en slalomant entre les voitures jusqu'au hall de l'aéroport. Il se dirige vers le comptoir de location de voitures. Une berline Mercedes l'attend. Direction la villa du cap Ferrat. Quand il quitte l'aéroport, tout est calme, le mort dans la camionnette n'a manifestement pas encore été découvert.

La villa est silencieuse, toutes lumières éteintes. Frickx monte directement dans la chambre du couple, au premier étage. Emily est endormie, allongée sur le dos dans le grand lit, soutenue par une pile d'oreillers, le visage figé, le teint brouillé. Sur la table de nuit, une veilleuse allumée à côté d'une carafe d'eau et d'une collection de boîtes de médicaments. Une femme en blouse blanche dort sur une chaise longue au pied du lit. L'entrée de Frickx la réveille en sursaut. Il se présente :

— Michael Frickx, le mari de votre patiente. Vous avez été prévenue de mon arrivée, je crois ? Avec un geste de la main vers le lit, comment va-t-elle ?

Il prend la main d'Emily, parle fort, comme s'il tenait à la réveiller, la garde-malade lui répond en chuchotant que tout va bien, il ne faut pas qu'il s'inquiète, mais sa femme a besoin de beaucoup de calme et de repos.

Emily a déjà ouvert les yeux. Frickx s'approche, se penche, dépose un baiser sur son front, lui caresse les mains. Sourire de franche sympathie.

— Emily, ma chérie, repose-toi. Tout va bien. Demain, David, ton cousin, sera là.

Voix enveloppante, rassurante. Il se tourne vers l'infirmière :

— J'ai joint son cousin au téléphone, il est à l'étranger, il arrive demain. Il lui tiendra compagnie.

Emily fixe difficilement son regard, soupire, marmonne. Il s'assied sur le lit, à côté d'elle, lui caresse le visage, les cheveux, jusqu'à ce qu'elle se rendorme.

Puis il va se coucher dans la chambre d'amis, et s'endort instantanément.

Nuit du mercredi au jeudi, port d'Istanbul

Le cargo de la Somar arrive en fin d'après-midi à Istanbul, en provenance de Constanța, en Roumanie, et accoste, comme à son habitude, au port de Salipazari, sur le Bosphore. Il fait du cabotage entre le Liban, Chypre, la Turquie, et la Roumanie. Le capitaine, un homme jeune, moins de quarante ans, mais le visage déjà très marqué de rides profondes, médite sur la mort de Pieri que Simon lui a appris par radio dans la journée. Il vient d'autoriser son équipage de cinq marins à passer la soirée en ville. Il veut rester seul à bord, pour enterrer Pieri aussi dignement que possible. Il s'installe dans sa cabine, hublots ouverts pour sentir la fraîcheur du printemps turc, sur sa petite table, une bouteille de whisky, un verre, et un gros cahier d'écolier, spirale et papier quadrillé, sur lequel il recopie depuis longtemps des poèmes qui le touchent, pour se les relire pendant ses moments de cafard. C'est un moment de cafard. Il l'ouvre sur une page blanche, et se met à écrire, lentement.

Prière pour Maxime Pieri

Assassiné. Un salopard t'a tiré dessus. Je parie que tu étais désarmé. Tu ne sortais plus armé depuis bien longtemps. Je n'arrive toujours pas à y croire. Et pourtant, j'ai toujours pensé que cela devait arriver. Tu aimais vivre vite, tu aimais jouer avec le danger. Je ne sais pas prier. Aujourd'hui je prie. Je n'ai jamais su te parler, entre hommes on ne prend jamais le temps de se parler. Aujourd'hui, je prends le temps. Au Panier, dans mon enfance, tu étais mon voisin, tu as été mon héros, mon modèle. Libérateur de Marseille, croix de guerre, respecté de tous. Homme de confiance des Guérini, la ville dans tes mains. Je me suis engagé dans l'armée à dix-huit ans, pour faire comme toi. J'ai fait toute la guerre d'Indochine, et je suis rentré à Marseille, j'avais vingt-trois ans, des souvenirs de sang et de mort à la pelle, et opiomane jusqu'à l'os. Je t'ai cherché pendant trois ans de drogue et de galère. J'étais sûr que tu serais mon salut. Quand je t'ai enfin trouvé, j'étais en miettes. Tu m'as ramassé, hébergé, soigné. Tu m'as donné un métier dans la marine marchande. Tu m'as confié l'un de tes bateaux, le plus secret, le plus dangereux. J'ai su le protéger. Je suis

fier de ta confiance. Je suis fier de ne t'avoir jamais
manqué. Repose en paix. Je garde ta mémoire.

14 mars 1973, Istanbul
Capitaine Nicolas Serreri

Il ferme le cahier, se signe, le seul geste de prière
qu'il connaisse, se lève, s'approche du hublot,
contemple la masse sombre d'Istanbul dans la nuit.
Une ville qu'il aime à la folie. Il faudra qu'il y emmène
Catherine, un jour. Sur le quai, il voit deux de ses
marins qui se dirigent vers le *Santa Lucia*. Ils reviennent
déjà? Des bons marins. Il les a ramassés ici même, à
Istanbul, il y a un peu plus d'un mois. Deux gars
l'avaient lâché, sans prévenir. C'est fréquent sur des
cargos comme le *Santa Lucia* qui paient mal pour
beaucoup de travail et aucun confort, mais sur un équipage de cinq personnes, ça fait un trou. La capitainerie
du port lui avait envoyé ces deux-là qui cherchaient un
embarquement. Ils étaient intelligents, travailleurs,
d'origine indéterminée, et s'étaient vite rendus indispensables. Nicolas aimait chanter et jouer aux cartes
avec eux quand le temps se traînait pendant les escales.
Les deux hommes atteignent la passerelle, montent.
Après tout, pourquoi pas boire un verre avec eux?
Nicolas ouvre la porte de sa cabine, leur fait signe de le
rejoindre. Ils entrent. Nicolas se retourne pour prendre
des verres sur l'étagère. Au moment où il leur tourne le
dos, l'un d'eux saisit les bras de Nicolas, les lui coince
dans le dos d'une prise violente qui fait grincer les articulations des épaules, tandis que l'autre fait sauter le
cabochon de la grosse chevalière qu'il porte à la main
droite, découvrant un espace garni d'une dizaine de

fines aiguilles qu'il enfonce d'un seul geste dans le cou de Nicolas qui se débat pour échapper à l'agression, puis, brusquement, ne se débat plus. Les deux hommes couchent le corps à terre, mettent un peu de whisky dans le verre qui traîne sur la table, vident la bouteille dans le minuscule lavabo, et la laissent traîner sur le sol de la cabine. L'un d'eux ouvre le cahier aux premières pages, lit au hasard :

> *Un peu de cet absolu bleu*
> *Suffirait*
> *À alléger le fardeau de ce temps-ci*
> *Et à nettoyer la fange de ce lieu.*

— Cette tarlouse écrivait des poèmes.

Il rit, laisse le cahier ouvert sur la table. Ils chargent le corps, l'emportent, attention à ne pas être vus du quai, le balancent par-dessus le bastingage, et le surveillent pendant que lentement il dérive. Alors, ils quittent le bateau sans se presser, et à travers les rues désertes du port montent vers la ville à peine éclairée.

Jeudi matin, cap Ferrat

De la fenêtre de la chambre d'amis, Frickx, douché, rasé de frais, en costume gris impeccable, chemise blanche, cravate bordeaux, surveille la grille et la cour de la villa. Une voiture entre, se gare. À l'heure, comme prévu. Il descend rapidement accueillir David :

— Ça va, tu tiens le coup ?

— Bien sûr. Quelle question ! Saint-Tropez est un village plein de charme.

La garde-malade, réveillée par le bruit, est sur le palier, et surveille les allées et venues. Frickx en profite pour faire les présentations.

— David, le cousin d'Emily. Je lui ai demandé de venir me remplacer à son chevet pendant quelques jours. Je file à l'étranger, pour mes affaires.

Il prend David par le bras, l'entraîne vers la cour, loin des oreilles indiscrètes de la garde-malade.

— Je pars immédiatement pour Genève. J'ai loué une voiture, hors de question que je repasse par l'aéroport de Nice. Emily dort, elle est bourrée de médicaments, tu as le temps. Marchons un peu sur la route, j'ai des choses à te dire.

Dès qu'ils ont franchi la grille, Frickx attaque :

— Tout est en ordre du côté de la Somar, Simon m'a certifié qu'il n'existait aucune trace écrite dans les papiers de la boîte qui permette de remonter jusqu'à moi. Et personne d'autre que lui n'est au courant de nos affaires, et de celles du *Santa Lucia*. Tu connais la suite. Ce qui m'inquiète, c'est Emily au bras de Pieri, ce n'était pas prévu.

— Je suis bien placé pour le savoir.

— Sa présence fait apparaître mon nom dans une affaire où il n'aurait jamais dû être mentionné. C'est malsain. J'ai été obligé de passer à la villa, ce qui n'était pas dans mes plans, et toi, tu es toujours ici, alors que tu devrais être à l'étranger depuis quelques heures. C'est dangereux. Je déteste l'imprévu.

— Très bien, mais Emily était au bras de Pieri ce soir-là. Tu n'y peux plus rien. Il ne nous reste plus qu'à gérer la situation au mieux.

— Je ne savais même pas qu'ils se connaissaient, Pieri et elle. Je veux savoir ce qu'elle faisait avec lui.

C'est vital pour moi, pour nous, et c'est pour cette raison que tu dois rester à ses côtés.

— Une aventure amoureuse ?

— Je n'y crois pas. Pas Emily, ça ne l'intéresse pas. Et je ne me préoccupe pas de cet aspect. Un temps de réflexion. Écoute, David, je ne crois pas au hasard. Pieri a dîné avec ma femme. Pourquoi ? Il se méfiait de moi ? Que lui a-t-il dit ? Il cherchait des renseignements ? Lesquels ? Il lui a parlé de nos affaires ? Tu imagines les conséquences possibles ? Il faut que tu tires cela au clair.

— Je peux essayer, mais ce ne sera pas facile. Je n'ai pas revu Emily depuis sept ans, je ne sais pas comment elle va m'accueillir. Et je n'ai pas connu Pieri. Comment veux-tu que j'y arrive ?

— Fais pour le mieux, je te fais confiance. Reste avec Emily aussi longtemps que ce sera nécessaire. Dans le doute, il faut verrouiller de son côté. Moi, je vais être très occupé, il faut que je nettoie derrière Pieri, il y a du travail à Genève. Et que j'avance sur les nouveaux contrats. Mais je te téléphonerai régulièrement. Tout est clair ?

— Oui, tu peux partir.

Retour à la villa. Frickx prend la Mercedes, sept heures de route jusqu'à Genève. En faisant sauter le déjeuner, il aura encore toute une après-midi de travail en arrivant.

Emily dort encore. La garde-malade tourne dans la cuisine où elle achève de préparer le plateau du petit déjeuner. David la rejoint, lui enlève le plateau des mains.

— Je vais m'occuper moi-même de ma cousine.

Ramassez vos affaires et partez. Évidemment, vous serez payée pour toute la durée prévue de votre mission.

Quand elle a dégagé, il monte dans la chambre d'Emily, avec le plateau, café au lait, croissants, confiture.

Emily se réveille dans le brouillard, tâtonne pour se redresser sur ses oreillers, puis parvient à focaliser sur David. Elle se fige, écarquille les yeux. Une violente bouffée d'enfance lui monte à la tête. Les odeurs, les bruits, la chaleur du bonheur.

— C'est toi, David ? Je rêve ?

— Non, tu ne rêves pas.

— Mon cousin. Sept ans d'absence, aucune nouvelle, et tu émerges un jour à mon réveil, en plein drame. Qu'est-ce que tu fais là ? Où est Michael ?

David pose le plateau sur le lit.

— Il est parti ce matin tôt à Milan.

Un cri, dans les aigus :

— Parti ?

— Oui, un rendez-vous d'affaires, il m'a demandé de venir te tenir compagnie.

Elle est maintenant droite, raide, les yeux exorbités. Elle parle trop fort.

— Parti, le salaud… Sans même me prévenir. Hier un petit bonsoir, avec son sourire et son ton de représentant de commerce qui chouchoute sa cliente. La voix se brise dans les aigus. Et ce matin, envolé, je peux crever.

D'un geste violent, elle écarte les draps, se lève, renverse le plateau du petit déjeuner, le café, la confiture giclent, la porcelaine explose. Un minuscule désastre. Elle fond en sanglots convulsifs qui la déchirent tout entière. David s'approche, la prend à bras-le-corps, l'entraîne loin du lit, elle se laisse peser dans ses bras sans cesser de sangloter, il l'emporte dans la salle de bains, sans un mot lui met la tête sous la douche froide. Les cris et les sanglots s'arrêtent. Il la lâche, ferme le robinet, prend une serviette, lui essuie le visage, sèche ses cheveux, gestes tendres. Retour dans la chambre, il l'aide à s'asseoir dans un fauteuil. Elle respire à fond, expire lentement plusieurs fois. David la contemple. Le calme revient sur ce visage clair, fin, qui émerge de la masse brune de ses cheveux mouillés, dans tous les muscles de ce corps élancé, sportif, qu'il a désiré pendant des années, qu'il désire peut-être encore. Il sourit.

— Je t'aime mieux comme ça.

— Tu sais ce que je viens de vivre ?

— Oui.

— Un homme à mon bras, en train de me parler, il avait posé la main sur mon épaule quand il a été abattu, j'ai senti sa main glisser, se raccrocher à mon châle qu'il a entraîné dans sa chute, je me suis retrouvée nue, son sang a giclé sur mon visage, sur mes épaules, sur mes yeux, dans ma bouche.

— Tu n'as pas été blessée ? Le tireur devait être en grande forme pour être aussi précis. Tu es une femme qui a eu beaucoup de chance.

Emily réfléchit un instant à cette façon de voir les choses.

— Je n'avais jamais été confrontée à une mort violente, là, en direct.

— Parce que pendant des années, tu n'es pas sortie du jardin de notre grand-père. Dans le pays d'où nous venons, toi et moi, des morts violentes, il y en a à tous les coins de rue. Et tu ne t'es jamais demandé sur com-

81

bien de milliers de morts de mineurs, écrabouillés ou empoisonnés, reposait la fortune de notre famille ? Arrête ta comédie d'enfant gâtée et tiens-toi droite.

Nouveau silence, puis Emily demande, sur le ton de la conversation :

— Où est la garde-malade ?

— Je l'ai renvoyée chez elle. Tu n'es pas malade, et je suis là maintenant. (David s'approche de la table de nuit, rafle les médicaments.) Je vais jeter toutes ces saloperies dans les toilettes. (Il le fait, elle ne bronche pas.) Écoute-moi, Emily. Je te le répète, tu n'es pas malade. Tu es jeune, belle, riche, en bonne santé, et veinarde. Maintenant, couvre-toi, il fait encore un peu frais, nous allons prendre le petit déjeuner sur la terrasse.

La terrasse domine un à-pic de rochers qui descend jusqu'à la mer. À travers les pins qui s'accrochent à la pente, la baie de Villefranche, la mer, le grand large. Pendant que David s'affaire à la cuisine, Emily contemple le ressac des vagues quelques dizaines de mètres plus bas. Il a raison. Comment ai-je pu me laisser aller à ce point ? Pieri est mort assassiné… Moi, je suis vivante, je ne vais pas me laisser détruire. Respire, retrouve ton rythme.

Quand il apporte des œufs brouillés, du pain grillé et du fromage blanc, arrosés de thé brûlant, elle attaque de bon appétit. Il la regarde en souriant :

— Je le savais.

Elle lève les yeux de son plateau :

— Tu as déjà vu quelqu'un mourir de mort violente à tes pieds ?

— C'est à moi que tu poses cette question, Emily ?

Tu as oublié que je me suis engagé dans l'armée en 1966, que, depuis, j'ai fait une guerre et quelques opérations de maintien de l'ordre…

— Non, je n'ai pas oublié, mais je n'ai jamais compris pourquoi tu t'étais engagé. Et je t'en ai voulu.

— Je me suis engagé le lendemain du jour où le Vieux m'a annoncé qu'il te mariait à Frickx. Si toi tu n'as pas compris, lui a très bien compris, sans que j'aie eu besoin de lui expliquer.

Emily, penchée en avant, le dévisage, hésite. La conversation s'engage sur un terrain glissant, elle le sait. Dans le calme de la matinée, les rochers, les pins, la mer, des bribes de souvenirs remontent à la surface. Cousin-cousine, inséparables. L'entraînement des chevaux au petit matin dans le haras du grand-père à Durban. L'ivresse des canters rapides, nos deux chevaux flanc contre flanc, un bonheur sans phrases, puis la piscine, nous nous laissions flotter au soleil, les corps épuisés par les courses violentes de la matinée. Elle redécouvre son visage. Carré, lisse, impénétrable. Moins de joues, ou je me trompe ? La même mèche de cheveux blonds sur le front, les yeux marron doré. Les lèvres fermes, pleines. Elle se souvient de leur frôlement sur le dos de ses mains que David avait l'habitude de baiser, dans une sorte de parodie de la politesse à la française, quand ils se retrouvaient le matin à l'aube dans l'ombre tiède des écuries, habitées de l'odeur des chevaux, de leurs souffles familiers, et elle frissonnait, riait, troublée. Inséparables… Impression bizarre que la page n'a pas été tournée. Elle lui verse une tasse de thé. La théière tremble dans sa main quand elle dit :

— Tu étais amoureux de moi ?

— J'étais amoureux fou, et tu le savais très bien.

— Oui et non.

— Comment cela, oui et non ?

— Je savais que tu étais amoureux, mais je ne savais pas quel sens ce mot-là pouvait avoir, et je ne le sais toujours pas. Elle se laisse aller dans son fauteuil. Tu vois, aujourd'hui, à cette heure, devant cette mer, ce ciel, ces rochers, après la mort de Maxime Pieri et en présence de mon cousin, je me dis pour la première fois avec cette force que je ne supporte plus de vivre avec Michael. J'ai respecté mon engagement à son égard, je garantis sa présence dans la famille Weinstein et sa Société des Mines. Lui n'a pas respecté le sien. Je l'ai épousé pour vivre à New York, il m'enferme à Milan que j'exècre. C'est terminé, je le quitte.

— Michael est un génie dans son domaine. Ultra-inventif, aucun scrupule, tous les culots, du courage physique quand il en faut, mais jamais au point de perdre sa lucidité, je parie qu'il va devenir un brillantissime trader dans les années à venir. Il est un multimilliardaire potentiel.

— Je m'en fous. Elle gamberge quelques instants. C'est lui qui t'a demandé de venir ici ?

— Oui.

— Il ne te connaît pratiquement pas, il t'a à peine croisé une fois ou deux, mais il sait que nous avons été très proches autrefois, et que je suis en état de faiblesse. Il nous enferme ici ensemble. Je me demande ce qu'il a dans la tête.

David ne dit rien.

5

Jeudi 15 mars 1973

Jeudi matin, Marseille

Daquin est réveillé par la sonnerie du téléphone. Il grogne, met une ou deux secondes à se souvenir où il est, peine à reconnaître l'homme endormi à ses côtés. Belle courbe du flanc de la pointe de l'épaule à la pointe de la hanche, le dos de Vincent. Résiste à la tentation d'une longue caresse. 6 heures du matin, pas tellement tôt pourtant, mais quelle soirée… Il décroche. Bonino au bout du fil, embêté :

— Nous avons un nouveau mort.

— Et ?

— Il semble que ce soit Jacques Simon, un cadre commercial de la Somar. Il y avait des papiers d'identité à ce nom et cette profession sur le cadavre, et il a été abattu dans une camionnette dont la carte grise est au nom de la Somar.

— Où ?

— Sur le parking de l'aéroport de Nice.

— J'arrive.

— Inutile de vous bousculer. Le corps a été découvert vers 23 heures, hier soir. (Daquin fait l'addition.

85

Tu as mis sept heures pour me prévenir. À ce rythme, tu pouvais me laisser dormir une heure de plus.) Les opérations habituelles ont été faites, et le corps est parti à la morgue. J'ai laissé une équipe sur les lieux pour enquêter sur les allées et venues dans l'aéroport hier au soir.

— J'arrive. Je passe par la morgue, je verrai le médecin légiste, j'ai quelques questions à lui poser sur Pieri, et après je viens vous voir à l'antenne du SRPJ. Je suis à Nice dans deux heures et demie, et dans votre bureau dans trois heures. Je ne m'éterniserai pas, je ne vous empêcherai pas de travailler.

Bonino accepte, en grognant.

Douche ultrarapide, mais rasage attentif, quelle que soit l'urgence. Planté devant le miroir, blaireau en main, faire d'abord longuement mousser le savon à barbe dans sa coupelle en bois, recouvrir les joues, le menton de mousse blanche, onctueuse, qui sent le santal, la qualité de la phase de savonnage est le secret d'un rasage harmonieux, puis avec un coupe-choux en acier suédois, le meilleur, caresser la peau sous la mousse avec une infinie précision, une infinie douceur, à un souffle de la coupure sanglante. Un rituel renouvelé chaque matin, sans exception, pour le plaisir du contact de l'acier et du savon sur la peau. Et pour tenir à distance le souvenir du viol en pleine forêt, il avait treize ans, adolescent sali, souillé, le visage écrasé au sol, maculé de terre et de feuilles mortes, le goût de la terre dans sa bouche. Serviette mouillée sur la peau en feu. Daquin inspecte son visage, propre, lisse, carré. La cérémonie est terminée, le masque protecteur en place, la journée peut commencer. Un tee-shirt, un blue-jeans, des mocassins, un blouson en cuir. Il laisse un mot à Vincent : « Une urgence. Claque la porte derrière toi » et monte au pas de course à l'Évêché. Il prend un bloc qui traîne sur le bureau de Grimbert, écrit : « Coup de fil des Niçois ce matin 6 heures à mon domicile, selon toute vraisemblance, Jacques Simon, le second de Pieri, a été abattu cette nuit à l'aéroport de Nice. Identification en cours. Passez à la Somar comme prévu, mais là, saisissez la chance de voir à chaud comment les employés digèrent le choc. Après ce deuxième meurtre, notre demande de perquisition sera sans doute acceptée, en attendant restez prudents, secouez-les un peu mais ne sortez pas des clous. Je fonce à Nice. On se voit ce soir, comme prévu. »

Il emprunte une voiture du service, et prend la route.

Dès qu'ils lisent le message de Daquin, frissons d'excitation, Grimbert et Delmas se précipitent à la Somar. Sur la place de la Joliette, il y a d'abord l'entrée monumentale des Docks, la matérialisation dans la pierre des rêves de grandeur et prospérité par le commerce des ingénieurs saint-simoniens du XIXe siècle, mais le XIXe siècle est mort, et les Docks tournent au ralenti. Juste en face, apposée sur un immeuble bourgeois cossu, une discrète plaque de cuivre indique : « Somar 3e étage ». Les deux hommes entrent dans l'immeuble.

— On part à la guerre sans beaucoup de munitions, remarque Delmas dans l'ascenseur.

— On se calme. N'oublie pas : beaucoup à l'Évêché souhaitent qu'on en fasse le moins possible. Donc on n'a pas de pression de ce côté-là. Daquin est tout feu tout flamme, mais c'est un jeunot et un Parisien, il a besoin de nous pour exister : pas de pression non plus de son côté. Fais ton boulot dans le calme. Et tu respectes la consigne : tu ne sors pas des clous. Vu ?

— J'ai compris.

Au troisième étage, ils sonnent à la porte. Un homme vient ouvrir. Grimbert se présente. SRPJ Marseille, nous enquêtons sur l'assassinat de Pieri. L'homme s'efface pour les laisser entrer, sans un mot. Coup d'œil rapide, un grand appartement bourgeois, transformé en bureaux. L'aspect familial semble avoir été volontairement conservé. On aperçoit un long couloir sombre, qui dessert un alignement de pièces, une porte ouverte sur une cuisine. L'homme leur dit :

— Suivez-moi, nous sommes tous dans le grand salon.

Grande pièce très claire, trois fenêtres en façade sur l'entrée des Docks, de l'autre côté de la place. Les murs sont recouverts de liège sur toute leur surface. Des cartes de la Méditerranée, parsemées de points multicolores, y sont punaisées à côté de grands tableaux qui retracent des itinéraires, des escales, avec horaires, dates. Sept meubles de bureau occupent le centre de la pièce, encombrés de dossiers, de téléphones, et de machines diverses. Des cartons d'archives s'entassent par terre le long des murs. Tout le personnel de la Somar, une vingtaine de personnes, s'est regroupé dans la pièce, ils sont assis sur les chaises, les bureaux, les cartons. Des tasses et des verres traînent un peu partout. Depuis l'entrée, on entendait le bruit confus de conversations animées. Elles s'arrêtent net à l'arrivée des policiers. Silence pesant. Le désarroi est palpable, et aussi l'hostilité. Grimbert pense : Une famille corse soudée dans l'adversité. Et il se prend une suée.

— Avez-vous été informés de l'assassinat de Simon cette nuit ?

L'assemblée hoche la tête, une voix anonyme dit :

— Nous avons reçu un coup de téléphone des policiers de Nice.

Dans l'atmosphère à couper au couteau, Grimbert cherche une ouverture qui puisse faire bouger, n'en trouve pas, s'en tient donc à la question la plus simple :

— Les deux patrons, abattus en moins de vingt-quatre heures, nous enquêtons sur ces crimes… Quelqu'un a-t-il quelque chose à nous dire, qui pourrait nous éclairer ?

Le groupe reste uni dans son silence. On entend dans un autre bureau le signal d'un appel radio, le responsable des liaisons quitte la salle. Grimbert reprend :

— L'un d'entre vous a-t-il remarqué quelque chose ? Un geste, une parole…

Toujours rien. Essayer par un autre biais.

— Savez-vous ce qu'il va advenir de votre entreprise ?

Nouveau silence. On entend quelques reniflements, du côté des femmes. Avant que quiconque ouvre la bouche, le responsable des liaisons radio revient, livide.

— La police turque a retrouvé le corps du capitaine Nicolas Serreri, noyé cette nuit dans le port d'Istanbul. (Une jeune femme s'est dressée, bouche grande ouverte, et fond en larmes.) Les policiers disent qu'il s'agit d'un accident. Le capitaine avait trop bu, et est tombé du *Santa Lucia*, à un moment où il était seul à bord. Ils demandent qu'on vienne chercher le corps. Le bateau fera ensuite route vers Marseille.

Sous le choc, la famille corse plie, se fissure. Les employés se regardent, cherchent un point d'appui, quelqu'un à qui se raccrocher. Les femmes ont les yeux brillants, deux d'entre elles se sont approchées de la jeune femme en pleurs, et la prennent dans leurs bras. Elle se laisse aller, se cache le visage dans leurs épaules, et sanglote. Les hommes se grattent la gorge.

Grimbert se penche vers Delmas et murmure : « Emmène les trois femmes à côté. La jeune, c'est sans doute sa veuve ou tout comme. Prends ses coordonnées, et que ses amies la raccompagnent chez elle. Bichonne-la. C'est évidemment un meurtre, mais motus. » Delmas acquiesce, rejoint le groupe des trois femmes et les entraîne vers un autre bureau.

Ne pas laisser à la famille le temps de se ressaisir. Grimbert attaque :

— Accident ou non, le compteur est maintenant à trois morts. Essayons d'avancer. Je reprends ma question : Que va-t-il advenir de la Somar ?

L'homme le plus âgé parmi les présents répond :

— Nous n'en savons rien. Pieri était l'unique propriétaire de l'entreprise. Et Simon nous avait convoqués ce matin pour nous dire comment il allait gérer la situation.

— Pourquoi ne pas en avoir discuté hier, pourquoi attendre ce matin ?

— Simon ne nous a rien dit. Il nous a simplement demandé d'être ici ce matin. Hier, il a pris la camionnette après le déjeuner, sans s'expliquer, et il est parti. Il avait l'air préoccupé, c'est tout.

Grimbert balaye l'assistance du regard :

— Il allait sans doute à un rendez-vous. Personne ne sait rien sur Simon et un éventuel rendez-vous ?

— Si, moi.

Tous les regards se tournent vers une petite brune

boulotte, très jeune, à peine dix-huit ans, qui lève la main, comme à l'école, la voix tremble un peu.

— Je vous écoute.

— Avant-hier, le jour de l'assassinat de M. Pieri, personne ne travaillait vraiment, nous étions très secoués, tous. Vers 14, 15 heures, le téléphone a sonné dans le bureau de M. Simon. Il n'était pas dans la pièce. J'ai décroché. Un appel longue distance qui venait de Johannesburg, pour M. Simon. Je suis allée le chercher dans la cuisine, il a pris l'appareil, et il a fermé la porte. Dans le couloir, j'ai entendu qu'il disait «Pieri plusieurs balles, dans la rue». Après, j'ai entendu qu'il disait : «l'heure me convient», et «un lieu discret», quelque chose comme ça.

La voix est mal assurée, la jeune fille rougissante. La famille désapprouve en silence. Grimbert lui sourit. Première avancée significative. Et cette gamine, qui accepte de parler pour une raison encore inconnue, traîne dans les bureaux, décroche les téléphones, écoute aux portes. Peut-être une mine d'or à exploiter.

Grimbert glane encore quelques renseignements, sur Simon : très proche de Pieri, des liens de confiance entre les deux hommes, presque d'amitié, mais il n'était pas à la Somar tous les jours, disons à peu près un jour sur deux, pas toujours de façon régulière. Le capitaine Serreri, un jeune, pas encore la quarantaine, un proche de très longue date de Pieri qui l'aimait beaucoup. Un peu comme son fils.

Grimbert demande à faire un tour rapide des bureaux. Une deuxième grande salle, un ancien salon ou salle à manger, cinq bureaux entassés, le service comptabilité. Courbes colorées punaisées sur les murs de liège, et des graphiques portant des noms de bateaux. Et trois chambres. Dans la première, insonorisée, s'entassent une installation radio, émetteur-récepteur, et trois télex qui se déclenchent et crépitent à intervalles irréguliers. Aujourd'hui, le rythme n'est pas très soutenu. Les bandes de papier imprimé s'entassent en volutes au pied des machines, personne ne s'en soucie. La petite pièce suivante est rangée avec un ordre méticuleux, ce qui contraste avec les grands bureaux collectifs. Tiroirs, armoires fermés, pas un papier qui traîne.

— C'est le bureau de Maïté Antoniotti, la secrétaire de Pieri.

— Elle n'est pas là aujourd'hui ?

— Non, elle s'occupe d'organiser les funérailles.

— Elle est de sa famille ?

— Non, mais c'est tout comme. Elle était comme une mère pour Pieri.

— On n'en sort pas, de la famille corse, maugrée Grimbert.

Dans la chambre suivante, les deux bureaux de Pieri et Simon, côte à côte. L'ordre règne, comme dans celui de la secrétaire.

Grimbert repasse par le local transmissions, que le responsable range, pour s'occuper.

— Simon était ici hier matin. Il était informé de l'assassinat de Pieri ?

— Bien sûr, comme nous tous.

— Il a communiqué avec le *Santa Lucia* ?

— Oui, tout de suite. Il a tenu à informer le capitaine lui-même, et avant tous les autres. Nicolas était un peu de la famille.

— Simon lui a donné des consignes pour le bateau ?

— Franchement, je n'en sais rien. Simon m'a fait sortir du local dès qu'il a eu Nicolas en ligne. J'ai pensé que c'était l'émotion, une conversation très personnelle.

— Rien d'autre à me signaler ?

— Tous les capitaines ont été informés ensuite, et Simon leur a demandé d'attendre les consignes qu'il devait leur donner ce matin. Rien n'a encore été fait, mais je pense que maintenant la Somar va faire revenir toute sa flotte à Marseille.

Delmas est avec le groupe des pleureuses, dans le bureau de Pieri et Simon. Il fait signe à Grimbert : Contact pris avec la veuve, mission accomplie. Tous les deux saluent et s'en vont. Pressés de sortir à l'air libre, et de respirer un bon coup.

Jeudi, Nice

Daquin perd du temps à trouver l'hôpital Pasteur, puis l'accès à la morgue de l'hôpital : un bâtiment moderne dénommé le Reposoir, une construction en béton d'un étage, tout en longueur, accrochée aux flancs d'une vallée et isolée à l'extrémité d'un chemin escarpé. À quelques dizaines de mètres, une petite église en pierre qui semble bien plus ancienne, un refuge niché dans les buissons. Police des corps, police des âmes. Torturer les corps et réconforter les âmes. Arrête de gamberger, tu es arrivé à destination. Daquin obtient de jeter un regard rapide sur le cadavre de Jacques Simon. Trois balles en pleine cage thoracique. Tir groupé, carton plein, comme pour Pieri. L'autopsie n'a pas encore commencé, le légiste attend la présence d'un représentant de la PJ niçoise, qui s'est annoncé, mais semble en retard. Daquin lui demande s'il a fait celle de Pieri, deux jours plus tôt. Oui, c'est bien lui.

— Je suis en charge de l'enquête au SRPJ de Marseille, mais je n'ai pas encore eu connaissance du rapport d'autopsie.

— Normal, je ne l'ai pas encore envoyé.

— Vous pouvez m'en indiquer les grandes lignes ?

— J'ai retrouvé la trace d'une dizaine de balles, dont je dirais qu'elles étaient probablement toutes mortelles. C'est assez remarquable. Et les traces d'une grave blessure vieille d'au moins dix ans, peut-être plus. Par balles, très probablement. Le poumon droit a été perforé, le sternum fissuré, le diaphragme abîmé, des côtes fracassées, il a dû y avoir des éclats d'os un peu partout dans la cage thoracique. L'homme semble avoir été opéré deux fois.

— Merci docteur.

Daquin sort du Reposoir, et croise devant le bâtiment une grande femme, la cinquantaine, forte, enveloppée dans un imperméable beige très quelconque, les traits bouffis, qui avance à l'aveugle, accompagnée d'un policier en tenue.

Le coup de chance attendu ?

— Pardon madame, vous êtes Mme Simon ?

— Oui.

— Permettez-moi de me présenter. Je suis le commissaire Daquin, du SRPJ de Marseille, voulez-vous que je vous accompagne, ou préférez-vous être seule ?

— Seule, merci.

Elle entre. Daquin décide de l'attendre, annonce au policier qui l'accompagne qu'il prend le relais et se charge de Mme Simon. Peut-il avertir Bonino que le commissaire Daquin sera en retard ?

Quand elle sort de la morgue, la femme est en pleurs. Daquin lui propose de prendre une boisson à la cafétéria de l'hôpital. Elle refuse d'un signe de tête.

— Je préfère rentrer le plus vite possible chez nous, à Paris, et retrouver mes enfants.

Daquin propose alors de la raccompagner à l'aéroport, elle accepte.

Dans la voiture, les pleurs s'apaisent lentement.

— Vous enquêtez sur la mort de mon mari ?

— Oui madame.

Un silence.

— J'ai toujours su qu'un jour j'irais reconnaître son corps à la morgue. J'ai toujours su qu'un jour ça arriverait. Elle prend une profonde aspiration. Quand nous nous sommes mariés, il était capitaine. Il a fait la guerre d'Indochine, et puis celle d'Algérie. Elle se tait un moment. L'Algérie, c'était déjà une période très difficile à vivre, vous savez. Dans l'armée, des amis de toujours, des frères d'armes ont commencé à se tirer dessus. Un cauchemar. Après 1962, il est resté deux ans en poste dans des bureaux à Paris, il ne me parlait plus de ce qu'il faisait, il s'éloignait de moi, c'était dur… Un jour, il m'a annoncé qu'il s'absenterait régulièrement de Paris.

— Vous habitez toujours Paris ?

— Oui.

— Avec votre mari ?

— Bien sûr. Elle continue : il m'a raconté qu'il avait pris un poste de cadre commercial à mi-temps dans une société de transports, et qu'il était le bras droit d'un ancien gangster.

— Vous vous souvenez de la date ?

— Très bien. 1964.

— Il ne vous a pas donné plus de précisions ?

— Pas tout de suite. Il essayait d'en rire, mais moi, je me suis fâchée. J'ai épousé un soldat, pas un demi-truand. Il a fini par me dire : « Je suis toujours un soldat, mais la France n'est plus en guerre. J'ai une autre affectation, mon devoir de soldat est de ne pas t'en dire plus, ton devoir de femme de soldat est de l'accepter sans poser de questions. »

— Et vous n'avez plus posé de questions ?

— Je me suis débrouillée pour vérifier ses rentrées d'argent et aujourd'hui, je n'en suis pas fière. Ni la source ni le montant n'ont varié. Alors, j'ai accepté l'idée que mon mari était en mission secrète. Il est mort pour la France, c'est une certitude. Et c'est ce que je dirai à nos enfants.

Daquin arrive dans les locaux du SRPJ de Nice vers midi. Effervescence généralisée. L'équipe chargée de l'aéroport vient de rentrer. Elle a vérifié sur les listings des arrivées et des départs des compagnies les noms des passagers aux alentours de l'heure présumée de l'assassinat de Simon. Elle y a trouvé celui de Michael Frickx. Elle a ensuite interrogé les taxis, sans résultats, puis les agences de location de voitures. Banco. Frickx avait retenu une voiture, une Mercedes, et il l'a prise à peu près à l'heure présumée de l'assassinat. Un policier ouvre son carnet pour lire la déposition de l'employée : « Il avait l'air calme. Non, pas tendu, pas nerveux. Normal. Il a signé la prise en charge de la voiture vers 22 heures, une heure après son débarquement à l'aéroport. Nous l'attendions pour fermer le bureau. » Le policier ajoute : « Il n'avait pas de bagages enregistrés, nous avons vérifié. Une heure, l'aéroport est petit, ça laisse du temps. »

Bonino regarde Daquin, et fait la grimace. Non seulement Mme Frickx est au bras de Pieri quand il se fait descendre, non seulement elle déclare que son mari est régulièrement en affaires avec lui, mais maintenant il s'avère que Frickx lui-même traîne dans l'aéroport à peu près à l'heure où Simon, le bras droit de Pieri, s'y fait assassiner. Il est désormais impossible d'éviter la présence de la famille Frickx dans le dossier. Ce qui signifie immanquablement des complications en vue. On n'avait vraiment pas besoin de ça dans la police niçoise. Deux flics sont dépêchés à la villa du cap Ferrat pour demander à M. Frickx de bien vouloir se rendre dans les bureaux de la police judiciaire niçoise à 14 heures pour s'entretenir avec l'inspecteur Bonino et le commissaire Daquin, en charge du dossier des meurtres.

Puis Bonino emmène Daquin dans son bureau pour le mettre au courant du travail accompli par son équipe. Pas d'excès de zèle, mais du travail sérieux. La moto des assassins, peut-être une Ducati, continue à être recherchée dans tous les garages de la région. Peu d'espoirs de ce côté-là. Les séjours de Pieri à Nice : depuis près d'un an, il y venait régulièrement. Il y faisait le tour des galeries d'art, se renseignait sur les tendances du marché de l'art, prenait des notes. Et fréquentait très régulièrement le casino du Palais de la Méditerranée, le restaurant et la galerie d'exposition dans le même bâtiment. Par contre, ses lieux de résidence n'ont pas été identifiés.

La famille Frickx, Emily et son mari : lui est le patron du bureau milanais de CoTrade, responsable pour l'Europe d'une des plus grosses entreprises de trading de minerais au monde. Elle : une gosse de riches, de très riches. La petite-fille d'un magnat sud-africain des mines de diamants et autres cailloux.

— Qui s'amuse à briser des pianos à la masse sur la Promenade des Anglais.

— Ouais…

— Un couple qui ne cadre pas bien avec l'hypothèse du procureur Coulon d'un règlement de comptes du milieu.

— Leur présence dans le dossier est peut-être le fruit du hasard.

— Un hasard persistant. Et le meurtre de Simon ?

— L'expérience prouve que les règlements de comptes se font souvent en rafale.

— Mais Simon est inconnu des services de police, ou je me trompe ? (Bonino a un geste d'impuissance des deux mains.) J'ai croisé Mme Simon à la morgue, ce matin. (Bonino sursaute et se dit qu'il aurait mieux fait d'y aller lui-même.) Vous saviez que son mari était un militaire de carrière ?

— Je ne le savais pas encore.

— Elle est convaincue qu'il était toujours dans les cadres de l'armée et que la Somar n'était qu'une couverture.

— Et vous la croyez sur parole ?

— J'aurais tendance à la croire, oui.

— Vous êtes d'accord avec moi que cela demande à être vérifié, il peut y avoir de nombreuses raisons pour lesquelles un mari…

À ce moment, un policier frappe à la porte du bureau, entre. Il revient de la villa du cap Ferrat, perplexe.

— Michael Frickx est arrivé hier soir tard, et reparti très tôt ce matin pour Milan.

À bout de nerfs, Bonino crie presque :

— Il a laissé sa femme seule ?

— Non, il a appelé un des cousins de son épouse,

pour qu'il vienne lui tenir compagnie. Un jeune, vingt-cinq, trente ans. David Hammersfeld. Sud-africain. J'ai noté son nom, ses coordonnées. Quand je lui ai demandé sa profession, il m'a répondu qu'il claquait l'argent de sa famille.

Il se tait un instant, encore sous le choc. Daquin demande :

— C'était une plaisanterie ?

Le policier continue :

— Non, je ne crois pas. Je voulais voir la garde-malade, pour qu'elle me donne son avis sur l'état de santé de Mme Frickx, mais le cousin l'a renvoyée…

Daquin lui coupe la parole.

— Il y avait une garde-malade ? Je n'ai pas vu de traces de sa présence dans le dossier.

Personne ne lui prête attention. Et le policier enchaîne :

— Après, j'ai téléphoné au bureau milanais de Frickx, la succursale européenne de CoTrade, sa femme m'avait donné le numéro…

— Et alors ?

— Il serait parti en voyage d'affaires. Ses collaborateurs prétendent ne pas savoir où il est. Il n'aurait laissé aucun numéro de téléphone, et ne serait pas joignable avant son retour à Milan, à une date indéterminée.

Après un instant de flottement, Bonino ne tient plus, il se lève :

— C'est l'heure de déjeuner. Veuillez m'excuser, commissaire, j'ai un rendez-vous…

Dès qu'il quitte le SRPJ, Daquin passe voir le procureur Coulon qui le reçoit instantanément.

« Un deuxième mort… Un troisième », lui dit le procureur avec un bon sourire. Et il lui apprend le «regrettable accident» arrivé au capitaine du *Santa Lucia*. Il devient difficile, et même impossible, de temporiser, Daquin obtient les perquisitions de la Somar, et des domiciles des victimes, Pieri et Simon.

Jeudi après-midi, Marseille

Retour vers Marseille. Du temps pour réfléchir. Simon militaire de carrière, d'après les dires de sa femme qui avait des accents de sincérité assez touchants. Qu'il l'ait été dans le passé est à la fois crédible et vérifiable. S'il y était encore au moment de sa mort, cela ne pourrait signifier qu'une seule chose : il appartenait aux services secrets, et son emploi à la Somar était une couverture. Et là, le jeu se complique. Nous n'aurons jamais de confirmation ou de démenti officiels du SDECE, l'organe des services secrets de l'armée. Mais si nous trouvons des traces de leur présence, l'hypothèse du procureur Coulon d'un règlement de comptes du milieu serait de plus en plus compromise et l'hypothèse de Grimbert d'une mise en scène volontaire d'un règlement de comptes du milieu pour égarer les enquêteurs, de plus en plus intéressante.

Dès son arrivée à l'Évêché, Daquin va voir le directeur du SRPJ. L'organisation des perquisitions au siège de la Somar et aux domiciles de Pieri et Simon est lourde, elle nécessite beaucoup de monde.

— Il faut le faire le plus vite possible monsieur le directeur. Demain ?

— C'est la cérémonie d'hommage à Pieri, ce serait malvenu. Lundi ?

— Trop tard.

— Reste samedi. Un week-end… Si on ne peut pas faire autrement…

— J'ai une autre demande, monsieur le directeur. Je souhaite consulter un spécialiste de l'utilisation des armes à feu en milieu urbain. Pour parler avec lui des circonstances de l'assassinat de Pieri. En l'absence de toute reconstitution…

— Nous venons de créer les Groupes d'intervention de la police. Les spécialistes que vous cherchez sont chez eux et ils seront ravis de vous rendre ce service. Allez voir le commissaire Van Loc, qui commande nos GIP.

Passage par Van Loc, qui indique le nom de l'inspecteur Bontems, un fin connaisseur, toujours heureux de prêter main-forte aux collègues. Daquin le contacte, ils conviennent d'un rendez-vous dans l'après-midi du dimanche 18 mars. Bontems passe le week-end à Nice, et Daquin a prévu d'y dîner dimanche soir. Rendez-vous est donc pris devant le Palais de la Méditerranée, dimanche à 16 heures.

Daquin retourne en hâte dans son bureau. Delmas et Grimbert l'attendent en travaillant. Ils organisent leurs notes : deux nouveaux morts, la famille corse ébranlée, les informations qui commencent à sortir par bribes et dans le désordre, le dossier s'épaissit. Bref échange de vues sur la mort du capitaine. Tous les trois peinent à croire à la noyade accidentelle. Si c'est un meurtre, trois assassinats en deux nuits, à des kilomètres de distance, il faut une solide organisation, des hommes, des moyens. Malaise. Daquin enchaîne très vite. Il annonce qu'il a enfin obtenu les perquisitions, c'est une petite victoire. Elles auront lieu samedi matin. Puis il donne la parole à Delmas qui ne tient pas en place : si Daquin est d'accord, il part demain à Istanbul, pour accompagner la veuve du capitaine, à sa demande. Il en profitera pour inspecter le *Santa Lucia*. Istanbul, la ville des espions et des aventuriers, le fait rêver. Grimbert tempère ses ardeurs.

— Le *Santa Lucia* va revenir à Marseille, comme tous les bateaux de la Somar. Nous aurons tout le temps de l'inspecter à ce moment-là. Inutile que Delmas aille là-bas, c'est loin, c'est cher, et on n'est pas si nombreux ici.

Daquin hésite puis tranche.

— Le *Santa Lucia* a un intérêt particulier pour nous. Le capitaine était un proche de Pieri, Simon s'enferme pour lui parler à la radio, et il est presque certainement assassiné. Nous n'avons pas le temps d'attendre. Delmas, vous allez accompagner la veuve. Mais attention, les policiers turcs ne sont pas des rigolos. Vous écoutez ce qu'ils vous disent, vous observez, vous ne contestez rien, sous aucun prétexte. Vous me suivez ?

— Oui commissaire.

— Vous furetez si c'est possible, sans prendre aucun risque. Et vous aidez la veuve à rassembler les effets personnels de son capitaine. Nous ne savons pas ce que nous cherchons, donc tout peut être important. Et vous êtes de retour dimanche soir au plus tard. Dès que nous avons fini cette réunion, je m'occupe de la paperasse administrative.

Grimbert enchaîne sur la visite à la Somar, la petite boulotte, le coup de fil de Johannesburg reçu par Simon et le rendez-vous pour le lendemain soir que lui fixe son interlocuteur. Daquin sent gicler l'adrénaline :

— Stop. Là, nous tenons notre première bombe. Prenons les choses dans l'ordre. Nous avions ciblé Frickx dès le premier jour, parce que sa femme nous avait signalé ses relations d'affaires avec Pieri. Qu'a dit la Financière ?

— Rien qui puisse nous éclairer. Il est l'un des cadres les plus en vue de CoTrade, la première société mondiale de trading de minerais, une excellente réputation. Il est le responsable de la zone Europe. Sa collaboration avec Pieri est plausible, mais nous n'avons pas encore de traces, attendons la perquisition. Rien de plus.

— Les mêmes informations générales que les Niçois. Mais les Niçois ont ensuite établi avec certitude que Frickx était à Johannesburg le jour où est passé de cette ville le coup de fil qui fixe à Simon le rendez-vous avec sa mort.

— D'après les employés de la Somar, Simon attendait le résultat de son rendez-vous pour leur dire ce qu'il comptait faire de la Somar. Si le rendez-vous était avec Frickx, cela signifie qu'il est très impliqué dans la Somar.

— Exact. Je continue. Frickx a pris un vol Johannesburg-Londres dans la soirée, puis une correspondance pour Nice le lendemain, et nous le retrouvons, présence avérée, à l'aéroport de Nice où il traîne pendant près d'une heure, au moment de l'assassinat de Simon. Tout cela ne prouve pas que Frickx soit l'assassin, mais nous pouvons raisonnablement penser qu'il est lourdement impliqué. Bonino et moi, nous n'avons pas pu l'entendre, comme nous voulions le faire, car il a quitté la

France ce matin à la première heure. D'après ses collaborateurs à Milan, il serait en voyage d'affaires. Sous toute réserve. Nous nous trouvons donc face à un adversaire costaud. Vos conclusions ?

— C'est le vrai démarrage de l'enquête. À partir de maintenant et jusqu'à la fin de la flagrance, je préviens ma femme qu'elle ne compte pas trop sur ma présence.

— Et il vaudrait mieux ne plus trop comptabiliser les heures supplémentaires.

L'équipe réagit au quart de tour, l'enquête est entrée dans le dur. Daquin passe à la deuxième phase du tour de table.

— Maintenant, ma bombe à moi. Simon. Je suis allé à la morgue et j'ai croisé sa femme venue identifier le corps. D'après elle, Simon est un militaire de carrière depuis les années 40. J'ai fait vérifier, il est dans les cadres de l'infanterie de marine jusqu'en 1962. Ensuite, elle soutient qu'il a appartenu à des services moins bien identifiés, peut-être les services de renseignement militaire, le SDECE, jusqu'à sa mort, et que son emploi à la Somar n'aurait été qu'une couverture. J'en ai parlé à Bonino. Il n'aime pas cette hypothèse. Moi non plus d'ailleurs.

Grimbert, un temps désarçonné, retrouve sa voix.

— Simon au SDECE, c'est plausible. D'après les employés, Simon travaillait à mi-temps, ce qui pourrait convenir à une couverture. À bien y réfléchir, les liens entre le trafic de drogue et les services secrets sont très anciens et bien documentés, en France comme ailleurs. Le trafic de l'opium en provenance de l'Indochine a été organisé dans les années 40 par les services secrets pour financer la guerre d'Indochine, et le point d'arrivée en France, c'était Marseille, déjà. Guérini s'est greffé directement sur ce circuit en le modernisant, il a diversifié et rapproché les sources d'approvisionnement en faisant cultiver le pavot en Turquie et au Liban, il a sécurisé le marché américain en traitant avec la mafia new-yorkaise. Surtout, il a pris modèle sur le complexe industriel marseillais en formant des chimistes de très haute qualité, et en raffinant l'héroïne ici. Notre héroïne est devenue la meilleure du monde, le symbole de l'excellence française. Bravo Guérini. Même après la fin de la guerre d'Indochine, il a continué à verser un tribut au SDECE, pour travailler en paix. J'imagine très bien que les négociations sur les prix et les versements se soient faites par l'intermédiaire de Pieri représentant les Guérini et de Simon représentant le SDECE, très tranquillement, dans les bureaux de la Somar. Cela collerait avec l'image que je me fais de Pieri. Le problème, c'est que ce système ne fonctionne plus depuis déjà au moins deux ans, sans doute trois, depuis la « guerre à la drogue » en 1970, la réorganisation des Stups marseillais en 71 et l'invasion américaine. Simon au SDECE, c'est possible et obsolète.

— Alors, qu'est-ce que nous faisons de cette hypothèse ?

— Je propose qu'on la garde dans un coin, et qu'on y pense de temps en temps. Pour l'instant, je ne la crois pas centrale, mais je me trompe peut-être.

— Delmas, votre avis ?

— Aucune idée. Je sais à peine ce qu'est le SDECE.

— Secoue-toi. Les services de renseignements extérieurs, qui gèrent tout ce qui est renseignement hors de France. Un service rattaché au ministère de la Défense.

— Je vous fais confiance.

— Adoptons votre point de vue, Grimbert. À peine nuancé. Simon au SDECE, nous ne nous polarisons pas là-dessus, mais cela éclaire la nature et l'importance de la Somar.

— On va arroser le voyage d'agrément de Delmas à Istanbul avant de rentrer chez nous, déclare Grimbert, qui sort une bouteille de pastis et des verres de l'un de ses tiroirs.

Delmas va chercher de l'eau et de la glace au frigo de l'étage. Daquin sort sa bouteille de cognac, le pastis, très peu pour lui. Grimbert continue :

— Je suis passé au Garage, cet après-midi, le bar dans les sous-sols de l'Évêché...

— Tiens, vous pouvez y aller, vous ? Un flic de la PJ ?

— J'ai commencé à la Sécurité publique, dans la rue, en uniforme pendant cinq ans, je suis donc toléré, si je n'y vais pas trop souvent. Ce que je voulais vous dire, c'est que j'y suis tombé sur un groupe de collègues de la Sécurité publique qui buvaient un coup à la mémoire de Simon...

— Cela ne présage rien de bon ?

— Exact.

Daquin renonce à approfondir, pour l'instant.

Jeudi soir, Nice

— Inspecteur Leccia, monsieur le procureur.

— Je vous écoute, Leccia.

— Je viens de faire le point avec Bonino, qui suit l'enquête Pieri-Simon à l'antenne de Nice.

— Je suis au courant, Leccia, le commissaire Daquin

était ici aujourd'hui et il m'en a parlé. Des perquisitions ont été décidées.

— Je ne sais pas s'il a pensé à vous dire qu'il semble prêt à chercher du côté des Services, il semble convaincu que Simon était un agent du SDECE.

— Il ne manquait plus que ceux-là… Il a des éléments ?

— Pas encore. Mais quand on cherche dans l'entourage des Guérini, on a des chances de trouver…

— Trouver quoi ?

— Des histoires anciennes, qui datent de l'époque des colonies. En soi, rien de grave, tous les protagonistes sont morts, ou à peu près. Mais en remuant le passé, on risque de mettre le feu au présent. Aujourd'hui, le SDECE est en pleine guerre interne, les pro-américains atlantistes partisans de notre président Pompidou écartent leurs prédécesseurs gaullistes, avec des méthodes parfois assez brutales… Nous avons quelques-uns de ces anciens ici sur la Côte, plutôt amers. Une ambiance malsaine et une véritable foire d'empoigne.

— C'est la boîte de Pandore, ces histoires-là, quand on commence à l'ouvrir, plus rien n'est contrôlable. Hors de question de les laisser s'introduire dans le dossier. Vous connaissez ce commissaire Daquin ? Il est raisonnable ? Il peut être sensible à vos arguments ?

— Personne ne le connaît. Il vient de débarquer. Un Parisien, semble-t-il.

— Un de plus !

Le procureur réfléchit pendant quelques secondes, puis :

— Espérons qu'il soit capable de comprendre qu'ici, sur la Côte d'Azur, nous aimons l'ordre et le calme, pas la guerre.

6

Jeudi 15 mars 1973

Jeudi, Genève

En arrivant à Genève, vers 2 heures de l'après-midi, Frickx rend la voiture de location dans une agence, à la gare de Cornavin. Il a rendez-vous avec son avocat Me Jean Charbonnier, le fils du cabinet Charbonnier et Fils. Son avocat depuis 1969, pas celui de CoTrade. Il n'est pas pressé, il est attendu vers 15 heures. Il descend à pied jusqu'au lac. Démarche lente, presque solennelle. Chaque pas le rapproche de l'entrée dans sa nouvelle vie. Il sourit. Un petit goût de «born again». Adieu à son métier de trader de minerais, un métier qu'il a passionnément aimé. Pour bien vendre un minerai, il faut le connaître intimement. Savoir où, quand, comment il a été produit, avoir vu la mine, touché, flairé la pierre. Il faut connaître son propriétaire, blaguer, faire la fête avec lui, le séduire. Parfois l'intimider, ça dépend des pays. Prospecter les acheteurs, imaginer de nouveaux circuits commerciaux, puis les faire fonctionner en articulant, synchronisant tous les rouages des transports à l'échelle mondiale aussi soigneusement que les mécanismes d'une horloge. Il faut fréquenter tous les politiques qui ont une influence sur les flux économiques, connaître leurs goûts, leurs forces, leurs faiblesses, être capable d'en jouer. Tout mémoriser. Dans les jeux d'influences, jamais de notes, jamais de chiffres, il faut se méfier de l'écrit. Et pratiquer, sourire aux lèvres, le «mentir vrai». Un vieux trader lui disait pendant son apprentissage : «Il faut coucher avec tous les clients.» Il a suivi ce conseil. Vingt années formidables, avec, derrière lui, protectrice, l'énorme machine de CoTrade, dont Jos Appelbaum ne cessait de lui répéter qu'il en aurait la direction un jour.

Alors pourquoi la rupture? Il n'a pas de réponse simple, et préfère ne pas approfondir. Mais il sait exactement quand il a enclenché le mécanisme : le 7 octobre 1969. Il était au siège de CoTrade Europe, à Milan, et mettait la dernière main au rapport d'activité du bureau pour le conseil d'administration de fin d'année qui allait se tenir à New York. Son travail l'ennuyait, il a toujours détesté les actionnaires et les conseils d'administration. Sonnerie du téléphone : un des traders de son équipe l'appelle de Tunis. Il a là, sous ses yeux, dans le port de Tunis, un tanker de 25 000 tonnes de pétrole d'origine inconnue, propriétaire indéterminé, la cargaison est à vendre à 1 dollar le baril, la moitié du prix que pratiquent les grandes compagnies pétrolières. À régler en cash et sous quarante-huit heures. On prend ou on ne prend pas? Il a quinze secondes pour décider. Il sait que Jos Appelbaum et son conseil refusent formellement de négocier du pétrole, à plus forte raison dans ces conditions. Il a juste le temps de faire un calcul simple : 25 000 tonnes à 1 dollar le baril, cela veut dire un prix d'achat à 175 000 dollars. Bénéfice escompté,

175 000 dollars au moins, frais déduits. En une seule transaction. Autant que les bénéfices de CoTrade sur le chrome pendant toute une année. On prend.

Quarante-huit heures de folie. D'abord, trouver l'argent. CoTrade, la grosse boîte rassurante, absente de la transaction, donc pas de soutien des banques. D'ailleurs, aucune banque ne marcherait, à ces conditions. Il travaille depuis deux ans avec un affréteur de Marseille, Maxime Pieri, qu'il estime fiable et dont la souplesse et la réactivité l'ont toujours bluffé. Il a bien entendu quelques bruits : l'argent de la French ne serait pas loin. Exactement ce qu'il lui faut. Qui d'autre prendrait le risque, et disposerait des liquidités ? Il téléphone à Maxime Pieri.

— 175 000 dollars en cash tout de suite et pour un mois, intérêt à 20 %.

La réponse est conforme à ses attentes :

— J'ai apprécié vos méthodes de travail. Je suis prêt à jouer les intermédiaires pour vous. Mais vous êtes conscient que sur des opérations de cette ampleur et sous cette forme, votre pronostic vital est engagé ?

— J'en suis conscient.

— Vous êtes à Milan ?

— Oui.

— N'en bougez pas et donnez-moi douze heures.

Ensuite, le client. Il faut rester soigneusement à l'abri du regard des grandes compagnies, les fameuses Sept Sœurs, qui ont des espions partout et ne lésinent jamais sur les moyens pour faire respecter leur monopole. Il faut donc viser un pays consommateur de pétrole, pas trop éloigné de Tunis, peu ou pas intégré dans les grands circuits du commerce international, avec des entreprises de raffinage et de distribution indépendantes et archaïques à qui les grandes compagnies font payer leur pétrole brut au prix fort, 4 dollars le baril, plus les frais de transport. L'Espagne de Franco. Frickx est le trader de presque toute la production minière espagnole. Le ministre de l'Industrie est son ami personnel. Il lui téléphone :

— 25 000 tonnes de brut à 3 dollars le baril, paiement à la livraison, ça vous intéresse ?

Dans l'heure qui suit, il a un client à Valence.

La vie telle qu'il l'aime.

Un très beau coup dont Jos ne saura jamais rien.

En six mois, Frickx et Pieri réalisent ensemble cinq opérations du même genre, avec du pétrole de contrebande. Une période de rodage. Ils se répartissent les tâches. À Frickx, l'achat et la vente du pétrole, le marché. À Pieri, le transport, la logistique. Tous deux perfectionnent leur connaissance du circuit, vivent au quotidien la soif inextinguible de pétrole des pays du nord de la Méditerranée, les tâtonnements des pays du Sud, l'Algérie, la Libye en pleine révolution, et l'aveuglement des grandes compagnies pétrolières accrochées à la défense d'un monopole en voie de perdition. Il est temps de passer de la contrebande au trafic régulier.

Les deux hommes montent tout un emboîtement de sociétés opaques. Frickx crée une société de trading, la Fimex, que Jos accepte de couvrir tout en la sortant du bilan de CoTrade pour que les actionnaires n'aient pas à la connaître, à condition que les opérations restent strictement limitées. Bien sûr, lui répond Frickx. Pieri met sur pied la Mival, une filiale de la Somar, qui gère en apparence les mouvements des bateaux pétroliers depuis Malte, à l'abri des regards. Le tout chapeauté par la Misma, une holding en noms personnels propriétaire des bateaux, domiciliée à Curaçao, dont Frickx et Pieri se partagent la propriété à parts égales. La machine est bien huilée, les profits importants. Pieri est un associé fiable et réaliste. Il ferme les yeux sur les commissions que détourne Frickx, tant qu'elles restent dans des proportions raisonnables, parce qu'il sait que Frickx est l'irremplaçable cheville ouvrière du montage, l'homme des réseaux qui donnent accès au marché. En somme, Pieri réinvestit avec succès dans le pétrole tout ce qu'il a appris dans l'héroïne.

Juin 1970, dans un club de Johannesburg, Frickx fait la rencontre apparemment fortuite d'un jeune lieutenant de l'armée israélienne qu'il trouve très sympathique, et ils passent une bonne partie de la nuit à boire avant que le jeune lieutenant ne commence à lui parler pétrole. Israël a du pétrole à écouler vers la Méditerranée de la façon la plus discrète possible. Qualité constante, origine indéterminée et flux continu. Les gens avec lesquels l'officier travaille savent qu'Israël peut compter sur Frickx. Ils savent aussi qu'il a déjà de l'expérience dans le domaine de la commercialisation du pétrole et une petite clientèle de raffineurs qui ne demande qu'à prospérer. En somme, ils savent beaucoup de choses. Est-il partant pour cette nouvelle aventure ? De nouveau, très peu de temps pour se décider. La réponse est oui, sans surprise. Pieri, consulté, lui fait confiance et suit.

Puis en 1972, les perspectives de développement avec Israël deviennent mirobolantes. Il ne s'agit plus d'un trafic limité, même régulier, mais de devenir l'un des plus grands opérateurs sur un marché libre mondial en expansion. Mais les correspondants israéliens de Frickx l'informent que pour entrer dans le futur, il faut apporter des garanties, être fiable à 100 % à leurs yeux et à ceux de leur allié. Et liquider le passé douteux. Frickx calcule que cette liquidation, si elle est bien menée, lui permettra de mettre la main sur la totalité du capital de la Misma qu'il partage avec Pieri, et lui facilitera la constitution de son apport personnel au capital de la nouvelle entreprise. Donc, il accepte.

Il est arrivé rue du Rhône, devant la porte du cabinet d'avocats Charbonnier et Fils. Liquider le passé, c'est ce qu'il va faire maintenant.

Il est attendu et Me Jean Charbonnier le reçoit immédiatement. C'est un homme d'âge moyen, de taille moyenne, rond et gris, avec un début de calvitie. Il ne faut pas se fier aux apparences, Jean Charbonnier est un aventurier du droit des entreprises, l'esprit toujours en éveil, à l'affût de la faille, de l'astuce, de l'argument qui feront évoluer la jurisprudence. Ses montages juridiques sont des petits bijoux. L'avocat et son client ont des affinités et de l'estime l'un pour l'autre.

Sans se perdre en considérations inutiles, Frickx sort de sa mallette en cuir le journal quotidien français *Le Monde* de la veille, ouvert à la page des faits divers.

— Vous avez là la confirmation de ce que je vous disais avant-hier au téléphone, si vous en aviez besoin. Je n'ai pas le certificat de décès de Maxime Pieri, mais je pense que vous pourrez l'obtenir rapidement. Vous avez pu préparer les actes dont nous avons parlé ?

— Oui, je crois que tout est là. Procédure très accélérée, cela coûte cher.

— Je sais, et je suis prêt à payer le surcoût.

— Voici les actes de transfert des biens de la Misma, la société que vous avez fondée avec M. Maxime Pieri, société propriétaire de deux tankers. Comme vous le savez, les statuts que nous avons rédigés d'un commun accord précisent qu'en cas de défaillance de l'un des deux propriétaires, le survivant récupère la totalité des biens. Mais comme vous n'apparaissez pas en nom propre dans la constitution de la société, et que le cabinet vous représente, il faut signer deux séries de documents différentes.

Frickx s'exécute en silence.

— C'est fait.

— Le cabinet a reçu une offre pour les deux tankers que vous venez de récupérer. Une offre de la Maritim Overseas Ltd dont le siège est à New York, à 1 million de dollars. Souhaitez-vous examiner sa proposition ?

— Non, je vous l'ai déjà dit au téléphone, je travaille régulièrement avec cette société, j'ai déjà examiné sa proposition, et je suis d'accord.

— Bon, signez ce papier pour nous donner mandat pour l'objet précis de la vente. Je m'occuperai des autres documents. La somme bien évidemment transitera par le cabinet.

— Cela va de soi. Vous la transférerez le plus vite possible sur le compte de la nouvelle société Frickx and Co. Vous avez bien déposé les statuts ?

— Oui. Depuis deux jours déjà. Vous avez tous les documents dans ce dossier.

— Il me faut ce million de dollars avant le 21 mars.

— Pas de problème. J'ai prévu d'aller récupérer demain tous les papiers concernant les tankers. Maritim Overseas les attend. Je suis en contact avec son banquier ici à Genève. Après-demain, les tankers auront changé de nom, de propriétaire, et de numéro d'immatriculation. Je pense que vous aurez la somme d'ici le 19 mars au plus tard.

Frickx se retrouve dans la rue du Rhône. La liquidation du passé est en bonne voie. Il remonte vers la banque Parillaud, la succursale genevoise de la Banque française, un peu plus loin dans la même rue, où l'attend Pélissier, son banquier, qui détient les clés de l'avenir.

Pélissier s'est installé au septième étage, dans la petite salle de travail habituelle, une table ronde, quelques chaises, et deux fauteuils bas face à la grande baie vitrée qui donne sur le lac, le fameux jet d'eau qui attire les touristes, et au-delà, le massif du Mont-Blanc, la Suisse des cartes postales, un paysage sur lequel aucun des deux ne jette un seul regard. Antoine Pélissier est à moitié couché dans l'un des fauteuils, un sourire rayonnant aux lèvres. Frickx vient s'asseoir à ses côtés. Les deux hommes se ressemblent. La quarantaine sportive, dotés tous les deux d'un appétit féroce pour l'argent et d'un goût immodéré pour le jeu, ils travaillent en synergie et sont amis.

— Les nouvelles sont bonnes, Michael. Il désigne deux tasses de café sur la table basse. Sers-toi, il est encore chaud. À propos, j'ai lu la presse française hier…

Frickx prend la tasse, se penche vers Pélissier, sourire rayonnant aux lèvres, et dit sur le ton de la confidence :

— Tu sais bien que je ne lis jamais les journaux.

Pélissier sourit à son tour.

— C'est vrai, où avais-je la tête ? Parlons donc de nos affaires. D'abord, ta nouvelle société de trading, Frickx and Co. Ton avocat m'a fait parvenir les statuts. Société en nom personnel, pas d'actionnaires, pas de conseil d'administration, donc pas de contrôles ou de publications officielles à respecter. Tout va bien. Parlons maintenant du capital de départ. Pour l'instant, tu as transféré sur le compte de la société la totalité d'un de tes comptes personnels à Parillaud de 1 million de dollars que tu as alimenté régulièrement depuis quatre ans. Exact ?

— Oui. Le cabinet Charbonnier va verser sur ce compte 1 million supplémentaire, en liquide, d'ici trois jours.

Le regard de Pélissier fuit vers les montagnes au loin. Origine inconnue. Surtout, pas de questions.

— Très bien. Dès que la somme sera sur le compte de Frickx and Co., la banque ouvrira à la société un crédit de 2 millions de dollars, en cadeau de bienvenue. De quoi louer des bureaux et lancer l'activité au ralenti, avant la grosse opération de l'automne prochain.

— Ne me fais pas languir… Tu sais bien que l'essentiel est ailleurs.

— J'y viens. Notre problème : un grand pays producteur de pétrole te propose d'écouler sur le marché de façon régulière et sur le moyen terme la moitié de sa production. Tu as donc besoin de sommes colossales pour négocier des cargaisons de supertankers. Nous parlons en unité de 1 million de dollars pour une seule opération, et de plusieurs centaines de millions de dollars sur une année. Nous sommes d'accord ?

— Évidemment.

— Et à la différence des grandes compagnies pétrolières, ou de CoTrade qui ne s'engagera jamais dans cette aventure, tu ne présentes aucune garantie financière à la hauteur des sommes en jeu. Comment vas-tu trouver un prêteur assez solide pour de tels enjeux ?

Nous sommes toujours d'accord sur l'énoncé du problème ?

— Oui. À une réserve près : Jos n'a pas encore refusé, et je me dois de lui proposer l'opération.

— Je ne sais pas pourquoi tu t'obstines là-dessus, tu montes ton opération sans rien lui dire, et on n'en parle plus.

— Non, crois-moi. Pour ma réputation auprès de certains clients, je dois absolument ménager Jos, au moins en apparence.

— De toute façon, il refusera, je n'ai travaillé que sur cette hypothèse.

— Il ne peut pas accepter, il est prisonnier de son conseil d'administration. C'est pour ça que, moi, je n'en veux pas.

— Je continue. J'ai proposé une solution à mes directeurs. Je me suis inspiré de pratiques commerciales du Moyen Âge. Nous te prêtons l'argent, à toi, le commerçant, mais nous nous garantissons sur le raffineur, l'industriel destinataire du produit. Si jamais il est défaillant lui aussi, nous nous garantissons sur la cargaison de pétrole elle-même, dont nous devenons transitoirement propriétaires.

— Ça a l'air simple.

— Ça ne l'est pas. Dans les opérations standards actuelles, la banque se garantit sur la fortune de l'emprunteur, c'est pour cette raison qu'elle ne prête qu'aux riches. L'opération que je propose transfère à la banque les risques courus sur un produit physique, variation des prix, détérioration ou perte du produit, que la banque laisse toujours à l'emprunteur dans les prêts financiers habituels. Elle accepte aussi de faire figurer éventuellement dans ses bilans financiers des produits physiques, du pétrole en l'occurrence, avec les aléas des variations de prix, ce qui est du jamais-vu depuis plus d'un siècle dans nos pratiques bancaires. Ça te semble peut-être simple, c'est en fait une petite révolution.

— Pourquoi ont-ils accepté ?

— Parce qu'ils partagent tes analyses sur la soif de pétrole dans le monde, et sur les conséquences de la dévaluation du dollar. Si le dollar flotte, les prix du pétrole vont flotter, c'est une évidence, et les grandes compagnies ne pourront plus imposer un prix fixe aux pays producteurs. Le système va exploser, les prix vont flamber, le commerce du pétrole va devenir un vrai casino, et nous voulons être les premiers à la table de jeu. Je les ai convaincus que tu étais le joueur sur lequel il fallait miser.

— Je vais pouvoir compter sur Parillaud… Frickx sourit, cœur battant, visage congestionné. Tu as fait l'essentiel, Antoine.

— Non, j'ai fait l'indispensable, je t'ai donné une ouverture. À toi, maintenant, de réaliser l'essentiel, les contrats pétroliers. À quand la suite ? Tu sais que nous avons une date butoir : la prochaine réunion des pays producteurs de pétrole, l'OPEP, le 22 mars à Vienne… Tu dois tenir le contrat avant cette date, sinon un autre le prendra.

— Je serai samedi à Saint-Moritz, j'ai rendez-vous après-demain.

— Et on se retrouve ici le 21 mars prochain, au plus tard, pour régler les rapports avec Jos Appelbaum et CoTrade.

7

Vendredi 16 mars 1973

Vendredi matin, Marseille

Daquin et Grimbert se sont installés en terrasse d'un café, sur la Canebière, et prennent un petit noir, en surveillant l'entrée du Palais de la Bourse, la Chambre de commerce, de l'autre côté de l'avenue. Maïté a organisé l'hommage à Pieri dans le hall, aménagé pour l'occasion. Va-et-vient d'autos avec chauffeur, des petits groupes d'hommes en costard-cravate se forment devant l'entrée, les discussions sont animées, on sent une certaine fébrilité mais bien peu de recueillement ou de chagrin dans la foule. La presse régionale est là, elle aussi, journalistes et photographes.

— Il faudra lire ce qu'ils raconteront demain.

— S'ils en parlent…

Grimbert a repéré les lieux la veille au soir, et décidé qu'ils entreraient dans les derniers, pour se placer debout sur les marches d'un escalier, au fond du hall, et avoir une vue plongeante sur l'assemblée.

— C'est le moment.

Les deux hommes traversent la Canebière.

— Je compte sur vous, Grimbert, ne me laissez pas

119

tomber. Sans vos yeux et vos oreilles, dans cette jungle urbaine, je serais aveugle et sourd.

— Soyez tranquille, je ne veux rien manquer du spectacle.

Quand ils entrent, le hall est déjà bondé. Ils se glissent à leurs places. Sur une estrade, en face d'eux, pas de cercueil, mais un grand portrait de Pieri, de deux mètres sur deux. Une photo de studio, éclairage travaillé, netteté des traits et des contrastes du noir et blanc. L'homme a un visage large, carré, un peu empâté, un front haut, les cheveux noirs coiffés en arrière et gominés, deux grands yeux marron, qui fixent l'objectif sans inquiétude ni agressivité, un nez cabossé de boxeur à la retraite, une bouche fine, au bord du sourire, et une jolie fossette sur le menton. Le photographe a cadré le haut du buste, les larges épaules, le costume sombre, la chemise blanche, la cravate de tons gris mélangés. L'ensemble du personnage dégage beaucoup de présence et de bonhomie.

— D'où vient cette photo ?

Sourire de Grimbert.

— Pas de nos services, à mon avis.

— Dans cette ville, les truands posent pour les photographes du gratin mondain ?

— Dans cette ville, certains truands font partie du gratin mondain. Les Guérini habitent rue Paradis, la plus bourgeoise des adresses marseillaises. Et ils ne sont pas les seuls. Pieri aussi possédait un appartement rue Paradis. Il faudra vous y faire.

Sur une table basse, à côté du portrait, épinglée sur un coussin rouge grenat bordé de cordons dorés, la croix de guerre du mort. Et une marée de gerbes de fleurs et de feuillages. Au bord de l'estrade, une petite tribune avec un micro, où vont se succéder les orateurs.

Daquin parcourt le hall du regard, une foule magma, illisible pour lui.

— Pourquoi tout ce monde ? Quels sont les enjeux ? demande Daquin.

— Bonne question. Pas facile d'y répondre. Cette cérémonie a été voulue et organisée par Maïté Antoniotti, la plus proche collaboratrice de Pieri. Regardez là-bas, les premiers rangs à gauche, le groupe compact de femmes en noir, épaule contre épaule, immobiles, silencieuses, ce sont les représentantes du clan Guérini, de ce qu'il en reste. Elles n'ont plus de pouvoir, mais peut-être, sans doute, de la fortune et une capacité de nuisance. Maïté est avec elles, au premier rang, et sa présence dans ce groupe est un manifeste. Pieri et elle n'ont jamais renié le clan.

Daquin la regarde avec curiosité. Une femme âgée, plus de soixante ans, une allure ordinaire et austère. Des cheveux gris permanentés, un visage commun, un peu lourd, sans maquillage, une robe noire toute simple, une écharpe noire sur les épaules, une paire de chaussures plates. Elle se tient très droite, le regard fixe, perdu dans le vide. Quelle est son histoire ? Ses rapports avec Pieri ? Que sait-elle ? Grimbert continue :

— Sa présence à cet endroit dit clairement à tous ici que cet hommage à Pieri est aussi un hommage au clan, peut-être la dernière manifestation publique de sa puissance passée.

Juste à côté de Maïté, un homme d'une quarantaine d'années au crâne rasé semble attentif à ses moindres mouvements, rajuste son écharpe quand elle glisse, se penche de temps à autre vers elle, semble lui murmurer quelques mots.

— Vous le connaissez, celui-là ? demande Daquin.

Grimbert le regarde attentivement.

— Son visage me dit quelque chose, mais je n'arrive pas à l'identifier.

— Vous pouvez demander à un de vos amis photographes de nous faire une photo de lui ?

— Je m'en occupe tout de suite.

Quand Grimbert revient, Daquin relance :

— Le clan Guérini, d'accord, mais tous les autres, pourquoi sont-ils là ?

— Je pense qu'ils veulent savoir comment va être géré l'héritage de Pieri, qui est finalement celui des Guérini : du fric et des secrets. Ils pensent que Maïté en détient au moins une partie. Ils sont prudents, ils ne veulent pas la blesser, leur présence est une sorte d'assurance. Prenez de l'autre côté de la salle, devant à droite, cette masse grise d'hommes en costume-cravate qui se saluent, discutent à voix très basse de leurs petites affaires, ce sont les hommes de la Chambre de commerce et du port, les représentants de l'élite économique de la ville, l'aristocratie marseillaise des négociants.

— Ils avaient accueilli Pieri dans leurs instances ?

— Oui, bien obligés, mais ils l'ont toujours méprisé, ne l'ont jamais reçu chez eux, et sont enchantés qu'il soit mort. Maintenant, ils aimeraient bien mettre la main sur ses bateaux, surtout sur son réseau de clientèle qui est vaste et novateur. D'après ce que j'ai lu et entendu, il travaillait avec des traders de tous les pays, et écumait la mer Noire et la Méditerranée orientale, des contacts qui aideraient les Marseillais à tourner la

122

page de l'empire colonial. Nous verrons cela avec la perquisition. Mais beaucoup d'entre eux veulent surtout éviter à tout prix que l'un ou l'autre ne récupère les comptes de la Somar et toutes les affaires louches qui vont avec, dans lesquelles ils sont sans doute compromis. Ils sont ici pour se surveiller les uns les autres. Parmi eux, deux dignitaires très connus de la Grande Loge nationale de France, l'obédience maçonnique qui domine chez les patrons marseillais, là, troisième rang, sur le côté. Un peu plus droits, un peu plus raides, ils ne participent pas aux conciliabules. En public, rester discret. Vous les repérez?

— Oui. Pieri était maçon?

— Non, je ne le pense pas. Il avait ses propres réseaux, et n'était pas partageux. Mais ils l'ont courtisé, et maintenant, par leur présence, ils entretiennent le doute sur son appartenance. Sur toute la Côte, la franc-maçonnerie est une réalité incontournable, mais les obédiences sont en guerre constante les unes contre les autres. Compliqué. Au centre, vous avez la masse des employés de la Somar, qui sont venus avec les parents et les enfants. Et quelques navigants des cargos. C'est la tribu corse. Là, je crois que les choses sont plus simples, Pieri était vraiment aimé. Il gérait son personnel «en bon père de famille». Mais il n'y a pas que de la tristesse, il y a aussi beaucoup d'inquiétude. Ils sont convaincus que l'entreprise ne survivra pas à la mort du chef, et qu'ils vont perdre leur emploi.

— Et vous, qu'est-ce que vous en pensez?

— Je crois qu'ils ont raison. Personne ne prendra le risque. Maintenant, regardez, le fond de la salle est occupé par les hommes de la mairie, et ceux qui gravitent autour. Des élus, des administrateurs, les chefs des services publics, des fonctionnaires à la pelle, les responsables syndicaux de Force Ouvrière. Je ne vois pas de magistrats, ni de policiers marseillais, en dehors de nous deux, bien sûr, mais nous sommes en service. Il y a sûrement eu des consignes, et elles ont été respectées. Là, au centre du groupe, mon copain Micchelozzi, un inspecteur des Impôts spécialisé dans la gestion des affaires louches, autour de lui des collègues sans doute. Crispés, les gars des Impôts. Je suis prêt à parier qu'ils ont largement couvert d'innombrables irrégularités dans les dossiers Somar, et qu'ils sont morts de trouille. Nous en saurons plus après la perquisition. Regardez comment Micchelozzi fonctionne : il est au centre du réseau. Conciliabule avec l'un puis l'autre, qui se penchent à leur tour vers leurs voisins, ensuite les questions et avis remontent par le même chemin. Le va-et-vient de la vague. C'est impressionnant. Il doit savoir qu'il va y avoir une perquisition, et fait circuler l'information et des consignes de prudence.

— La décision n'est pas publique, que je sache.

— Dans cette partie de la salle, les circuits d'information passent par la maçonnerie, mais l'obédience dominante est le Grand Orient. Vous n'y êtes pas ?

— Bien sûr que non.

— Donc vous serez informé après eux. À moins que vous n'ayez construit vos propres réseaux, mais ça prend du temps, et il faut des alliances. Maintenant, derrière le groupe Micchelozzi, deux rangées d'hommes d'affaires qui travaillent avec la mairie, surtout les marchés publics dans le bâtiment, et les travaux publics. Très liés, eux aussi, au groupe Micchelozzi. Vous voyez cet homme là-bas, assis dans la dernière rangée, tête baissée ? C'est Nick Venturi, l'ami d'enfance de Pieri, son compagnon de toutes les guerres, un ancien soldat des Guérini, et un ami personnel du maire. Il a fait fortune dans l'immobilier, grâce à la mairie, et lui aussi, comme Pieri, doit s'être fait tirer le portrait par le photographe du Tout-Marseille. Lui, il doit se demander pourquoi Pieri s'est fait descendre, et si l'assassinat de son copain va déclencher une enquête approfondie sur les affaires et les méthodes de Pieri. Il craint avant tout la contagion. Quand une enquête commence, on ne sait pas toujours où elle s'arrête.

Un grand absent, le maire. Prudent, il n'est pas venu en personne, mais il a fait déposer une gerbe à son nom en hommage à l'ancien combattant de la libération de Marseille, regardez, Maïté l'a fait placer bien en évidence sur l'estrade, juste devant le portrait. Et il a envoyé quelques adjoints qui ne savent pas quelle attitude adopter et qui essaient de passer inaperçus dans la foule.

— Là-bas, appuyé contre le montant de la porte, c'est Bonino, notre collègue de Nice. L'autre, juste à côté, qui est-ce ?

— L'inspecteur principal Leccia. Il dirige en sous-main le commissariat central de Nice. Il a un grade élevé dans la Grande Loge nationale de France, qui est l'obédience dominante à Nice, ce qui lui permet d'être le policier le plus puissant de Nice, et d'avoir beaucoup d'influence sur la magistrature. Un potentat local. À Nice, personne ne va pisser sans lui demander l'autorisation. Je suis étonné de le voir ici. Je pensais qu'il laisserait la corvée à Bonino. Il ne se déplace jamais pour rien. Ce qui nous oblige à nous demander : que vient-il chercher ici ?

Un premier orateur monte à la tribune. Le silence se

fait dans la salle. Le représentant de la Chambre de commerce. Il donne le ton. Discours insipide et convenu, Pieri entrepreneur dynamique, un pionnier, il a ouvert de nouvelles liaisons commerciales, il est un des éléments du renouvellement de la vie économique marseillaise. Les représentants du port autonome, de Fos, de la ville de Marseille, lui emboîtent le pas, chacun fait bref, répète la même chose dans le même langage. Personne n'évoque ni le passé de Pieri, cela va sans dire, ni sa mort violente. Les milieux d'affaires aiment à penser que ce dont on ne parle pas n'existe pas. Les conversations reprennent peu à peu dans la salle. Deux pauses musicales, des chœurs corses, on ne pouvait pas y échapper. Daquin s'ennuie, il scrute l'assemblée, pour essayer de repérer l'homme ou la femme dont la présence introduirait une note dissonante. Et il finit par le trouver : sur la gauche de la salle, juste à côté du clan Guérini, un homme seul, debout, l'air profondément ému, peiné, perdu dans la contemplation du portrait de Pieri, complètement absent à tout ce qui se passe autour de lui. Il se penche vers Grimbert, lui désigne la silhouette, et demande :

— Vous le connaissez, celui-là ?

Grimbert l'examine un instant.

— Non, pas du tout.

— Son visage ne vous dit rien ?

— Non, rien. À mon avis, il n'est pas de Marseille.

— Pourquoi ? Vous connaissez le visage de tous les Marseillais ?

— Non. Regardez-le, il s'est assis à côté des femmes en noir, mais il n'a aucun contact avec elles. N'importe quel Marseillais saurait qu'il s'est assis par erreur dans la zone d'influence du clan Guérini, et changerait de place par courtoisie, pour ne pas déranger. Lui reste là, sans s'apercevoir de rien. Donc il n'est pas marseillais.

Sans lâcher l'homme des yeux, Daquin continue à parler :

— Dès que la représentation s'arrête, je vais m'occuper de cet inconnu, je veux savoir ce qu'il fait ici. Si j'arrive à l'accrocher, je l'emmène déjeuner. Je ne connais pas les restaurants marseillais, vous pouvez m'en indiquer un, bonne bouffe, bord de mer, belle vue, pas tapageur, pas trop loin d'ici ?

Quelques secondes de réflexion, Grimbert répond : L'Épuisette, au vallon des Auffes.

— Autre chose, pouvez-vous vous charger d'un message pour nos collègues niçois ? Je ne vais pas avoir le temps de saluer Bonino. Dimanche après-midi, je rencontre un gars du Groupe d'intervention devant le Palais de la Méditerranée, un contact que m'a donné le directeur, comme vous me l'aviez conseillé. Inutile d'en parler à nos amis niçois. Mais je veux aussi profiter de mon passage à Nice pour rendre visite à Emily Frickx, lundi matin. Je veux la rencontrer, et avec ce que nous savons maintenant des liens entre son mari et les assassinats, j'ai quelques questions à lui poser. Je ne ferai que passer, simple curiosité de ma part, je veux voir à quoi ressemble une héritière des mines sud-africaines, mais je pense qu'il est préférable de prévenir Bonino de ma visite.

— Comptez sur moi.

— On se retrouve tout à l'heure en fin d'après-midi à l'Évêché.

Maïté monte à la tribune pour clore la cérémonie. Le silence se fait immédiatement dans la salle.

— Incroyable, murmure Daquin, regardez-les, soudain attentifs. Ils ne sont venus ici que pour entendre ce qu'elle va dire, elle les a fait mariner pendant plus d'une heure, belle mise en scène.

Elle rend un hommage vibrant et ému à l'homme qu'elle a rencontré « après la guerre ».

Grimbert se penche vers Daquin :

— C'est une provocation. Elle ne parle pas de la guerre de 40, mais de la guerre du Combinatie, fin des années 50. L'un des associés de Guérini dans la contrebande de cigarettes en Méditerranée occidentale a trouvé sa part des bénéfices insuffisante et a voulu l'augmenter. Il a lancé une sorte d'OPA hostile pour prendre le contrôle de l'entreprise. L'OPA a vite pris la forme d'une guerre. Une trentaine de morts plus tard, l'OPA a échoué et l'entreprise est restée aux mains des Guérini.

— Pieri pourrait avoir été blessé dans cette guerre ?

— Idée brillante.

« J'ai accompagné Pieri chaque jour dans son travail pendant quinze ans », poursuit Maïté avant de conclure : « La Somar, c'était lui. Il y jouait un rôle central, il était irremplaçable. Il ne sera pas remplacé. »

La voix de Maïté se brise.

— Voilà l'information que tous ces gens étaient venus chercher : il n'y aura pas d'héritier, murmure Grimbert. Leur soulagement est sensible. Mais nous ne savons toujours pas quel était l'héritage. Patience.

Maïté reprend : « Maxime Pieri n'avait plus de famille proche à Marseille, il n'y aura donc pas de condoléances. Des cahiers sont à votre disposition pour recueillir les signatures, à la sortie de la cérémonie. » Puis elle rejoint les femmes en noir.

Dès que la salle commence à se vider, Daquin salue Grimbert, et part à la rencontre de l'inconnu qui quitte la salle dans les derniers, comme à regret. Daquin le suit. Il est grand, la quarantaine, l'allure sportive, blue-jeans, polo Lacoste, veste en cuir, beau cuir, bien coupé. Cadre ou profession libérale. Quand il se retrouve sur l'avenue, il s'arrête, hésite, regarde sa montre (il a un train à prendre ? ne pas le laisser filer). Daquin l'aborde :

— Bonjour. Je suis le commissaire Daquin. J'enquête sur l'assassinat de Maxime Pieri, et j'aimerais que vous m'accordiez un peu de votre temps pour que nous puissions parler en toute liberté.

L'homme est surpris :

— Mais pourquoi moi ?

— Parce que vous n'êtes pas marseillais, parce que vous êtes un homme seul et que Pieri l'était aussi, parce que vous êtes très touché par sa mort et que vous avez peut-être même envie de parler de lui, évoquer son souvenir. Ici, dans cette foule, je suis probablement votre seul interlocuteur possible.

L'homme regarde Daquin, se demande ce qu'il doit comprendre, puis se décide :

— Pourquoi pas ?

— Ma voiture est garée un peu plus loin. Dans notre tradition française, il y a toujours un banquet après un enterrement. Je vous emmène déjeuner. À L'Épuisette, au vallon des Auffes.

L'homme se fige, puis sourit.

— Un restaurant choisi au hasard ?

— Je ne suis ici que depuis peu de temps, je connais mal les restaurants, mais pour l'instant, c'est mon préféré.

Peu d'échanges dans la voiture. L'homme s'appelle Pascal Thiébaut. Il se présente comme pigiste dans la presse économique parisienne et rédacteur en chef d'une lettre confidentielle, à mi-chemin entre l'analyse économique et l'espionnage industriel, destinée à de riches acteurs de la vie des entreprises prêts à payer des abonnements à des prix prohibitifs.

— Je sais, dit Daquin, j'ai lu un de vos articles dans *Info Éco Avenir*.

Puis, devant son passager médusé, il change de sujet et évoque son année libanaise.

Dès qu'ils arrivent sur la route de la Corniche, la mer est là, enfin, à chaque fois le même choc. Daquin a le sentiment de respirer plus librement. Au restaurant, ils montent au premier étage, s'installent à une petite table, sur le balcon comme suspendu aux rochers de la calanque, aux premières loges face à la mer. Marseille, c'est ça aussi, ces échappées belles vers un autre monde, à deux pas d'un centre-ville étouffant. Thiébaut, ému, contemple la jetée, au large le château d'If, les îles du Frioul, minérales, arides, gris et blanc, enchâssées dans une mer très calme, très bleue, rayée d'une coulée scintillante au soleil. Derrière eux, à l'abri dans le vallon, le petit port des Auffes, presque un jouet. Daquin attend : il se passe quelque chose, je ne sais pas quoi, ne rien brusquer. Soudain, Thiébaut :

— C'était le restaurant préféré de Maxime. Il était amoureux de cette calanque.

Daquin savoure, un bon flic est un flic chanceux, merci Grimbert, et continue à se taire.

Thiébaut continue à voix basse :

— Il disait que dans ce restaurant, accroché entre le

port minuscule d'un côté, les roches, les îles, la mer et l'horizon de l'autre, il se sentait à sa place, heureux.

Un serveur s'approche avec les cartes de menus. Sans bouger, Thiébaut continue :

— Pour rester dans le registre du souvenir, ce sera une bouillabaisse pour moi.

— Et vous buviez quoi avec votre bouillabaisse ?

— Un blanc de Cassis.

— Très bien. Ce sera deux bouillabaisses, et une bouteille de blanc de Cassis.

Quand le serveur s'est éloigné, Thiébaut regarde enfin Daquin.

— Vous êtes un type surprenant pour un commissaire de police. Quand vous me dites que vous êtes à peu près le seul avec qui je puisse parler de Pieri ici à Marseille, qu'est-ce que vous sous-entendez ?

— Exactement ce à quoi vous pensez.

— Comment avez-vous fait pour me repérer dans cette assemblée, pour repérer ce qui nous liait Maxime et moi, je ne comprends pas.

— Je prends mon temps, je regarde, je suis attentif, et je sais que deux et deux font quatre. Question d'entraînement. C'est mon métier. Et puis j'ai été aidé par la vignette photo qui accompagnait votre signature de l'article sur Pieri et la Somar dans *Info Éco Avenir*, un numéro de 1964.

Le serveur les interrompt, il arrive avec le vin, annonce Domaine de la Ferme Blanche, 1968, et fait goûter à Daquin, qui fait signe de servir. Quand ils sont de nouveau seuls :

— Comment vous êtes-vous rencontrés, Pieri et vous ?

— En 1964, à l'occasion de l'article que vous avez

lu, je faisais une enquête un peu approfondie sur l'économie marseillaise. Nos abonnés se posaient la question de savoir comment le port de Marseille opérait sa reconversion après la fin de l'économie coloniale. J'ai vite trouvé la réponse : la reconversion ne se faisait pas. Et puis, en fouillant dans les dossiers de la Chambre de commerce, je suis tombé sur une très jeune entreprise qui semblait dynamique, j'ai demandé un entretien au patron, qui me l'a accordé. C'était Pieri. Nous avons discuté une bonne partie de l'après-midi.

— Vous serez choqué si je vous dis que le passage sur la Somar dans cet article relève plus du coup de foudre que de l'analyse économique ?

Thiébaut a un petit rire.

— Non, ça ne me choque pas. C'est bien vu. Coup de foudre réciproque. Pieri m'a dit ce que je voulais entendre, puis il m'a invité à dîner ici, et à la fin du repas, il m'a proposé de coucher avec lui.

Daquin sourit.

— Ce que je ne ferai pas.

Thiébaut se détend, rit franchement.

— J'espère bien ! Il prend un temps de respiration. Voilà, c'est simple.

— Non, ça ne devait pas être simple.

— Non, vous avez raison, ça ne l'était pas. Maxime savait que, dans son milieu, tout tient sur les rapports de force entre les individus, sur le charisme, le respect, et il était convaincu que ses proches ne pouvaient pas respecter un pédé. Alors il s'en tenait à une stricte clandestinité. Mais au lit, il n'était ni débutant, ni coincé.

Le serveur apporte la soupe de poissons, avec croûtons et rouille. Il présente les poissons. Ce jour-là : chapon, lotte, vive, galinette et saint-pierre, mis en scène sur une grande planche en bois, une superbe nature morte de couleurs vives. Il va les préparer sur une table, au centre de la salle à manger, tout un travail d'une grande minutie, mené avec le sens de la mise en scène.

La soupe est goûteuse, Daquin, qui n'est pas un fanatique de la bouillabaisse, n'y ajoute qu'une pointe de rouille.

— Parlez-moi de lui. Dites-moi ce qui vous a séduit chez lui.

— D'abord sa présence physique. Quand j'étais près de lui, quand je pouvais le toucher, je me sentais bien. Et son intelligence. Il était d'une intelligence remarquable, une intelligence d'autodidacte, concrète, souple, toujours en mouvement. Il savait regarder et écouter les gens, un peu comme vous, en fait. Et puis il avait un vrai talent de conteur.

— Plus surprenant, pour un truand.

— Il avait vécu beaucoup de conflits, rencontré beaucoup de gens pas ordinaires, il émaillait sa conversation d'anecdotes, sans dates, sans lieux, de portraits sans donner les noms, il était vivant, drôle. C'était un grand causeur, qui ne disait jamais rien de ce qu'il était, ni de ce qu'il faisait. Ici, il regardait la mer et racontait des histoires de contrebandiers, des accostages nocturnes sur des îles inconnues, des tempêtes, des naufrages, des coups de feu, des caches creusées dans les rochers qu'on n'arrivait plus à retrouver. Je ne cherchais pas à faire la part de l'imagination et celle de la réalité, je riais avec lui.

La soupe est finie, les poissons sont servis à l'assiette. Thiébaut les attaque avec appétit. « La chaleur communicative des banquets. » Daquin sait qu'il a partie gagnée. Plus besoin de relancer Thiébaut.

— Maxime ne se voyait pas comme un truand, plutôt comme un négociateur, un intermédiaire entre deux mondes. Quand j'ai fait sa connaissance, il allait très souvent, plusieurs fois par an, aux États-Unis, New York surtout. Après un long séjour, dans les années 50, il y avait gardé beaucoup d'amis. Il y traitait sans doute les affaires de la famille Guérini, pas celles de la Somar, qui ne couvrait que la Méditerranée. Il avait arrêté ses voyages à la mort d'Antoine Guérini, me semble-t-il. Depuis, il consacrait l'essentiel de son temps et de son énergie à la Somar. Mais il est retourné aux États-Unis deux fois l'année dernière, en 1972, pour revoir de vieux amis, m'a-t-il dit. Il avait dès le début des années 60 joué la synergie avec les grandes boîtes de trading des matières premières, bien au-delà de la sphère des entrepreneurs marseillais, et depuis quelques années, il était obsédé par le pétrole. Il me répétait : «Toi qui t'intéresses à l'économie, garde un œil sur le marché du pétrole, le marché du pétrole commence à changer, donc le monde va changer.» La formule m'a frappé. Mais il était aussi secret sur la Somar que sur le reste. Je ne peux rien vous dire de plus précis.

— J'ai quand même un peu de mal à comprendre qu'un journaliste parisien entretienne une longue histoire avec un truand marseillais. Parce que vous saviez que Pieri était un truand et un tueur, vous n'êtes pas si naïf. L'une de ces histoires de contrebandiers que vous évoquiez tout à l'heure avec un parfum de grand camp scout s'est terminée par une guerre de gangs, qui a fait une trentaine de morts et dans laquelle le soldat Pieri a été gravement blessé.

— Je n'ai jamais demandé de comptes à Maxime sur ses cicatrices ni sur son passé, comme il ne m'a jamais questionné sur le mien. J'ai découvert ce matin qu'il avait été décoré de la croix de guerre, il ne m'en avait jamais parlé. Mais l'homme que j'ai connu pendant dix ans n'était pas, ou plus un tueur. Truand peut-être, tueur non. Thiébaut réfléchit quelques secondes. Il faut que vous compreniez que, dans le journalisme que je pratique, nous cherchons à décrire le plus précisément possible comment les choses se passent. Nous ne nous demandons pas pourquoi, et nous ne jugeons pas, jamais. Ce serait d'ailleurs impossible. Dans le monde de l'entreprise, il n'existe qu'une seule loi intangible : gagner de l'argent. Les limites qu'impose la légalité sont beaucoup plus floues. Elles varient selon les pays, selon les majorités au pouvoir. Le risque que l'on court en les franchissant est calculé, comme n'importe quel risque industriel, ni plus ni moins. Et on décide de les franchir ou non en fonction de ce calcul, pas en fonction de principes moraux. Après, on peut se tromper, mais c'est une erreur de calcul, pas une faute morale. Chez les Guérini, la tolérance au risque était sans doute plus grande, et les méthodes de calcul des risques un peu différentes de celles d'une compagnie qui passe des contrats avec des États ou des administrations un peu partout dans le monde, mais pas tant que ça. Nous évoluions dans deux univers bien plus proches que vous ne semblez le penser.

Vendredi après-midi, Marseille

À peine de retour dans son bureau, Daquin reçoit un coup de téléphone de Vincent.

— Je vais au théâtre ce soir, sur la Canebière, tout près de chez toi. Je passe te saluer, après le spectacle, ou tu dormiras déjà ?

— Je t'attendrai jusqu'au bout de la nuit. Trêve de plaisanterie, une soupe à l'oignon, ça te dit ?

— Après le théâtre, cela s'impose.

— À tout à l'heure.

Puis il s'assied face à la fenêtre ouverte, les pieds sur le rebord, et contemple un bout de ciel très bleu au-dessus du bâtiment de l'Évêché, sans le voir, perçoit les bruits qui viennent de la cour ou du couloir, sans les entendre. Pieri, un personnage. Massif, complexe, comme je les aime. Je ne le tiens pas encore, mais je m'approche. Ne pas aller trop vite. Garder l'esprit ouvert à toutes les surprises, il y en aura encore.

Grimbert, après avoir traîné à la terrasse du Bar-Tabac, vient aux nouvelles.

— Je vous attendais, plus ou moins.

— Je suis allé voir Bonino, à la fin de la cérémonie, ce matin, comme convenu. Nous avons déjeuné ensemble, histoire d'entretenir de bonnes relations. Un brave homme, un peu coincé. Vous lui faites peur.

— Tiens ! Pourquoi ?

— Allez savoir… À moi aussi, parfois, vous me faites peur… Passons. Il m'a dit que Pieri et Simon n'avaient pas été tués par la même arme. On s'en doutait, le ou les tueurs sont des professionnels. Il va nous envoyer le rapport de la balistique.

— À mon tour. Pieri et Thiébaut, l'inconnu de ce matin, étaient amants depuis dix ans.

Stupeur de Grimbert.

— Pieri, pédé, un homme comme lui… Je n'arrive pas à y croire… Vous êtes sûr ?

Daquin enchaîne sans lui laisser le temps de développer.

— Il m'a confirmé les nombreux voyages de Pieri aux États-Unis. Il y a d'abord fait un long séjour à la fin des années 50, donc sans doute quand il était donné pour mort ici. On peut esquisser un scénario possible : gravement blessé dans la guerre du Combinatie, soigné ou en convalescence aux États-Unis, il se fait de solides relations et à son retour assure pendant les années 60 les rapports entre les familles new-yorkaises distributrices de la French et Antoine le fournisseur.

— C'est possible, c'était il y a longtemps…

— Ça peut être important quand même, Grimbert. Tant que nous ne savons pas ce qui est important ou non, il faut tout prendre. Je continue. Il a cessé d'aller aux USA à partir de la mort d'Antoine, mais il y est retourné deux fois l'an dernier. Pour voir des amis, a-t-il plus ou moins dit à Thiébaut. C'est plus récent, donc vous acceptez de le noter ? (Grimbert sourit.) La Somar travaillait très régulièrement et depuis longtemps avec des traders internationaux de matières premières diverses, donc il a pu travailler avec Frickx. Et enfin, ces derniers temps, Pieri s'intéressait au commerce du pétrole. Une information sur laquelle Thiébaut a beaucoup insisté.

— Dans les documents de la Chambre de commerce, il est noté que Pieri touche à l'affrètement de pétroliers, sans plus de détails. Et Micchelozzi, mon interlocuteur aux Impôts, m'a suggéré de regarder du côté de Fos, le nouveau port pétrolier, ce que je n'ai pas encore fait.

— Il faudrait savoir si Frickx négocie aussi du pétrole. Je vais essayer de me documenter sur le pétrole, pour l'instant, je n'y connais rien. Cela élargit encore le champ des possibles pour son assassinat.

Grimbert joue avec un crayon, sans rien dire. Daquin prépare et sert deux cafés, qu'ils boivent les pieds sur leurs bureaux, puis Grimbert se décide :

— Pieri-Thiébaut, vous pouvez m'expliquer comment vous avez fait ?

— Très simple. Pieri, un homme seul, aucune relation féminine connue à l'horizon. Hormis Maïté, qui ne compte pas. À la cérémonie, un homme seul, dans les âges de Pieri, profondément peiné, qui n'était pas là pour faire de la figuration puisqu'il n'était pas de Marseille, c'est vous qui me l'avez fait remarquer. Il devait bien avoir des raisons pour avoir la larme à l'œil. Il aurait pu être de la famille, mais Pieri n'a pas de famille. Donc, je m'intéresse à lui, je me demande ce qu'il fait là. À force de le regarder, je pense le reconnaître.

Daquin prend le dossier, sort l'article d'*Info Éco Avenir*, pointe la vignette.

— L'article que vous avez mis vous-même dans le dossier. Il n'y avait rien de sûr, parce que la photo n'est pas bonne…

— Je n'ai jamais pensé à regarder cette photo.

— … Ça valait le coup d'essayer. Vous auriez fait aussi bien si vous y aviez pensé.

— Non, je ne crois pas.

Daquin regarde Grimbert. Non, il a raison, il n'aurait pas pu faire aussi bien. Il ne dit rien.

Après le départ de Grimbert, les bureaux se vident peu à peu, Daquin rédige quelques notes sur sa conversation avec Thiébaut, à insérer dans le dossier. Dans deux heures, Vincent, sa chaleur, sa peau, sa nuque. Ses yeux gris foncé qui pâlissent quand il se penche sur eux. Un souffle de vent précède le coucher du soleil, il aime ce moment de calme et de fraîcheur. Il se lève pour partir, deux coups frappés à la porte, Leccia entre. Il se présente, main tendue :

— Inspecteur Leccia, du commissariat central de Sécurité publique de Nice. (Daquin lui serre la main, sans rien dire.) Je crois que nous nous sommes aperçus ce matin, à la cérémonie pour Pieri.

— Peut-être, j'y étais effectivement. Que puis-je pour vous ?

Leccia s'assied, Daquin fait de même, avec un temps de retard.

— On parle beaucoup de vous, à Nice… (Daquin ne réagit pas.) Si jeune, débarqué depuis quelques jours dans notre région, et chargé d'une enquête si délicate, ça fait jaser, forcément.

Le visage de Daquin devient opaque, matière brute figée.

— Je fais mon travail, sous l'autorité du procureur Coulon de Nice, et en coordination avec l'inspecteur Bonino de l'antenne du SRPJ de Nice. Point. Vous m'avez bien parlé du commissariat central de Sécurité publique ? Je ne comprends pas ce qu'il vient faire dans ce dossier.

— Je suis ici à titre strictement personnel. J'ai profité de mon passage à Marseille ce matin pour voir quelques collègues ici à l'Évêché. On m'a dit que vous étiez encore au travail à cette heure-ci. J'ai pensé que c'était une occasion de faire votre connaissance. Je passais en voisin en somme.

— Très bien, voisin. Et que vouliez-vous me dire ?

— Je me demandais si vous parveniez à vous repérer

dans notre région ? Le poids des familles, des villages, des clans, des réseaux de solidarité ? Ils sont importants ici, et ce n'est pas facile de s'y retrouver. Je peux vous en parler, je suis corse, et malgré tout, je vis chaque jour la difficulté à gérer, dans ma propre ville, les rapports entre Corses et Pieds-Noirs. Je ne sais pas si vous avez déjà mesuré le phénomène ?

Daquin hoche la tête. Leccia continue :

— On peut vite se retrouver isolé. Et dans notre culture, un individu isolé, s'il ne parvient pas à se faire des amis, est pratiquement perdu. Il devient une cible idéale pour tous les ragots et les médisances.

Daquin ne dit toujours rien.

— Des bruits circulent déjà à Nice, d'ailleurs. Je venais un peu pour vous prévenir.

— Que voulez-vous que j'y fasse ?

— Une réputation est vite brisée, et on ne s'en relève pas. Cherchez des points d'appui, des amis. Et soyez prudent, prenez des précautions, ne vous faites pas d'ennemis, c'est le conseil que je vous donne. Réfléchissez avant d'allumer à l'aveugle tous les pétards que vous trouvez sur votre chemin. À ce jeu, c'est vous qui sauterez.

— Vous avez une idée précise du pétard que je ne dois pas allumer ?

— Comme vous y allez... Je ne suis qu'un vieil autochtone qui donne un conseil très général à un jeune Parisien. Et j'ajoute que vous pourrez toujours compter sur moi si vous estimez avoir besoin de conseils...

Daquin se lève. Leccia suit le mouvement.

— Je vous remercie de votre visite. Soyez assuré que le jeune Parisien saura faire bon usage de vos avertissements. Désolé, il est tard, je suis attendu.

Daquin se dirige vers la porte, la tient cérémonieuse-
ment ouverte à Leccia, et lui serre la main.

Quand il est parti, Daquin boucle son bureau et s'en
va.

Il marche très vite, à grandes enjambées rageuses
dans les ruelles pentues, faiblement éclairées. L'heure
du dîner approche, peu de passants. Il entend Leccia :
«Des bruits circulent… cible idéale…» Il a l'impression que des dizaines d'yeux l'épient derrière les persiennes baissées. Il ralentit le pas. Ne pas réagir à
chaud, laisser sédimenter, j'y penserai demain.

Dès qu'il arrive chez lui, il se met à la cuisine. Soupe
à l'oignon gratinée. Les premières opérations, éplucher,
émincer les oignons, sont mécaniques, calment les
nerfs. Ensuite, faire revenir les oignons dans le beurre,
ni trop ni trop peu, juste la bonne nuance, roussir sans
brûler, puis fariner les oignons, encore quelques tours
de sauteuse, stop, parfait. La succession et la minutie
des opérations demandent beaucoup d'attention et
vident la tête. Verser de l'eau bouillante sur les oignons
qui frémissent dans la sauteuse et laisser cuire. Le temps
de prendre une douche très chaude, puis très froide, il
enfile un peignoir. Attendre l'arrivée de Vincent, un plat
fait pour lui, onctuosité et finesse. Il retourne à la cuisine, coupe des tranches de pain dans le fond d'une soupière, les recouvre de gruyère râpé. Quand Vincent sera
là, il mixera le bouillon, le versera dans la soupière,
ajoutera du gruyère râpé, et au four. Au moment de servir, il battra un jaune d'œuf avec du madère, et versera
dans la soupière. Et il retrouvera le goût de l'oignon et
du madère mêlés sur les lèvres de Vincent.

Daquin s'allonge sur un fauteuil bas dans la loggia,
avec un verre de cognac, pour l'attendre. Je lui parle de

la visite de Leccia ou non? Il connaît le bonhomme. Peut-être utile. Une gorgée de cognac, et une flambée de colère. Je devrais être tout entier occupé à rêver le corps de Vincent, son sang qui bat sous mes lèvres, son sexe qui vit sous ma main, et je pense à ce connard de Leccia. Deuxième gorgée de cognac.

La porte d'entrée n'était pas fermée, Vincent vient le rejoindre dans la loggia. Daquin lui tend son verre de cognac, il boit une lampée, et s'assied.

— Bon spectacle?

— Non, je me suis ennuyé et j'ai trouvé le temps long. Pour tout te dire, c'était plutôt un prétexte pour venir te rejoindre.

— Tu n'as pas besoin de prétexte, Vincent. Moi, j'ai eu droit à un spectacle à domicile, dans mon bureau, juste avant de rentrer, et je ne me suis pas ennuyé. Leccia est venu me voir.

— Leccia, le Niçois?

— Lui-même, en personne.

— Qu'est-ce qu'il foutait là?

— Grand discours en style mafieux : «Des amis… on dit que…» Les Italiens ont une très jolie formule, plus élégante : *Si dice* : il se dit… Je n'ai pas bien compris s'il était venu pour me menacer ou me tester.

— Te menacer de quoi?

— De me perdre de réputation.

— Il sait que tu es homo?

— Il n'a rien dit de précis sur mes mœurs.

— À Marseille, pour perdre un flic de réputation, on ne raconte pas qu'il est corrompu ou incompétent, ça c'est le tout-venant, les Marseillais sont blasés, on dit qu'il est pédé. Et que ce soit vrai ou non, le flic en question est coulé. Leccia, je te garantis qu'il connaît toutes

142

les ficelles, tous les ressorts, et sait comment en jouer. Il est redoutable. Tu aurais tort de le prendre à la légère.

— Qu'est-ce que tu veux que je fasse ? Que j'arrête de baiser ?

Vincent rit :

— Ne te vante pas, tu n'en es pas capable. Mais dans tes amours avec moi ou avec d'autres, reste non pas dans la discrétion, la discrétion ici n'existe pas, mais dans le secret…

Daquin entend Thiébaut : Pieri pratiquait une « stricte clandestinité ». Pieri connaissait sa ville. Un modèle ?

— Je refuse de vivre avec l'obsession du secret. Comme je refuse toute forme d'affichage. J'ai envie de baiser avec toi. Si tu es d'accord, je le fais. Je n'ai ni à le cacher, ni à l'afficher. Ce que nous faisons ensemble ne regarde que toi et moi.

— Nous ne sommes plus à la fac, à Paris, en train de nous laisser porter par la vague de l'après-68. Nous sommes à Marseille. Ici, un homme peut être homo quand il est riche et puissant. Cela passe alors pour une aimable lubie, et personne n'en parle. Mais s'il est pauvre ou débutant, c'est un vice intolérable. Tu es débutant, Théo, et je le suis aussi, d'ailleurs. Tu dois tenir compte de ce que je te dis, que ça t'emmerde ou non.

Vincent regarde le visage de Daquin, lisse, hermétique.

— Tu en tiendras compte ?

— Dans une certaine mesure, oui.

— Autre chose, à propos de Leccia. J'ai beaucoup entendu parler de lui, et je l'ai même croisé une fois ou deux. Franchement, que tu sois pédé ou non, il n'en a rien à foutre, c'est le contraire d'un moraliste, sur ce sujet comme sur le reste. Mais il ne fait jamais rien

143

gratuitement. L'enquête sur laquelle tu travailles consti-
tue-t-elle une menace pour lui?

— Je n'en sais rien. J'ai très peu d'éléments, pour
l'instant. Mais lui le sait sans doute.

— Si tu avances vite, si tu trouves des moyens de pression ou d'échange, n'hésite pas à le lui faire savoir, il en
tiendra compte. C'est un pragmatique, pas un croisé.

— Tu me rappelles un de mes inspecteurs. Flic ou
avocat, Marseillais d'abord.

— Leccia est niçois. On attaque la soupe à l'oignon?

Daquin sourit.

— Avant ou après la baise?

Vendredi, Istanbul

Delmas et Catherine, la jeune veuve qu'il chape-
ronne, ont beaucoup bavardé pendant toute la durée du
vol vers Istanbul. Delmas a raconté son envie de
s'échapper de la campagne profonde où il est né, son
sentiment d'être perdu à Marseille, trop grande, trop
dure, son admiration pour Grimbert, son malaise face à
Daquin, son bonheur de prendre l'avion pour la première fois de sa vie, et d'aller à Istanbul, chez les Turcs.
Elle le trouve émouvant dans sa sincérité, lui confie ses
déceptions quotidiennes, sa joie de s'éloigner de Marseille. Pour aller chercher le corps de son mari. Triste,
évidemment. Il n'aurait pas dû boire.

— Il ne buvait pas souvent, mais quand ça lui arrivait, il perdait vraiment les pédales. Il avait été accro à
l'héroïne. Les cures de désintoxication et les médicaments avaient laissé des traces.

Delmas se surprend à penser qu'il serait absurde de

gâcher ses chances en lui racontant les soupçons de son équipe sur les circonstances de la mort de Nicolas, un mari alcoolique laisse peut-être moins de regrets qu'un mari assassiné.

— Tous les marins boivent, tu sais, plus ou moins.

— Et les flics ?

Pas de réponse.

Le survol des côtes à l'approche d'Istanbul les fascine et les fait taire.

À l'aéroport, un attaché et une voiture du consulat de France les attendent.

— Tout a été préparé, balisé, soyez sans crainte, cela va bien se passer.

Ils traversent toute une partie de la ville, les yeux écarquillés. À la morgue, identification du corps, Catherine verse quelques larmes. Commissariat de police, l'attaché traduit de temps en temps, signatures multiples. Puis l'entreprise de pompes funèbres, rapatriement du corps, le consulat fournit une aide financière. C'est fini pour la journée. La voiture du consulat les emmène dans le quartier de Taksim et les dépose devant un hôtel décent où leurs chambres ont été retenues. Sur le toit en terrasse de l'hôtel, ils boivent un whisky, en contemplant, les yeux écarquillés, de l'autre côté de la Corne d'Or, les silhouettes des mosquées, coupoles et minarets, qui se découpent sur un ciel de soleil couchant, le palais de Topkapi qui dégringole de la colline jusqu'à la mer, la masse obscure de la vieille ville qui s'enfonce dans une nuit sans lumière. Les appels à la prière se répondent de tous côtés. Catherine pleure sans savoir pourquoi, Delmas lui prend la main, puis lui enlace les épaules. Ils s'endorment sur des chaises longues, la tête de l'une sur l'épaule de l'autre.

8

Samedi 17 mars 1973

Samedi matin, Marseille

Tôt le matin, trois équipes du SRPJ déclenchent trois perquisitions simultanées. Un commissaire de la PJ s'est chargé du domicile de Pieri, Grimbert « fait » celui de Simon, Daquin a choisi les bureaux de la Somar.

Une dizaine de policiers du SRPJ se regroupe devant la porte de l'immeuble de la Somar un peu avant 8 heures du matin, l'heure d'ouverture des bureaux. Les policiers échangent des poignées de main. Surprise, un inconnu s'agrège au groupe. Il se présente :

— Inspecteur principal Tricot, Stups Marseille.

— Qui vous a demandé de venir ?

— Apparemment, nos deux patrons, Stups et SRPJ, se sont mis d'accord, et moi, j'ai reçu hier soir l'ordre de venir.

— Comment les Stups ont-ils été informés de cette perquisition ?

— Aucune idée. Par votre patron, certainement.

— Qu'est-ce qui vous intéresse ?

— Tout ce qui pourrait concerner un trafic de drogue

146

avec les États-Unis. D'après nos fichiers, Pieri y est allé deux fois l'année dernière, et a rencontré des trafiquants liés au réseau que nous venons de démanteler, et dont le procès s'ouvrira bientôt.

Daquin encaisse. Les deux voyages aux États-Unis, je l'ai appris hier, par Thiébaut, le hasard, la chance. Rien dans nos dossiers. Et eux, les Stups, ils le savent par qui, comment, depuis quand ? J'évolue dans un monde de relations personnelles et de réseaux de pouvoir plus ou moins secrets dont parle Grimbert et que d'autres maîtrisent bien mieux que moi. Malaise. Danger ?

— On est bien d'accord, la Criminelle du SRPJ mène cette perquisition. Vous êtes là en passager clandestin, le procureur n'est sans doute même pas au courant de la participation des Stups, débrouillez-vous pour qu'il continue à l'ignorer et n'en profite pas pour tout annuler. Vous ne touchez à rien, vous n'emportez aucun dossier. Si certains vous intéressent, vous me le signalez, et vous viendrez les consulter dans nos services.

Tricot acquiesce. Semble-t-il.

Le groupe au complet monte au troisième étage. Une employée leur ouvre, vite désemparée. Parmi les présents, les deux employés les plus âgés sont réquisitionnés comme témoins, puis Daquin donne quelques consignes aux hommes de la PJ.

— Nous intéressent tous les dossiers comptables, et les informations sur les bateaux, fournisseurs, clients, équipages, trajets. Surtout ce qui concerne le *Santa Lucia*. Cela ne va pas être facile, parce que les grands bureaux collectifs de la Somar sont bordéliques. Il faut tout ouvrir, consulter, trier, ranger, choisir, mettre en carton ce qu'on emporte. Et finir dans la journée. On y va.

Daquin traîne d'un bureau à l'autre. Il finit par trouver la petite boulotte dont lui ont parlé ses inspecteurs, celle qui décroche les téléphones et écoute aux portes. Déception. Il n'y a rien de plus à en tirer, elle n'est là que depuis peu de temps, en contrat d'intérim pour remplacer une employée en longue maladie, et semble ne rien connaître du fonctionnement de l'entreprise.

Soudain, vers 10 heures, Maïté Antoniotti fait son apparition. À la vue des policiers omniprésents dans les bureaux, des cartons prêts au départ empilés dans l'entrée, elle a un malaise. Daquin la soutient, l'installe dans un fauteuil qu'il a traîné dans la cuisine, lui apporte un verre d'eau et une serviette mouillée. Il ne la quitte pas des yeux pendant qu'elle se passe la serviette sur le visage. Toujours la même femme, dure. Seul changement, une robe grise a remplacé la robe noire de la veille.

— Qu'est-ce que la police fait ici, dans nos locaux ?

— Une perquisition madame.

— Et vous espérez trouver quoi, exactement ? Des cadavres dans le réfrigérateur ? Cette entreprise est irréprochable.

— Le numéro 1 et le numéro 2 de la Somar sont assassinés. Le capitaine Serreri, sur le *Santa Lucia*, meurt à son tour d'une façon suspecte…

Au nom de Serreri, les larmes montent aux yeux de Maïté. Elle se cache le visage dans les mains, et reste ainsi sans bouger un long moment. Blessée, profondément. Daquin la laisse récupérer.

— Voulez-vous un café, un thé, un verre d'eau ?

— Non, rien. Merci.

Elle écarte les mains de son visage, les larmes ne

coulent plus, elle a retrouvé son contrôle. Daquin reprend :

— Vous comprenez bien que cette succession de morts nous amène à nous intéresser à la Somar, et justifie cette perquisition.

— Où est le corps de Nicolas ? Qui s'en occupe ?

— Sa femme Catherine est partie hier à Istanbul pour le rapatrier, un de mes inspecteurs l'accompagne. J'ai une question à vous poser : saviez-vous que Pieri avait une liaison avec un homme, Pascal Thiébaut ?

Elle ne cille pas. Un roc.

— Qu'est-ce que vous croyez ? Bien sûr, j'étais au courant. Mais je ne connais pas ce Thiébaut, et je n'ai jamais cherché à le connaître. C'était la vie privée de Maxime Pieri. Et vous devriez la respecter, vous aussi. À peine une hésitation, elle continue : je n'aime pas vos façons de faire. Vous vous êtes octroyé le droit de fouiller mon appartement et le sien hors de toute procédure légale.

— Attendez. L'appartement de Maxime Pieri est perquisitionné en ce moment, en même temps que la Somar. Vous parlez de cela ?

— Pas du tout. Le jour même de l'assassinat de Maxime, je travaillais ici, comme d'habitude. Nous avons d'ailleurs été prévenus très tard, en fin de matinée. Peut-être pour laisser le temps d'opérer aux visiteurs de l'appartement de Maxime et du mien. J'ai quitté la Somar dès que j'ai appris la nouvelle de la mort de Maxime, je suis rentrée chez moi, et là, j'ai constaté une intrusion. Du travail d'experts, d'ailleurs, aucun désordre, mais moi je ne m'y suis pas trompée. Je suis allée vérifier chez Maxime : même chose. C'est une violation inacceptable de nos vies.

— Madame, aucun policier de mon service n'a pénétré dans aucun de vos deux appartements le 13 mars dernier. Nous n'avons appris la mort de Maxime Pieri qu'en fin de matinée, en même temps que vous, semble-t-il, quand le SRPJ de Nice a transmis l'information au SRPJ de Marseille.

Elle hésite encore un instant, puis :

— Bien. J'en prends acte.

— Vous avez porté plainte ou vous allez le faire ?

Maïté dévisage Daquin en silence pendant quelques secondes, et dit simplement :

— Non.

— Je le regrette. Mais bien sûr, c'est votre choix. Maintenant, madame, il faut que vous nous ouvriez les tiroirs de votre bureau et de celui de Pieri, sinon, nous serons obligés de les forcer. Et je vous invite à passer dans mon bureau, à l'Évêché, pour répondre aux questions que nous avons à vous poser.

— Je vais vous les ouvrir, ces tiroirs. Je vous répète que nous n'avons rien à cacher. Ensuite, je rentre chez moi. Laissez-moi tranquille jusqu'à ce que je revienne de l'enterrement de Maxime, dans son village en Corse.

— Calenzana ?

— Exactement. Bien renseigné pour un Parisien... Je reviens à Marseille dans une semaine. Après, si vous me convoquez, je passerai à l'Évêché, je répondrai à toutes vos questions, si vous en avez, et si je connais les réponses. Vous avez mon adresse, vous savez où me trouver.

— Très bien. Suivez-moi.

Elle se lève, à peine la trace des raideurs de l'âge, le suit dans le premier bureau, la démarche énergique, fouille dans les poches de son gilet, sort quelques clés

150

plates, pas particulièrement compliquées, ouvre tous les tiroirs et armoires, puis fait la même opération dans la deuxième pièce. Tricot, sur le pas de la porte, observe, écoute. Daquin continue :

— Avant que vous ne partiez, encore une question. À votre connaissance, Pieri était-il de nouveau impliqué dans un trafic d'héroïne, ce qui expliquerait peut-être son assassinat ?

— Non commissaire, je suis formelle, c'était loin derrière lui. Juste avant d'être arrêté, l'année dernière, Jo Cesari… Elle s'arrête. Jo Cesari, le plus fameux des chimistes de Marseille, qui s'est suicidé en prison, vous le Parisien, vous connaissez ?

— Oui madame, je connais le dossier Jo Cesari.

— Donc Jo était un de mes amis, et il m'avait dit, quelque temps avant son arrestation : « L'héroïne a fait son temps, c'est bientôt fini. Je vais partir en Amérique du Sud. J'ai un gros contrat, là-bas, en Colombie. L'avenir, c'est la cocaïne. » Quand j'ai raconté ça à Maxime, il m'a dit : « Il se trompe. L'avenir, ce n'est ni l'héroïne ni la cocaïne, c'est le pétrole. » Vous voyez…

Un roc. Pieri avait besoin d'un roc à ses côtés ?

— Vous croyez ce que vous dit madame ? demande Tricot.

— Oui, et j'ai de bonnes raisons pour cela.

La perquisition avance vite dans le bureau de Maïté et dans celui que se partagent Pieri et Simon, tous deux soigneusement rangés. Tous les dossiers sont dans des chemises, étiquetés, classés.

— Pas comme dans les salles à côté, grogne un policier. Ici, c'est un vrai plaisir.

Sur le bureau, pas un papier, un sous-main posé bien carré, un plumier en verre qui contient deux stylos et des crayons. On passe ensuite à la fouille du bureau de Maïté, que Daquin suit attentivement. Même ordre maniaque. Dans le tiroir central de la table-bureau, un bloc de papier blanc, une chemise pleine de feuilles de papier carbone, des enveloppes soigneusement empilées, deux carnets de timbres, une réserve de stylos dans un étui en plastique, et, posé sur la chemise des papiers carbone, un vieux recueil de mots croisés, écorné et surchargé d'annotations. Daquin, amusé, le prend, le feuillette. Il entend Maïté lui dire, depuis le couloir :

— Vous n'avez plus besoin de moi, ici.

Et elle s'en va. Il a un sourire. La femme-roc est démasquée, elle faisait des mots croisés pendant son temps de travail. Contenu inintéressant, le tiroir est refermé, la perquisition se termine peu après.

Maïté surveille d'un bistro voisin le départ de toute l'équipe des policiers. Puis elle remonte à la Somar, vérifie le contenu du tiroir de son bureau, intact, le recueil de mots croisés est toujours là, tout va bien, elle se précipite vers le téléphone. Elle met plus d'une heure à obtenir un numéro à Malte, en piaffant d'impatience. D'accord, j'ai passé quatre jours en enfer, mais j'aurais dû y penser plus tôt, parce que le cœur battant de notre système, il n'est pas ici, il est là-bas, à Malte. Nos filiales, la Mival pour les tankers, la Serval pour les circuits financiers, tant qu'elles sont à l'abri, les flics peuvent toujours chercher. Ici, ils ne trouveront rien. Heureusement qu'ils ne sont pas des rapides. Elle finit par obtenir un dénommé Baldocchino, le responsable de la société Mival. Elle n'est jamais allée à Malte, ne l'a jamais rencontré, mais l'a eu parfois au téléphone, et entre eux, le courant n'est jamais passé. Son français chaotique, la lenteur de ses réactions l'exaspèrent. Quand elle lui a annoncé au téléphone la mort de Pieri, il y a deux jours, elle jurerait qu'il a pleuré, et elle en a été jalouse.

— Les policiers sortent d'une perquisition à la Somar. Ils risquent de venir chez vous, on n'est jamais trop prudent, il faut détruire tous les papiers de la Serval et de la Mival. Vous m'entendez ?

— Oui.

— Tous les papiers. Vous gardez seulement les actes qui concernent les enregistrements et la propriété des tankers. Vous les mettez en sécurité, hors de portée des flics, et vous fermez le bureau. D'accord ?

— D'accord.

— Dans quelque temps, quand le calme sera revenu ici à Marseille, je passerai vous voir, et on réglera tout, salaires, indemnités. D'accord ?

— D'accord.

Elle raccroche.

Samedi matin, Malte

À Malte, Baldocchino, la soixantaine bien sonnée, accuse le coup. C'était sûr que l'assassinat de Pieri allait déclencher les embrouilles en série. Et il sait parfaitement qu'il n'est pas capable de les gérer. Courageux et fidèle, mais pas malin. Donc il passe chercher Theuma, l'homme de la société sœur, la Serval, qui s'apprête à déjeuner en famille, et il l'entraîne au bureau de la rue Triq Zekka que se partagent la Mival et la Serval, pas la peine de multiplier les frais.

— Assieds-toi, faut que je te parle, y a peut-être urgence. La Maïté a téléphoné, les flics sont à la Somar, elle veut qu'on détruise tous les papiers.

— Tu lui as parlé de l'avocat de Genève qui est venu te voir hier ?

— Justement, non. J'aime pas cette femme, je me méfie.

— D'accord, mais il faudra bien lui dire un jour que les tankers, tu ne les as plus, ils ont été vendus.

— Je suis dans la merde. Cet avocat, je crois qu'il m'a embrouillé. Il est arrivé avec son costard, sa sacoche en cuir, tous ces papiers à en-tête de Charbonnier et Fils, avocats, Genève. Ça faisait sérieux. Tu n'étais pas là, toi tu as l'habitude. J'ai paniqué. J'ai rien compris à ce qu'il me racontait. Et maintenant, je me dis : et si tous ces papiers, c'étaient des faux ? Et lui un faux avocat ? Qu'est-ce que j'en sais ? Tu comprends le malaise ?

— Attends, on se calme.

Theuma ouvre un dossier qui traîne sur la table, prend la première feuille, la pousse devant Baldocchino.

— Les tankers étaient la propriété de la société Misma, dont le siège est à Curaçao.

— Peut-être, mais Pieri ne nous avait rien dit. Moi je croyais que le propriétaire, c'était lui.

— Pieri ne nous a jamais rien dit sur rien. J'essaie de comprendre. Deuxième feuille du dossier. La Misma a été fondée par deux personnes, et leur appartenait à 50-50. Pieri, là, tu as sa signature. Tu la reconnais ?

— Oui.

— Et l'autre, dont on n'a pas le nom, il est représenté par un fondé de pouvoir, l'avocat Charbonnier. Tu vois la signature, là, et les tampons ? Ça a l'air en règle, on est d'accord ?

154

— Oui. Mais si on avait son nom, à l'autre proprié-taire, je serais plus tranquille.

Theuma ignore l'objection. Troisième feuille.

— Pareil. Signatures, tampons, le cabinet Charbonnier et Fils à Genève est dépositaire des statuts de la société Misma, tu les as là. Regarde l'article 6, il dit en gros, je résume, si l'un des deux fondateurs est défaillant, l'autre récupère tous les biens mobiliers de la Misma. Pieri est défaillant, d'accord? (Baldocchino hoche la tête, de nou-veau les larmes aux yeux.) L'avocat récupère les biens mobiliers pour son client. Les biens mobiliers, c'est les deux tankers, regarde, c'est précisé à l'article 1.

— Tu sais, ça représente beaucoup d'argent ces deux tankers, pas loin de 1 million de dollars. Le gars m'a dit qu'il les avait déjà vendus, à une société à Chypre. Tu te rends compte, trois jours après la mort de Pieri.

— Bon, c'est pas un sentimental.

— Ça, tu peux le dire.

— D'un autre côté, qu'est-ce que tu veux qu'un avo-cat à Genève fasse de tankers? Il peut seulement les vendre. C'est logique.

— Il y a un truc qui me dérange. Pieri est assassiné le 13 mars, nous on est prévenus le 14 au soir par Maïté. L'avocat arrive ici le 16, il vient de Genève, il n'y a pas beaucoup d'avions entre Malte et Genève…

— Il est peut-être venu avec un petit avion privé?

— Peut-être. Il a déjà vendu les tankers. C'est pas une paire de chaussures, deux tankers. Qui l'a prévenu, lui? Pas Maïté, pas les flics, pas nous. Alors qui? Et quand? J'ai pas eu le bon réflexe, quand il m'a dit que c'était une démarche normale, qu'il venait simplement récupérer les papiers, rien de bien grave, en fait, avant de les donner, j'aurais dû passer un coup de fil à Marseille, à la Somar.

— Mais à qui, à la Somar ? On n'a jamais eu contact qu'avec Pieri. À Maïté ? Elle a rien à voir là-dedans. Le propriétaire des tankers, c'était Pieri, regarde bien, c'est son nom dans les papiers, pas celui de la Somar. La Somar c'est seulement un intermédiaire. Les gens de la Somar te transmettaient les ordres pour la navigation, mais ils ne sont mentionnés nulle part dans les papiers. Et si Maïté arrive ici pour nous donner des ordres, on lui répond que c'est pas son affaire.

— Oui, mais si on liquide tous les papiers de la Mival, et de la Serval aussi d'ailleurs, comme elle dit, on risque de voir arriver des gens qui vont nous demander des comptes, on pourra rien répondre, on risque de gros ennuis. De gros ennuis avec beaucoup de monde.

— Si ça se trouve, ça l'arrangerait Maïté qu'on ait des ennuis.

— Nous, on faisait seulement ce que Pieri nous disait de faire.

— Si on garde les papiers, et que les flics français viennent, on aura aussi des ennuis.

— Tu sais quoi ? On jette rien, on va tout ramasser, mettre dans des cartons, fermer le bureau comme elle a dit, et planquer les cartons ailleurs. Comme ça, au cas où…

— Bonne idée. On fait ça. Et tout de suite. Commence à ranger, je vais chercher des cartons.

Samedi après-midi, Marseille

Daquin et Grimbert se retrouvent le soir à l'Évêché pour faire un point rapide sur les perquisitions. Grimbert attaque le premier.

— L'appartement de Simon ressemble plus à un pied-à-terre qu'à une résidence principale. Peu de vaisselle, de vêtements, d'objets personnels, ce qui corrobore le témoignage de Mme Simon. Autre chose, et vous n'allez pas apprécier, nous avons trouvé une carte du SAC, tricolore, photo, au nom de Simon. Pas d'erreur possible. Nous avons saisi la carte et ses agendas. J'en ferai un dépouillement rapide, si nécessaire.

Daquin se tasse dans son fauteuil.

— Pour survivre, ici, à Marseille, il faut savoir encaisser. Je n'ai jamais bien suivi ces histoires, je me fais du SAC une idée assez vague. Le point aveugle du gaullisme, une bande de barbouzes hommes de main du Général, anti-OAS d'abord, puis cellule de reconversion des pro-Algérie française, devenue au fil du temps un service d'ordre très musclé, des gangsters exécuteurs des basses œuvres du parti gaulliste en pleine décomposition, une sorte de milice toujours violente. Ici, à Marseille, c'est quoi le SAC ?

— Je peux me permettre d'être simpliste ? Le SAC marseillais est un réseau d'influence non clandestin, mais souterrain…

— Comme il y en a plusieurs autres à Marseille, d'après ce que j'ai pu comprendre.

— Exact, et c'est pour cette raison qu'il prolifère sur la Côte : il correspond à la culture locale. Ici, à Marseille, on y trouve une majorité de policiers de la Sécurité publique, pratiquement pas de la PJ, et quelques truands. Ce qui les tient ensemble, c'est sans doute un vieux fond d'Algérie française, quelques liens avec la Françafrique qui offrent à certains d'entre eux l'occasion de faire des affaires, dont d'autres espèrent attraper quelques retombées financières. Et surtout, beaucoup d'amertume, de frustrations, d'ambitions ratées. Pour être honnête, commissaire, j'avais flairé l'odeur du SAC l'autre jour au Garage quand j'avais vu ce groupe de flics de la Sécurité publique boire à la mémoire de Simon, mais j'hésitais à vous en parler.

— J'essaie de comprendre. Les Guérini, et donc Pieri, s'intéressent aux services secrets. Ils jugent une concertation et des échanges avec eux indispensables pour gérer la filière de l'héroïne. D'accord ?

— D'accord.

— À ce titre, la présence de Simon à la Somar, s'il appartient aux services secrets, et tant qu'il y appartient, se justifie. Mais le SAC, ce ramassis de gros bras plutôt ras du front, les Guérini n'en ont rien à faire, ils ont tout ce qu'il faut à domicile.

— Toujours d'accord. La carte du SAC est annuelle. Celle de Simon est de 1973, on ne sait pas depuis quand il était au SAC. La crise des services secrets est violente en ce moment, tout le monde le sait. Quand Pompidou a poussé le général de Gaulle dehors et a pris sa place à la présidence de la République, il a fait un ménage énergique dans les Services. Tous les anciens gaullistes ont été vidés, remplacés par des fidèles à lui. Sans parler du brutal changement d'orientation sur le trafic de drogue à partir de 1971. Avant, on s'arrange et on partage. Après, c'est la guerre à la drogue. Nouvelle purge dans les Services de tous ceux qui géraient la filière héroïne. Simon peut très bien avoir été écarté du SDECE dans l'une ou l'autre de ces purges, et par rancœur il aurait adhéré au SAC. Grandeur et décadence.

— Sans avoir le courage de le dire à sa femme. Et comme Pieri s'était lié d'amitié avec lui, il a continué à le payer.

— Vous pourriez écrire des romans.

— Je suis encore un peu jeune, mais à la retraite, je ne dis pas…

— Plus prosaïquement, il a pu être mis sur la touche avec maintien de sa solde. En tout cas, cette carte du SAC renforce mes réticences à mettre le SDECE au cœur de notre enquête. Si l'on a quelques anciens membres du SDECE au SAC, je ne crois pas qu'on ait d'adhérents du SAC dans les officiers en activité du SDECE. Vous me suivez ?

— Parfaitement… Avant de vous parler de la perquisition à la Somar, un mot de celle de l'appartement de Pieri. Le PV est creux, il me laisse une curieuse impression, comme si Pieri n'avait pas vécu là. Il ne me convient pas. Je verrai ce que j'en ferai. Maintenant, la Somar : nous avons saisi beaucoup de documents, beaucoup de travail en perspective. Pas de difficultés particulières, mais deux détails inquiétants. D'abord, la présence des Stups, l'inspecteur principal Tricot. Vous le connaissez ?

— Non. Sûrement un Parisien.

— Qui les a prévenus, mystère. Ce qu'ils cherchaient, Tricot ne me l'a pas dit. Ensuite, Maïté Antoniotti, présente pendant toute la matinée, s'est plainte de perquisitions mexicaines à son domicile et celui de Pieri, le matin du meurtre.

Grimbert réfléchit un instant.

— Crédible, la Maïté ?

— Peut-être. Sans doute. Va savoir…

— Vous en pensez quoi ?

— Les Stups, ou les Américains, ou les deux, cherchent quelque chose. Mais quoi ?

— Nous sommes à des années-lumière du règlement de comptes dans le milieu. C'est excitant.

— Vous trouvez ? Moi, j'ai l'impression de m'être engagé dans la traversée d'un banc de sables mouvants. Je m'enfonce un peu plus à chaque pas, j'attends la prochaine marée qui va me submerger.

— En attendant cette marée, voilà la photo de l'homme qui accompagnait Maïté hier à la cérémonie d'hommage à Pieri. J'ai toujours la même sensation, de le connaître vaguement, et d'être incapable de l'identifier.

— Un homme du clan Guérini ?

— Vu sa place dans la salle, c'est très probable.

— Vous pourriez la montrer à votre ami Casanova, la mémoire vivante des Stups. Il l'a peut-être déjà croisé.

— J'y pensais.

— Faites-le, on en reparle après. Bon, les cartons de dossiers sont là, nous avons opéré un premier tri sur place. Je prends ce qui concerne les itinéraires des cargos, et je m'intéresserai en priorité au *Santa Lucia*, évidemment. Vous, vous prenez la comptabilité, Delmas viendra vous épauler dès son retour.

— J'ai déjà pris contact avec la section financière, un des deux inspecteurs qui la composent est prêt à venir m'aider. Et je vais squatter pour quelques jours une petite pièce de réunion, pour pouvoir m'étaler plus que dans notre bureau.

— Parfait. Le matériel à notre disposition est considérable. L'enquête de flagrance ne nous laisse pas beaucoup plus de dix jours. D'après sa femme, Frickx est en relation d'affaires avec Pieri. Simon attend de le voir pour dire aux employés de la Somar quel sera l'avenir de l'entreprise. Frickx donne à Simon le rendez-vous au cours duquel il se fait tuer, il est présent sur les lieux du crime, et il file à l'étranger avant qu'on puisse l'interroger. Donc, je considère qu'il est au cœur de notre enquête et que notre priorité est de chercher et de trouver sa trace dans les archives de la Somar. Donnons-nous un peu de temps, nous nous revoyons mardi matin.

Samedi, Istanbul

Catherine décide d'achever les démarches administratives, toujours accompagnée de l'attaché du consulat, et charge Delmas d'aller récupérer les effets personnels de Nicolas à bord du *Santa Lucia*. Elle préfère ne rien savoir de ce maudit bateau, et cet arrangement convient parfaitement à Delmas. Il descend à pied jusqu'au port de Salipazari, la rive du quartier européen sur le Bosphore, et trouve assez vite le *Santa Lucia*. Il monte à bord où il est accueilli par un policier trop aimable qui se débrouille un peu en français. Delmas se présente, les deux hommes échangent une virile poignée de main. Le Turc relate, comme il peut, les circonstances du «regrettable accident». Le corps repêché au petit matin, la bouteille de whisky vide dans la cabine. Seule anomalie à signaler : deux marins qui avaient embarqué sur le *Santa Lucia* à Istanbul deux mois avant ont disparu après la mort du capitaine. L'équipage est donc réduit à trois marins, consignés dans le dortoir jusqu'au départ du bateau. Mais pas d'inquiétude, l'effectif sera suffisant pour acheminer le cargo jusqu'à Marseille.

— Départ prévu pour quand ?

— Demain ? Après-demain ? Le plus vite possible.

Delmas demande à consulter le livre de bord. Sur les dernières pages, il relève :

13.03.73 10h25 GMT Liaison radio Somar-Simon.
Mort Pieri +. Escale Istanbul confirmée. Puis route
Marseille.

Delmas enregistre, feuillette quelques pages d'un air distrait, retrouve la trace des deux marins embarqués deux mois plus tôt, sans aucune précision. Rien à espérer de ce côté-là. Il demande à visiter le bateau.

— Non, impossible. Il est sous contrôle policier jour et nuit, aucun accès n'est autorisé.

— Et la cabine du capitaine, pour récupérer ses effets personnels ?

— Oui, c'est prévu, je vous emmène.

Delmas entasse dans un grand sac marin les vêtements et les affaires de toilette du capitaine. Quelques livres, Nicolas aimait la poésie. Un cahier manuscrit. Delmas l'ouvre, tombe sur l'hommage à Pieri, glisse le cahier dans sa poche, referme le sac, le met sur son épaule, salue le policier turc, et remonte vers son hôtel.

Le soir, toutes les formalités ont été réglées et le départ de Catherine et Delmas est prévu pour le lendemain. L'attaché leur conseille d'aller dîner dans le restaurant aménagé dans l'une des grandes citernes qui assuraient l'alimentation en eau de Byzance, dans l'Antiquité. Elle est à deux pas de Sainte-Sophie, au cœur de la ville antique. Ils y vont en taxi, sans savoir ce qui les attend. Ils pénètrent dans un espace immense, obscur, des rangées de colonnes à chapiteaux supportent des successions sans fin de voûtes en briques. Au pied de chaque colonne, un trait de lumière qui se perd vers les voûtes. Au sol une mince couche d'eau noire reflète les lumières et creuse l'espace à l'infini. Catherine et Delmas, perdus, s'accrochent l'un à l'autre. Un serveur les prend en charge, et les entraîne vers une partie surélevée de l'édifice où des tables très faiblement éclairées sont dressées. Cuisine turque raffinée. Ils mangent sans un mot, en état de sidération, leurs jambes étroitement mêlées sous la table. Quand arrivent les desserts, tout un assortiment de loukoums et de petites pâtisseries sucrées, Catherine se laisse aller, elle adore le sucre, elle parle à voix très basse, pour ne pas réveiller les démons endormis sous les voûtes.

— Nicolas était un homme secret, avec des coups de beuverie et de colère rares, mais quelquefois très violents. Pas seulement avec moi. Il a été jusqu'à se brouiller avec Jo l'Arménien, un gars qu'il considérait comme son frère, ils avaient beaucoup de souvenirs en commun. Nicolas passait de longs moments avec Jo, quand il rentrait de voyage. Et puis brusquement, à l'automne dernier, à la fin d'une après-midi passée à boire tous les deux ensemble à la maison, il l'a mis dehors, et m'a interdit de le recevoir, même en son absence. Il ne l'a pas revu. Sans me donner aucune explication.

Elle hésite, finit par dire :

— Je n'étais pas heureuse avec Nicolas.

Puis choisit un loukoum à la rose.

Ils rentrent à l'hôtel à pied, main dans la main, longue promenade dans la nuit, traversée de la Corne d'Or. En arrivant dans le hall de l'hôtel, Catherine recommence à pleurer. Delmas l'accompagne jusqu'à sa chambre, embrasse ses yeux, lèche de la pointe de la langue les larmes sur ses joues rondes, sur ses lèvres, le désir a un goût de sel, et lui fait l'amour avec beaucoup de compassion.

9

Vendredi 16 et samedi 17 mars 1973

Vendredi après-midi, Saint-Moritz

Le jet privé atterrit à l'aéroport de Samedan, une seule piste coincée dans le fond d'une vallée à 1 700 mètres d'altitude, entre champs de neige et pics rocheux granitiques. Un gros 4 × 4 noir vient se ranger au pied de la passerelle. Dès que la porte de l'avion s'ouvre, Frickx dévale les marches, grimpe dans le 4 × 4 sur le siège passager, jette sa valise sur la banquette arrière, brève et chaleureuse étreinte avec le chauffeur, Parviz Malekeh, l'ami iranien.

Malekeh est propriétaire de mines de chrome, en Iran. Frickx a pris contact avec lui dès son arrivée à Milan en 1967. Il a ouvert de nouveaux débouchés à sa production, trouvé des crédits pour accompagner pas à pas la modernisation de ses installations, et applaudi à l'explosion de ses revenus. Les deux hommes sont devenus amis, ils ont les mêmes intérêts, les mêmes goûts, les mêmes plaisirs.

Retour sur investissement. Malekeh est un ami personnel du Shah, il a passé plusieurs années de son adolescence en pension, en Suisse, avec lui. Comme il est un entrepreneur dynamique, il devient logiquement l'un des conseillers du Shah en matière économique. L'économie en Iran, c'est le pétrole. Il est le plus fervent soutien de l'opération dans laquelle Frickx est engagé aujourd'hui.

— Une petite dizaine de kilomètres pour arriver à Saint-Moritz. Pas trop fatigué ?

— Non. Tout s'enchaîne sans accroc, pas de raison d'être fatigué. Ici, comment ça se présente ?

— Plutôt bien. Ton rendez-vous avec le Shah était fixé depuis une semaine. La confirmation a tardé. Je me suis fait du souci, mais finalement, la confirmation est arrivée hier.

Frickx a un léger sourire.

— Hier jeudi… Non, aucune raison de se faire du souci. Je n'ai bouclé les derniers détails de mon dossier qu'hier. Le Shah est prudent et très bien informé, c'est tout.

Ils arrivent devant le Palace Hotel, un mastodonte.

— Le secrétaire du Shah t'a retenu une chambre, tu seras bien reçu. Tu dois être en forme demain, repose-toi.

Malekeh prend un étui en or dans la poche intérieure de son blouson, et le tend à Frickx.

— Après le sauna et la piscine de l'hôtel, quelques cigarettes de ce mélange d'herbes libanaises, que je t'ai préparé moi-même, tu fumes ça bien au chaud dans ta chambre, c'est le bonheur assuré. Parce que je te préviens, Saint-Moritz est un tout petit village, tout se sait, il vaut mieux renoncer au Saint-Moritz by night, le Shah est très rigoriste quand il voyage en famille.

Frickx empoche l'étui en souriant.

— Merci de me prévenir.

— Bon. Tu as rendez-vous avec le Shah demain à la Villa Suvreta à 16 h 30. Après sa journée de ski. Pour un thé ou un chocolat chaud, j'imagine. L'avion te ramènera à Milan dimanche matin. On ne décolle pas de Samedan à la nuit, les montagnes sont trop proches. Demain, nous nous retrouvons ici à 14 heures, je te ferai réviser tes notes. Je joue gros dans cette affaire, Michael.

— Moi aussi, Parviz. Ne sois pas tendu comme ça. À demain, et merci pour les cigarettes. Délicate attention.

Frickx ramasse sa valise, et disparaît dans l'hôtel. Marbres de couleur et bois précieux partout où c'est possible d'en mettre, plafonds à caissons, tentures, meubles surchargés, c'est un vrai palace. Frickx est indifférent au décor. Il suit les conseils de Malekeh, sauna, puis piscine, puis dîner d'une omelette au fromage et d'un strudel dans sa chambre. Un menu de sportif. Il s'allonge sur le lit démesuré, en peignoir, à moitié noyé dans une couette en plumes, brusque décompression, la tension nerveuse s'effondre d'un coup. Six jours de courses, de chocs, à gérer le prévu, l'imprévu, la mort, sans un temps de repos. Impossible de s'arrêter avant d'avoir le contrat iranien. Peut-être pas possible de s'arrêter après non plus. Irruption de Pieri, Emily à son bras, en haut des marches du casino… Stop. Frickx tend la main vers la table de nuit, saisit l'étui à cigarettes, allume la première, goût à la fois râpeux et sucré. Il part en vrille aux premières bouffées. La fatigue, certainement. Il rit. Facile d'oublier les morts.

Samedi matin, cap Ferrat

Emily se réveille lentement. Sentiment de bien-être. Plus trace des calmants, tranquillisants ou autres saloperies ingurgitées ces derniers jours. David, ses bras qui l'emportent dans la salle de bains, l'eau qui dégouline, ses gestes tendres pour lui sécher les cheveux. Elle sourit, s'étire. Retour de l'ombre de Pieri. Mort. Un élancement de chagrin dans la poitrine. Ne te laisse pas aller. Tu feras sans lui. Elle se lève, va à la fenêtre, écarte les rideaux. Ciel bleu, mer bleue, comme d'habitude. Sous ses fenêtres, sur la terrasse, la table est préparée pour le petit déjeuner. Deux tasses en porcelaine précieuse que David a dû exhumer du fond des placards, deux assiettes, des verres, des couverts, un bouquet de fleurs blanches. Il a mis en scène notre rendez-vous. Une cruche de jus de fruit, des petits pains, du beurre, de la confiture, une corbeille de fruits. J'ai faim. Étendu sur une chaise longue, David somnole, le visage tourné vers le soleil. Faim de tes lèvres. Elle enfile un long tee-shirt et descend, pieds nus, sans bruit. Elle se plante à côté de la chaise longue, contemple David, puis se penche, sa bouche contre la sienne, suit le contour de ses lèvres de la pointe de la langue, elle les goûte, les deux mains posées sur ses épaules. David se réveille en sursaut. Elle se redresse, souriante.

— J'en ai rêvé toute la nuit. Ne bouge pas, je vais faire le thé.

Quand elle revient avec la théière, David s'est assis à la table, bien calé dans un fauteuil, pour tenter de récupérer son équilibre. Elle lui sert une tasse de thé.

— Léger, comme d'habitude ?

Elle pose la théière et, avant d'aller s'asseoir, lui embrasse la nuque. Elle le sent frissonner.

— On prend le petit déjeuner, et ensuite on va se baigner.

— Tu faisais ça aussi avec Pieri ?

Elle le regarde, ahurie.

— Tu es complètement fou ? Une hésitation. D'ailleurs, Pieri, je le connaissais à peine.

Une phrase qui sonne faux, se dit David.

Le dernier petit pain à la confiture d'orange amère avalé, la dernière tasse de thé bue, Emily se lève, David la suit. Ils descendent vers la mer par un sentier très raide. L'air embaume l'odeur de la pinède à la première chaleur du matin. Emily prend la main de David, qui se dégage, s'arrête, lui fait face.

— Tu sais bien ce que tu es en train de faire ?

— Oui. Je le sais très bien.

— Ce n'est pas une bonne idée.

Emily enlève son tee-shirt d'un seul geste.

— De quelle idée parles-tu ?

Elle est là, debout devant lui, complètement nue, éblouissante, comme il l'a toujours rêvée, comme il ne l'a jamais vue, les taches d'ombre et de soleil sous les pins sculptent son corps, son cou, ses épaules, ses seins à la taille de ses mains d'homme, leurs aréoles brunes, sa toison presque noire, profonde, ses cuisses longues, musclées, un peu lourdes, une femme ancrée dans la terre. Il cherche son souffle pour lui dire qu'il ne faut pas, que c'est dangereux, mais il n'a plus de voix, et puis il ne cherche plus. Il se baisse, l'enlève dans ses bras, descend le sentier vers la mer en courant presque, l'allonge sur l'un des matelas de plage qui traînent dans les rochers, se jette sur elle, embrasse son cou, ses joues, ses lèvres, les mordille en gémissant. Elle rit.

— Pas d'amour furtif mon beau cousin. Laisse-moi te regarder.

Elle lui enlève sa chemise, suit de l'ongle les lignes

des muscles compacts, cherche la trace de l'adolescent qu'elle a connu, s'attarde sur les pointes des seins frémissantes. Sous le sein gauche, la marque oblongue d'une brûlure superficielle, elle la suit du doigt, la peau se fissure par endroits, elle l'embrasse. Elle prend la tête de l'homme entre ses deux mains posées sur les tempes, la guide vers ses seins, son sexe. Elle sent battre le sang au creux de ses paumes.

Samedi après-midi, Saint-Moritz

Malekeh est venu, comme convenu, et les deux hommes sont assis à une table de la terrasse du Palace, et boivent des cafés face aux montagnes. Frickx est bien plus détendu que Malekeh.

— De quoi as-tu peur ? Je ne comprends pas.

— D'une grosse gaffe qui braquerait Sa Majesté, et remettrait tout en cause.

— Tu ne me fais pas confiance ?

— Ce n'est pas la question. La situation est tellement compliquée que tu peux à tout moment tomber dans un piège.

— Vas-y, fais-moi ton topo, tu en meurs d'envie.

— Nous, les Iraniens, nous sommes engagés dans une bataille sur deux fronts. Au moins deux. Nous sommes dans le front uni de tous les pays exportateurs de pétrole, regroupés dans l'organisation de l'OPEP, depuis 1960, contre la dictature des grandes compagnies étrangères qui ont le monopole de l'exploitation et de la vente de notre pétrole, pour les obliger à tenir compte de nos intérêts et à nous payer correctement.

— Je connais.

— Sur ce front, nous avons remporté la première bataille, nous avons forcé les compagnies à reconnaître l'OPEP, et à traiter avec elle, et non plus avec chaque État séparément. Et ce ne fut pas facile.

— Je sais.

— Nous avons engagé le deuxième combat : une hausse générale des prix.

— Il n'y a rien de neuf dans ce que tu me dis là.

— Mais il y a aussi un deuxième front : à l'intérieur de l'OPEP, la lutte de chacun contre tous pour l'hégémonie dans l'organisation. Nous, les Iraniens, nous sommes en guerre contre tous les Arabes. L'Arabie saoudite d'un côté, des Bédouins accrochés aux basques des Américains. Et tous les nouveaux venus révolutionnaires de l'autre, plus ou moins nassériens, Kadhafi, Boumediene. Ils veulent nationaliser l'économie, nous les craignons comme la peste. Ce combat sera gagné par celui qui parviendra à trouver le meilleur compromis possible avec les compagnies pétrolières.

— Je sais ça aussi, tout le monde est au courant.

— Notre projet a été conçu pour trouver une troisième voie entre les deux blocs, les pro-Américains d'un côté, les nassériens de l'autre. Obtenir plus et mieux des compagnies que nos voisins nous permettra de peser dans l'OPEP. Les compagnies restituent une partie du pétrole qu'elles produisent aux pays dans lesquels elles le produisent. Nous nous sommes battus pour obtenir un partage à 50-50, puis maintenant, 55 pour nous, 45 pour elles. C'est acquis. Mais pour l'instant ce partage est purement théorique, puisque nous ne voyons pas la couleur de nos 55 %. Ce pétrole continue à être vendu par les compagnies, à des prix qu'elles gardent secrets, et elles nous reversent ensuite l'argent de notre part, en nous volant sans vergogne, puisque nous n'avons aucun contrôle. D'où notre idée : ces 55 % qui nous appartiennent, nous allons les vendre nous-mêmes. Notre slogan c'est : « Nous faisons confiance au marché. » Le gouvernement américain est furieux, mais la boucle. Les compagnies, elles, nous menacent de boycotter notre pétrole. Elles sont convaincues de pouvoir nous empêcher de le vendre si elles le décident. Nous prenons la menace au sérieux, parce qu'elles l'ont déjà fait une fois, et nous ont mis à genoux…

— C'était en 1951, Parviz, quand Mossadegh était Premier ministre, le Shah d'Iran en fuite, et la CIA à la manœuvre. Le marché du pétrole était limité. La situation aujourd'hui n'est plus du tout la même. Il y a une soif de pétrole partout dans le monde…

— Possible, mais nous restons traumatisés. Pour que tu comprennes : tous les responsables de la NIOC, notre compagnie nationale du pétrole, ont dans leurs bureaux un portrait de Sa Majesté le Shah sur le mur. Et à l'intérieur des placards, un portrait de Mossadegh. Nous n'avons pas oublié.

— Moi, je vous le vendrai, votre pétrole, je te le garantis. Si les compagnies s'essaient au boycott, elles se planteront.

— Je t'ai rappelé tout ça parce que le Shah est parfois, souvent, soupçonneux. Il peut te tendre des pièges en te faisant parler de l'Arabie saoudite, des Américains, et même de Mossadegh.

— On y va, Parviz ?

Le Shah les reçoit en tenue décontractée d'après ski dans le salon de chasse. Des canapés profonds devant une cheminée où brûle un vrai feu de bois. Au mur, des massacres de daims, chevreuils, cerfs en quantité industrielle. Frickx se surveille de très près, il ne doit s'asseoir qu'après y avoir été invité, et ne prendre la parole que lorsque Sa Majesté la lui aura donnée… Le Shah a l'air sombre, préoccupé, et ouvre la conversation de façon inattendue.

— Pourquoi avez-vous choisi ce métier, monsieur Frickx ? Le commerce…

Frickx sourit, sourire franc, l'expression très travaillée de l'homme qui vide son cœur.

— Par hasard, Votre Majesté. Je suis arrivé à New York à l'âge de dix ans, et j'étais orphelin. Ma tante, le seul membre de ma famille qui me restait, connaissait un employé de CoTrade. À treize ans, j'y suis entré, au service du courrier, j'avais hâte de gagner ma vie. Il y avait des opportunités. J'y suis toujours.

— Vous êtes marié ?

— Oui, Votre Majesté, depuis 1966. J'ai épousé Emily Weinstein, la petite-fille de Nat Weinstein.

— Les mines d'Afrique du Sud ?

— Exactement Votre Majesté.

Le Shah se tourne vers Malekeh :

— Nat Weinstein était notre invité aux fêtes de Persépolis, voilà deux ans. Un homme charmant. Les diamants du diadème de la Shabanou viennent de ses mines. Vous le voyez souvent, monsieur Frickx ?

— Au moins une fois par mois, Votre Majesté. Il m'a confié le trading de l'ensemble de la production de la Société des Mines d'Afrique du Sud, à l'exception du diamant, qui relève d'un marché très particulier.

Le Shah se lève, les deux autres en font autant. Le Shah se tourne vers Malekeh :

— Bon choix, mon cher Parviz. Je pense que M. Frickx est l'homme de la situation.

Sur le chemin du retour, Malekeh est silencieux, enchanté de l'issue de l'entrevue, mais furieux de la façon dont elle s'est déroulée. Frickx s'amuse :

— Alors, mon cher ami, grand débat stratégique ? Pièges tendus pour tester mes connaissances en matière de politique pétrolière ?...

Pas de réponse.

— ... Il suffit d'être le gendre de Weinstein. J'en étais sûr. Si tu veux mon avis, le Shah le savait avant notre rencontre et sa question était de pure forme. Vous n'avez pas la Savak, une des polices politiques les plus efficaces du monde, pour regarder voler les papillons.

Malekeh ne desserre pas les dents. Il largue Frickx devant son hôtel, en lui disant simplement : «Demain, ici, 9 heures.»

Après un dîner frugal, il faut garder la forme, la course de fond n'est pas terminée, Frickx monte dans sa chambre, regarde l'heure. Une heure décente pour téléphoner à David et Emily. Il appelle, David décroche.

— Bonjour David, quelles sont les nouvelles ?

— Emily va bien. Très bien, même. Elle a beaucoup nagé aujourd'hui, elle était fatiguée, elle est déjà montée se coucher.

— Tu as pris froid ?

— Non, pourquoi ?

— Je te trouve la voix enrouée.

— Je ne suis pas sûr que ma présence à la villa soit une bonne idée.

— Bien sûr que si. Les policiers ?

173

— Ils ont été surpris de ton départ, mais on ne les a pas revus.

— Alors, c'est parfait. Emily t'a dit ce qu'elle faisait avec Pieri ?

— Elle parle d'une rencontre fortuite dans une galerie d'art à Villefranche.

— Tu imagines Pieri dans une galerie d'art ? C'est une connerie.

— La police a vérifié et a l'air d'y croire. De toute façon, Emily n'est pas bavarde avec moi. Je reste convaincu qu'entre Pieri et elle, c'était un flirt, plus ou moins poussé.

— Laisse tomber cette idée, je te l'ai déjà dit, le sexe n'intéresse pas Emily.

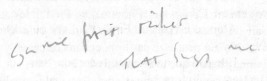

10

Dimanche 18 et lundi 19 mars 1973

Dimanche, Marseille

Avant d'aller à l'Évêché pour se plonger dans les dossiers de la Somar, Grimbert téléphone à Casanova, chez lui.

— Je passe prendre un café en vitesse, au bar en bas de chez toi, et je t'invite. J'ai une photo à te montrer.

Casanova râle un peu, pour la forme, mais le rendez-vous est pris.

Les deux hommes s'assoient au fond de la salle, loin de la terrasse trop fréquentée. Grimbert commande deux cafés.

— Avec une goutte de grappa ?

— Va pour la goutte.

Puis il pose sur la table la photo d'un homme au crâne rasé, debout aux côtés de Maïté toute en noir. Casa se raidit imperceptiblement, sans rien dire. Grimbert enregistre, et enchaîne :

— Cette photo a été prise pendant la cérémonie pour Pieri. La tête du type me dit vaguement quelque chose, mais je ne sais pas quoi. Tu le connais ?

— Pourquoi tu me demandes ça, à moi ?

— Parce que ce type est un familier de Maïté, manifestement. Cérémonie d'hommage à Pieri, il le connaissait aussi sans doute. Maïté, Pieri, le clan Guérini, l'héro n'est peut-être pas loin, et dans ce cas, il y a une bonne chance que tu le connaisses.

Casa prend son temps, boit son café amélioré à toutes petites gorgées. Il le connaît, pense Grimbert, et la réponse lui pose un dilemme.

— Oui, j'ai croisé l'Arménien il y a plusieurs années. Il avait fugué de chez lui très jeune, et était vraisemblablement passé à l'étranger. Il est revenu dans notre paysage quand Pieri a fait son grand retour, dans les années 59-60. Il a ramené Jo dans ses bagages, et lui a trouvé un boulot dans la gestion des bars et des bordels des Guérini. Je ne me souviens pas qu'il ait touché à la blanche. Pieri a gardé un œil sur lui pendant un temps, il aimait bien cette posture de père adoptif.

Grimbert se demande si la posture de père adoptif impliquait que Pieri baisait l'Arménien, mais garde cette réflexion pour lui. Casa continue :

— Mais je pense qu'ils ont dû se perdre de vue ensuite. L'Arménien était un sous-fifre. Pieri était bien plus haut dans la hiérarchie, Antoine le traitait presque comme un égal.

— Les bars, les bordels, j'ai dû croiser ce type quand j'étais à la Sécurité publique.

— Tu ne le reconnais pas parce qu'à cette époque, il avait une masse de cheveux noirs, et des rouflaquettes.

— Très juste. J'y suis maintenant.

— Qu'est-ce que vous lui voulez, à Jo ?

— Rien. On voulait simplement identifier l'homme qui se tenait aux côtés de Maïté sur la photo. C'est fait, merci Casa.

Le temps est compté, il ne faut pas traîner. Daquin se rend très tôt à son bureau, et se plonge dans les dossiers concernant les trajets des cargos. Il a récupéré à la Somar quelques fonds de carte représentant la Méditerranée. Il commence par le *Santa Lucia*. Le cargo reste cantonné dans la région est de la Méditerranée, navigue entre le Liban, Chypre et la Turquie. Une fois tous les deux mois, il remonte dans la mer Noire, fait escale à Constanţa en Roumanie, en pleine zone soviétique, y décharge du blé turc en provenance d'Istanbul, y charge des machines-outils à destination de Chypre. Autorisations, bordereaux multiples, chargés des tampons et signatures réglementaires, tout semble parfaitement régulier. Daquin trace les divers trajets du *Santa Lucia* en rouge sur son fond de carte, puis ceux de deux autres cargos : ils naviguent dans toute la Méditerranée, font régulièrement escale à Marseille, et ne pénètrent jamais en zone soviétique. Des circuits complètement différents. Il les reporte sur sa carte en jaune et en bleu. Il faudrait traiter de la même manière la dizaine de cargos de la Somar. Ça prend du temps. Il faut se concentrer en priorité sur le *Santa Lucia*. Roumanie, Chypre, à voir avec le service des douanes, mais l'odeur du pétrole n'est pas la plus forte. Daquin épingle ses cartes de la Méditerranée sur le mur juste en face de son bureau, et va déjeuner en vitesse à la terrasse du Bar des 13 coins. Rendez-vous à 16 heures, à Nice, devant le Palais de la Méditerranée avec Hervé Bontems, l'inspecteur des GIP. Pas question d'être en retard.

Hervé Bontems arrive à moto, une grosse anglaise racée, qu'il gare avec désinvolture sur la Promenade des Anglais, entre deux palmiers. Il contemple la façade monumentale du Palais en mordillant un bâton de réglisse. Daquin le rejoint, les deux hommes se saluent, et Bontems remarque :

— Vos tueurs n'ont pas lésiné sur le décor.

— Chacun ses goûts.

— Allez-y, racontez-moi.

— Un homme sort du casino, une femme à son bras, à 3 heures du matin, une moto arrive à cet instant précis, deux hommes à bord. Dix balles de 11.43, toutes dans la cible, la femme n'est pas touchée, aucune vitre cassée, durée de l'opération : vingt ou trente secondes d'après un rapport de police.

— Que voulez-vous savoir ?

Daquin sourit :

— Qui est le tueur ?

L'autre lui rend son sourire :

— Ça, n'y comptez pas trop. On a des témoins ? Où était la victime ?

Daquin lui indique l'endroit où se tenait le couple, sur le tapis rouge flambant neuf qui descend jusqu'à la route par laquelle la moto est arrivée.

— La moto roulait ? Le tireur était sur la moto ?

— D'après les témoins, la moto s'est arrêtée ici, où nous sommes, le tireur est descendu à gauche de la moto, et il a tiré en restant de ce côté.

— Bien. Allez vous placer là où était le couple, et ne bougez plus.

Après avoir échangé quelques mots avec les portiers du casino, Daquin se met en place sur le tapis, à la hauteur d'une tache grise sur le marbre blanc. Le sang a pénétré dans la pierre. Bontems s'éloigne en direction du centre-ville, revient en suivant le trajet de la moto, le long des jardinières de fleurs, s'arrête face à Daquin. Fixe sa silhouette. Regard concentré, champ visuel rétréci, mâchoires crispées sur le bâton de réglisse, les lèvres marmonnent, amorces légères de mouvements des épaules, des bras, des mains, pendant vingt secondes, une éternité, pense Daquin, hypnotisé. Puis le corps se détend, le regard redevient panoramique. Bontems marche vers la cible, à pas comptés, scrute l'espace des arcades, s'avance jusqu'à la porte d'entrée, examine l'intérieur du casino. Il se retourne, prend Daquin par le bras, et l'entraîne vers la Promenade.

— Je résume. Cible éloignée d'un peu moins de 10 mètres, éclairage difficile, violent sous les arcades, mais lumières tamisées dans le casino, donc fond sombre, et l'homme était très probablement en costume gris ou noir. Cible en mouvement, la chute a dû commencer dès la première balle. Tirs très rapprochés, dix en quinze, vingt secondes au maximum, avec un gros calibre, tous dans la cible. Vous avez affaire à un excellent tireur, très sûr de lui, c'est une certitude. Tout le reste est bien plus flou. La mise en scène est surprenante. Le choix du lieu surtout. Ce casino. Les jardinières qui entourent la façade et protègent l'espace sous les arcades rendent l'approche de la cible à moto difficile et bien trop risquée. Si la moto avait cherché à s'approcher, elle aurait pu être piégée dans les jardinières sans issue de secours, le tir à bout portant ou très rapproché devenait donc une option trop dangereuse.

D'habitude, comme les équipes de tueurs du milieu conduisent mieux qu'elles ne tirent, elles travaillent à bout portant, ou elles arrosent dans un lieu fermé à l'arme automatique. Je ne connais pas, dans notre région, de cas de tirs de précision à l'arme de poing de loin. Donc, je suis intrigué. Quelles raisons ont pu avoir les tueurs pour choisir d'exécuter quelqu'un ici ?

— Le procureur Coulon évoque une forme d'avertissement aux héritiers des Guérini impliqués dans le contrôle des casinos niçois.

— Ça, c'est votre boulot, pas le mien. Ce que je vous dis, c'est qu'un bon tireur ne s'improvise pas, il s'entraîne beaucoup, répète les mêmes gestes, entretient ses armes, les ajuste. On trouve ce genre d'hommes beaucoup plus sûrement dans l'environnement des militaires ou des policiers spécialisés que dans celui des truands, même si on peut toujours imaginer tomber sur un artiste qui travaille en solitaire.

— Pourquoi dix balles ? C'était huit de trop.

— C'est le nombre de balles que contient le chargeur de certains pistolets, avec une balle engagée dans le canon. Il a vidé son chargeur. Là, pas de réponse assurée. Le tueur peut être animé d'une haine personnelle pour l'homme qu'il abat, un sentiment de vengeance, des réactions de ce genre. Mais on a vu aussi des tireurs d'élite «compulsifs», je veux dire des tireurs qui jouissent en ouvrant le feu, en sentant la violence qui tressaute dans leurs mains, leur pouvoir de mort, ils ne peuvent plus s'arrêter, ils sont entraînés par leur arme, jusqu'à l'épuisement des munitions. Des drogués à la toute-puissance.

— On peut aussi imaginer qu'il ait voulu copier la façon dont Antoine Guérini a été abattu ?

— On peut tout imaginer, mais Antoine a été abattu à bout portant, dans sa voiture arrêtée, et son fils, assis à côté de lui, a été blessé, un travail de boucher. Ici, rien à voir, c'est du travail d'artiste.

— Dernière question : un tueur a-t-il tendance à toujours opérer de la même manière ?

— Une tendance, oui, c'est possible, même probable. Il y a une sorte de signature. Mais il peut aussi s'adapter à des circonstances très diverses. Pas de règle absolue en la matière.

Les deux hommes se séparent sur une poignée de main.

Daquin n'est pas pressé, il a rendez-vous en fin d'après-midi à l'aéroport de Nice, le soleil lui donne envie de flâner. Il traverse l'avenue pour atteindre le bord de mer, jette un coup d'œil en passant à une Renault noire garée à quelque distance sur une place interdite à l'ombre des palmiers, deux hommes assis à l'avant. Au retour de sa promenade, la voiture et ses occupants sont toujours là. Une voiture de flics en planque. Pas vraiment discrets, les collègues niçois.

À l'aéroport, Daquin gare sa voiture au parking, il marche lentement entre les rangées de voitures, se baisse, se redresse, regarde attentivement tout autour de lui. Le meurtre a eu lieu de jour, dans un endroit où il y a du passage. Nécessité de faire vite. La moto pouvait s'approcher sans être remarquée, mais ne pouvait pas prendre le risque de s'arrêter. Le tueur tire trois fois, il ne peut en aucun cas prendre le temps de vider son chargeur. Donc aucune certitude, on peut avoir affaire au même tireur qui s'adapte aux circonstances, ou à un autre, pas maladroit non plus. Frickx donne le rendez-vous. Il est à l'aéroport pendant l'assassinat. Deux certitudes. Assiste-t-il au meurtre ? Rien ne permet de le dire. Pendant l'heure qu'il passe à l'aéroport, entre son débarquement et sa présence signalée au bureau du service de location de voitures, il peut aussi bien avoir attendu Simon dans le hall. Je n'avance pas...

C'est l'heure de son rendez-vous. Daquin se dirige vers le hall des arrivées. Il y pénètre au moment où les haut-parleurs annoncent l'atterrissage du vol en provenance de Beyrouth. Beyrouth. Il est parti depuis à peine plus d'un mois. Des souvenirs, par vagues. Beyrouth a une odeur, mer, épices, sueur, poussière, pourriture, poudre mêlées, entre passion et nausée. Mais Beyrouth s'éloigne, irrémédiablement. De l'autre côté de la paroi de verre, une silhouette trapue, si familière. Beyrouth, c'est lui aussi, cet homme proche de la cinquantaine, à la tignasse poivre et sel, qui lui fait signe. Daquin ferme les yeux. Il le revoit venir à sa rencontre dans les salons de l'ambassade, à travers une petite foule bruyante, deux coupes de champagne à la main.

— Je me présente, Paul Sawiri. Nous avons un ami commun, Lenglet. Je suis son «conseiller pétrole», très officieux, bien sûr. Et je sais que vous aimez le champagne, il me l'a dit. Bienvenue à Beyrouth.

Le début d'une cour discrète et attentive. Assez vite, Daquin avait couché avec lui, sans bien savoir pourquoi. Sans doute parce qu'il pensait que coucher avec «un ami de Lenglet» ne tirait pas à conséquence, et qu'en arrivant à Beyrouth, baiser avec un Libanais qui en exprimait le désir était une forme de politesse. Et contre toute attente, il y avait pris un intense plaisir.

Après des années de rencontres rapides à répétition avec des beaux gosses anonymes, simples objets de jeux sexuels, vécues dans la joie et l'oubli programmé, Paul lui avait ouvert un autre monde, la connivence du plaisir à deux, le frisson du désir qui monte à l'unisson pour un coin de peau qui prend la lumière, un geste, une intonation, un frôlement, un rire, une allusion. La jouissance qui prend son temps, apaisée et tendre. Leur liaison avait duré près d'une année, une éternité.

Une main se pose sur son bras. Daquin rouvre les yeux. L'homme est debout à côté de lui, un gros sac en cuir à l'épaule, il le dévisage, le regard aigu.

— Tu es toujours aussi beau… La voix grave traîne un peu sur le dernier mot.

— Demi-sourire. Quand repars-tu pour Vienne ?

— Demain. Il faut que je rencontre quelques personnes pour préparer la réunion de l'OPEP du 22 mars.

— À quelle heure, ton avion ?

— 10 h 30.

— Parfait. Ma voiture est au parking, je t'emmène dîner à Nice. J'ai retenu une table dans un restaurant qui te plaira.

— Et après ?

Daquin n'entend pas, il s'est déjà éloigné.

Quand il atteint le parking, il jette un dernier regard circulaire sur la «scène de crime» du meurtre de Simon. Et bute sur la Renault noire et ses deux occupants, en double file dans une allée voisine de celle où est garée sa propre voiture. Coup de sang. Il se baisse, disparaît en slalomant entre les voitures. Les deux flics de la Renault le perdent de vue. Le passager ouvre sa portière, sort, grimpe sur le pare-chocs, le cherche du regard. Daquin réapparaît à l'arrière de la Renault, se penche vers le conducteur par la portière ouverte.

— Bonjour, collègue. Je suis venu attendre un ami, je l'emmène dîner au Coco Beach, je dormirai ce soir à Nice, mais je ne sais pas encore où, et demain…

D'abord tétanisé, le chauffeur se ressaisit, démarre en faisant crisser les gravillons. Daquin lui crie :

— Saluez de ma part l'inspecteur Leccia…

Le passager rattrape la voiture en courant, grimpe, la portière claque, la voiture disparaît. Daquin rejoint Paul, debout dans l'allée centrale, qui l'attend, un sourire au fond des yeux.

Daquin conduit en silence, un peu plus attentif à la circulation que nécessaire. Il surveille dans le rétroviseur les voitures qui le suivent. Rien à signaler. Paul, calé dans son siège, garde les yeux braqués sur le visage de Daquin.

— Tu me manques. Reviens à Beyrouth.

— Tu as fait tout ce voyage pour me dire ça ?

— Je peux développer, si tu veux. Je n'arrive pas à me passer de toi, du poids de ton corps dans ma vie et dans mon lit, de ta violence frémissante sous mes mains, toujours présente, toujours contenue. Du contact de ta peau contre la mienne et de son goût acide après l'amour.

Le mot vibre, presque comme un sanglot. Daquin se tait quelques instants, le temps que l'émotion de Paul se dissipe, il se penche vers lui :

— Les Libanais sont des poètes.

— Je suis syrien.

— C'est vrai. Alors prenons les choses plus simplement. Je suis parti de Beyrouth parce que j'étouffais. Il

184

fallait que je parte. Je te l'ai déjà dit. Je ne reviendrai pas et tu le sais.

— Je pensais, j'espérais que quelques mois à Marseille te feraient changer d'avis. Tu n'es pas fait pour la routine policière, les coups bas, les guérillas entre services. Ni pour la solitude.

Daquin a un rire bref. Pas mal vu. Oui, le souvenir de nos deux corps l'un à l'autre accordés me hante, oui je souffre de la séparation et du manque. Les non-dits, les réseaux, les rivalités, les traquenards, les intrigues, le secret, oui j'ai ma dose, mais c'est le monde que j'ai choisi, je n'ai pas de comptes à te rendre, c'est ma vie. Il gare la voiture à proximité du restaurant Coco Beach qui domine la baie de Nice. Un escalier descend vers la mer, un sentier creusé dans le rocher, les deux hommes entrent dans la salle du restaurant. Le maître d'hôtel les entraîne vers la table retenue par Daquin, ils s'assoient au-dessus du vide, face à la mer. Nice, le port et sa jetée au premier plan, puis la baie, et enfin, à l'horizon, le cap d'Antibes. À leurs pieds, des rochers blanc calcaire ponctués de palmiers et de plantes grasses, et la mer si proche qu'on l'entend murmurer, qu'on la voit vibrer, la mer à l'infini. Daquin commande un pouilly fumé de Ladoucette qu'ils boivent en silence. Il songe que le sort de leur liaison était joué dès les premières heures. Paul était le maître, plus amoureux et sachant en tirer avantage, sûr de ses combats, de sa place dans la société, j'étais l'élève, je cherchais mes marques en amour et dans un univers incompréhensible pour moi. Il jouissait d'être le pilote, je ne pouvais supporter longtemps d'être piloté. J'étais libre de rompre, il fallait le faire, je l'ai fait. Ce n'est pas facile. J'en suis fier. Le soleil se couche, les couleurs vives s'estompent dans la grisaille, la teinte de la nostalgie apaisée, idéale pour un dîner d'adieu. Daquin distingue le cube blafard du Palais de la Méditerranée. Il se sert un autre verre. Il adore ce pouilly fumé. Peut-être pas un grand vin, mais il l'adore. Il fait signe au maître d'hôtel :

— Deux foies gras, puis deux langoustes grillées au feu de bois, et une autre bouteille.

Puis il se tourne vers Paul.

— Alors, comment va l'OPEP, monsieur le conseiller ès pétrole ?

Paul se redresse dans son fauteuil, finit son verre de vin, pose ses coudes sur la table, et d'un ton solennel :

— Théo, les peuples arabes sont au tournant de leur histoire, et moi, je suis au cœur de la bataille.

— Tu es toujours le champion des envolées lyriques. Tu pourrais être un peu plus concret ?

— Tu t'intéresses au pétrole maintenant ? C'est nouveau.

— Quand nous couchions ensemble, je ne voulais pas empiéter sur ton territoire.

Paul grimace.

— Je n'aime pas cet usage de l'imparfait.

Daquin ne dit rien.

Paul se concentre sur le foie gras, excellent, il faut le reconnaître. Et puis, le pétrole, il connaît, et il aime en parler… Il se décide à enchaîner :

— Tout bouge, tout craque. Le cartel des grandes compagnies pétrolières que nous appelons poétiquement les Sept Sœurs nous domine, nous écrase depuis 1928. C'est fini. L'Algérie, l'Irak ouvrent la voie des nationalisations, la Libye dicte ses conditions de prix, des petites compagnies pétrolières se multiplient, elles s'affranchissent des diktats des Sept Sœurs, nous nous appuyons parfois sur elles, et le pouvoir du cartel se fissure partout. Il faut que tu comprennes, Théo… (Paul saisit le poignet de Daquin, un geste qui lui est familier, communiquer son enthousiasme par un contact physique. Autrefois, ce geste faisait frissonner Daquin et l'amusait. Aujourd'hui, constat, pas de frisson, simplement des souvenirs.) L'Histoire marche dans le sens des peuples arabes, et nous serons au rendez-vous. Nos voies et nos moyens sont différents, mais le but est le même. Nous avons été spoliés, piétinés pendant un siècle. Nous voulons notre revanche. Là-dessus, Nixon, en rompant les liens du dollar avec l'or, a provoqué la dévaluation des prix du pétrole, et donné le signal du grand chambardement. Les grandes compagnies veulent nous faire endosser le coût de la crise du dollar, nous allons nous passer d'elles, récupérer le contrôle de nos richesses naturelles, produire et vendre notre pétrole à nos prix pour le bien de nos peuples.

— D'autres l'ont dit avant toi, et en chanson : «Le monde va changer de base… Nous ne sommes rien, soyons tout.»

— Tu peux rire. Moi, je prends le pari. Et je te fixe même une échéance : moins d'un an. Tu m'entends ? Il tend sa main ouverte vers Daquin : tope là. Si je gagne, tu reviens à Beyrouth.

— Je ne parie pas. Admettons. Tu es sûr que vos émirs et nos négociants véreux ne vont pas bouffer tout le pactole ?

— Non, cela ne se passera pas comme ça. Les temps ont changé, Théo. Nous voyons arriver au pouvoir une nouvelle génération de dirigeants arabes, Saddam Hussein, Boumediene, Kadhafi, tous des émules de Nasser, soucieux de l'avenir de leurs peuples. Laïcs, travailleurs, progressistes, bien plus vertueux, je compte sur eux pour marginaliser l'Arabie saoudite et les émirs, le camp américain et ses alliés. Je leur fais confiance. Mais bien sûr, l'Histoire n'est pas écrite, nous sommes en train de la faire. C'est exaltant, tu sais.

Daquin libère son poignet de l'étreinte de Paul, boit un verre de pouilly. Il songe qu'il a aimé cette clarté de pensée, ces certitudes qui donnaient un sens à un monde confus. Aujourd'hui, il constate avec un peu d'agacement que son ex-amant n'a jamais su prendre du recul, examiner les faits, nuancer sa pensée d'une ombre de doute. Bref, Paul n'a aucun sens de l'humour.

— Comment peux-tu y croire avec tant de ferveur alors que, sous tes yeux, trois pays arabes, l'Arabie saoudite, la Syrie et le Liban, sont incapables de s'entendre pour faire fonctionner correctement un simple oléoduc entre les champs pétroliers de l'Arabie et les ports du Liban, qui garantirait à leur pétrole l'accès à la Méditerranée et la clientèle de l'Europe? Encore plus fort, des Syriens, puis des Palestiniens, en font sauter des bouts, de cet oléoduc, pour des objectifs que j'ai du mal à cerner, et eux aussi sans doute. Pendant ce temps, l'Égypte, fascinée par son propre pouvoir, joue à qui perd gagne avec le canal de Suez. Où est l'Histoire en marche là-dedans?

— Tu verras, j'aurai raison, et bien plus vite que tu ne peux le croire.

— Si tu me parles de tout cela, c'est que ce n'est plus un secret pour personne, et j'imagine que cela doit pas mal grenouiller dans le milieu des pétroliers.

— C'est vrai. C'est un temps de grande confusion, comme dans toutes les périodes de bouleversements. Les Sept Sœurs voient leur monopole s'effriter, et ne savent pas comment faire pour le sauver. Elles oscillent depuis trois ans entre décisions de boycott contre la Libye ou l'Irak qu'elles ne sont plus capables de faire respecter, et tentatives de négociations avec l'OPEP qu'elles haïssent et qu'elles ont déjà tenté de détruire, sans y parvenir. Elles sont larguées. Et comme d'habitude, le gouvernement américain joue double ou triple jeu.

— Un homme qui m'occupe beaucoup ces temps-ci avait l'habitude de dire : « le marché du pétrole est en train de changer, donc le monde va changer ». À propos, tu connais CoTrade ?

— Oui, c'est la première entreprise mondiale de trading des minerais.

— Ils font du pétrole ?

— Pas que je sache. Tu t'intéresses aux traders maintenant ?

— Je m'intéresse aux forbans.

— Ils sont quantité négligeable. Je reprends ce que te disait l'homme qui t'occupe beaucoup en ce moment…

— Je ne couche pas avec lui, j'enquête sur son assassinat.

— … tu fais ce que tu veux, je reprends ce qu'il te disait, en inversant l'ordre des propositions : le monde change, le colonialisme s'écroule, les Sept Sœurs avec. Conséquence, le marché du pétrole bouge. Pour l'instant, des bateaux de pétrole libyen, irakien, iranien aussi peut-être, on le dit, mais on ne sait plus très bien, traînent un peu partout en Méditerranée, mis sur le marché par les petites compagnies, plus ou moins en contrebande. Des raffineries indépendantes surtout en Europe se fournissent sur ce marché « gris ». Et les traders, les marchands indépendants, toutes sortes d'intermédiaires, qui sont quasiment inexistants à l'heure actuelle, essaient d'en profiter pour se placer en fonction de ce qu'ils devinent des nouvelles règles du jeu. Nous savons tout cela. C'est inévitable, mais c'est quantité négligeable, c'est voué à l'échec. Ces gens-là ne sont pas dans le sens de l'Histoire. Les peuples arabes vont devenir les acteurs de l'organisation du marché du pétrole, et ils sauront en faire bon usage.

Le sens de l'Histoire. Troisième fois que Paul l'invoque, le convoque, en une seule soirée. Trop c'est trop. Daquin se dit qu'il a bien fait de s'enfuir de Beyrouth.

Langouste rôtie au feu de bois, arrosée de beurre fondu, une saveur à se damner. La nuit est tombée, les lumières de la ville dessinent avec discrétion la côte, les reliefs. Daquin se laisse aller. Plaisir de la rupture évidente et calme comme la nuit sur la baie des Anges. Une nouvelle vie. Différente. Visage de Vincent : «Avant ou après l'apéro?» Un souffle d'air vient de la mer et sent la liberté. Paul pose de nouveau sa main sur la sienne.

— Donne-moi encore une nuit. Une nuit d'adieu. Cette nuit.

Daquin le regarde, intrigué.

— Un jeu dangereux.

— Je ne savais pas que tu avais peur du danger.

Daquin mange avec application les dernières miettes de langouste, finit le vin. Je suis sûr de moi, libre. Je ne me sens pas en danger. Ton corps, si proche, sa chaleur si familière, attirante, désir. Pourquoi ne pas te prendre comme si tu m'étais inconnu? Avec, en plus, un goût de revanche? Cette nuit, enfin maître du jeu?

— Dangereux pour toi, pas pour moi. Un temps d'arrêt. Tu veux un dessert ?

— Non.

— Alors, allons-y.

Quelques détours dans les ruelles désertes de la presqu'île, comme une concession à Vincent et ses mises en garde, quasi-certitude de ne pas être suivi.

Lundi matin, cap Ferrat

Le lendemain matin, Daquin et Paul Sawiri prennent le petit déjeuner sur la terrasse de l'hôtel Royal Riviera à Saint-Jean-Cap-Ferrat, face à la mer. Daquin, vautré dans son fauteuil, étire ses jambes, boit son café à toutes petites gorgées, moins mauvais que d'habitude, état de bien-être physique intense. Paul mange et boit, muet. Daquin regarde sa montre.

— Je t'emmène à l'aéroport, il faut y aller maintenant. Je ne voudrais pas te faire manquer ton avion et ton rendez-vous avec l'Histoire.

Paul ramasse à la réception de l'hôtel un paquet de journaux en même temps que son sac de voyage, s'installe dans la voiture, puis commence à feuilleter la presse. Il n'a pas dit un mot depuis qu'ils ont quitté la chambre.

Pendant tout le trajet, Paul ne lève pas la tête de ses journaux, continue à se taire. Il déguste son chagrin d'amour à petites gorgées et commence à se faire une raison. Daquin est déjà ailleurs.

Dès qu'il a déposé Paul à l'aéroport, Daquin retourne au cap Ferrat, trouve la villa d'Emily, pénètre dans une cour étroite dont le portail est ouvert, arrête la voiture. Sur la droite, un garage dissimulé sous les arbres, la porte à bascule est ouverte, deux voitures côte à côte, une Renault et une Citroën, taille moyenne, très ordinaires, immatriculées en France. Où est celle du cousin dont l'occupation principale est de claquer l'argent de la famille ? Devant lui, l'arrière de la villa, une construction moderne, basse, un étage, noyée dans les bougain-villées. Il sonne à la porte d'entrée.

Une grande jeune femme vient ouvrir à Daquin. Une boule de cheveux bruns hirsutes, pas maquillée, vêtue d'un long tee-shirt jusqu'à mi-cuisses, longues jambes nues, lisses et bronzées, pieds nus. Un corps irradiant, saturé de plaisir, comme en écho à son propre corps. Connivence immédiate, échange de sourires.

— Vous êtes Emily Frickx ?

— Il me semble. Et vous, qui êtes-vous ?

— Commissaire Daquin, j'enquête au SRPJ de Marseille sur l'assassinat de Pieri, je passais dans la région, je me suis dit que c'était l'occasion de faire votre connaissance, prendre de vos nouvelles. Et vous poser quelques questions, si vous êtes d'accord.

Elle l'entraîne vers la terrasse, face à la mer. Un homme se lève, elle le présente :

— David Hammersfeld, mon cousin.

Il est en tee-shirt, short, pieds nus lui aussi, des restes de petit déjeuner traînent sur la table, l'amant sans erreur possible, un couple saisi en pleine intimité. Ils échangent une poignée de main. David le dévisage, un regard dur, précis, professionnel. Il ramasse la vaisselle qui traîne, se dirige vers la cuisine.

— Je vous laisse.

Un fils de famille en train de claquer l'héritage ? Pas crédible une seule seconde. Daquin cherche à mettre des mots sur la sensation ressentie à la vue du cousin. Son regard, sa façon de bouger, de se déplacer, la distance qu'il maintient entre lui et le visiteur… Comme s'il vivait dans une zone de combats. Couple étrange.

Emily s'est assise à la table.

— Je vous sers un jus d'orange ?

— Non, merci madame. Je viens de prendre mon petit déjeuner.

— Je vous écoute.

— Après l'assassinat, vous avez dit à mes collègues niçois que Pieri était une relation d'affaires de votre mari, et que vous aviez fait sa connaissance par hasard à Milan. Vous pouvez me raconter précisément comment cette rencontre s'est passée ?

— Oui, bien sûr. La date exacte, je ne m'en souviens pas. Environ deux ans, plus ou moins ? Je faisais des courses dans le centre de Milan, à proximité du bureau de mon mari. Je suis donc passée le voir, pour une raison ou une autre, sans doute un petit besoin d'argent, quand une femme fait des courses… M. Pieri était là, mon mari et lui finissaient une séance de travail. J'ai échangé quelques mots en français avec lui, je lui ai parlé de Nice, de cette villa que nous louons depuis notre arrivée à Milan. Et finalement nous avons déjeuné ensemble. Mon mari ne nous a pas accompagnés, il n'avait pas le temps, il n'a jamais le temps. J'ai croisé de nouveau M. Pieri par hasard le jour de sa mort.

La voix s'enroue, elle se tait.

— Et il vous a invitée à dîner au casino ?

— Oui, bien sûr…

— Pourquoi ?

— Je n'en sais rien, je suppose que ma compagnie lui était agréable.

— Quel genre d'affaires faisait-il avec votre mari ? Affrètement de bateaux, transport de matières premières, des grains, des minerais, du pétrole, autre chose…

— Je n'en ai aucune idée. Mon mari ne me parle jamais de ses affaires. Et M. Pieri n'a guère eu le temps de le faire.

— Et vous-même, avez-vous des raisons particulières pour choisir de résider si souvent ici ?

— Oui. Je parle le français, pas l'italien. Je trouve que Milan est une ville laide et triste, je n'y connais personne, je m'y ennuie. Il y a à Nice et dans les environs beaucoup de peintres, d'artistes qui sont mes amis, et que je fréquente avec bonheur, depuis longtemps.

— Des artistes que Pieri fréquentait aussi ?

— Je n'en sais rien. Je ne crois pas.

— Vous n'avez pas été surprise de le rencontrer dans une galerie d'art, le jour de sa mort ?

— Pourquoi ? J'aurais dû être surprise ? L'art appartient à tout le monde, les galeries sont ouvertes à tous.

— De quoi avez-vous parlé pendant votre soirée ?

— D'art, justement. Je lui ai raconté quelques anecdotes sur mes amis artistes, sur tout ce groupe qu'il est convenu d'appeler l'École de Nice. Manifestement, M. Pieri adorait qu'on lui raconte des histoires.

Daquin prend congé en plein doute. Femme sincère ou non ? Visite utile ou pas ? Elle a un discours bien rodé de femme frivole et dépensière auquel je ne crois pas un instant, je ne sais pas bien pourquoi. C'est physique, elle est dense, pas légère. Et Pieri n'avait aucune raison d'inviter à dîner une jeune écervelée. Elle a un accent de sincérité quand elle parle de ses amis niçois. Souvenir du PV de la destruction du piano sur la Promenade, une histoire qu'elle a peut-être racontée à Pieri. Ces jeux de vieux ados l'ont fait rire, et il a dû se sentir très sage, juste avant de mourir. Les deux personnages que joue Emily ne cohabitent pas aisément. Et ce cousin-amant…

Dans la cour, il marque l'arrêt le temps de mémoriser les numéros des plaques minéralogiques des deux voitures dans le garage, puis s'installe au volant de la sienne et repart vers Marseille.

Sur la terrasse, David est revenu s'allonger sur une chaise longue, à côté d'Emily.

— Ils insistent, les flics, je me demande bien pourquoi. Tu ne trouves pas étrange ce commissaire marseillais qui vient te dire : je passais par là, je voulais faire votre connaissance ?

— Non, je ne trouve pas ça vraiment étrange. Il y a eu un assassinat, et même deux, si j'en crois les journaux. Il fait son travail, non ?

David semble hésiter. Puis :

— Ils n'osent pas te harceler ouvertement, mais ils doivent se demander ce que la jeune femme d'un riche trader faisait dans un casino avec un vieux truand. Et ces histoires d'amateur d'art ne sont pas crédibles, Emily. Pas plus pour ce flic que pour moi.

— Les flics niçois y croient, eux. Ils me l'ont dit.

David, soudain grave :

— S'il y avait le moindre problème, tu m'en parlerais ?

— Quel problème ?

— Je ne sais pas…

— Je le sais, moi, ce que tu imagines. Laisse-moi tranquille avec ta jalousie idiote. Il n'y a jamais eu aucune relation amoureuse ou sexuelle entre Pieri et moi. Ne gâche pas ces moments miraculeux que nous vivons ces jours-ci.

11

Lundi 19 et mardi 20 mars 1973

Lundi après-midi, Marseille

Encore un trajet Nice-Marseille. Du temps pour gamberger. Avec cette nuit dans un palace de la Côte, à deux pas de Nice et de Leccia, même si je n'ai pas été suivi, même si nous avons pris deux chambres, je n'ai pas respecté les consignes de sécurité de Vincent et de Pieri. Et je n'arrive pas à le regretter. Chapitre clos. La filature : plus compliqué. Ces deux abrutis m'attendaient au Palais de la Méditerranée. Qui les a rencardés ? Le patron ? Bontems, l'homme des GIP ? Grimbert ? Que signifie cette filature ? Un acte de guerre ou une coutume locale ? Dans les deux cas, j'ai réagi comme un imbécile. J'aurais pu les semer en douceur, je les agresse. À quoi rime une attitude agressive quand on n'a pas les moyens de faire la guerre ? Informer Grimbert de la visite de Leccia. Je ne peux plus y échapper, et il y a urgence. Sur ce coup, quel est le degré de confiance que je peux lui accorder ? Non, la question est mal posée. Si je ne lui fais pas confiance, plus d'équipe, plus d'enquête, autant arrêter tout de suite. Le seul choix qui me reste est : lui faire confiance, ou faire comme si je lui faisais confiance.

Dès son retour à l'Évêché, Daquin monte dans son bureau. Il trouve un message griffonné par Grimbert : « Delmas est bien rentré, nous sommes tous deux au travail sur les dossiers de la Somar, dans la maison, au deuxième étage. Vous pouvez nous joindre au 902, ligne intérieure. » Daquin l'appelle : Grimbert passera le voir en fin d'après-midi.

Il se met au travail. Il téléphone à Paris, pour consulter le fichier central des plaques minéralogiques. Il faut attendre, sa demande est prise en compte, on le rappellera.

Puis il reprend ses cartes des trajets effectués par les cargos de la Somar, entreprend de les compléter. Cela se confirme, le *Santa Lucia* est bien une exception, aucun autre cargo de la Somar n'emprunte les mêmes voies, ne dessert les mêmes ports. Sensation d'approcher, mais de quoi ?

Pas le temps de faire une pause-café, le fichier central rappelle. La Renault appartient à M. et Mme Frickx, une voiture achetée d'occasion il y a quatre ans, qu'ils laissent sans doute toute l'année à la villa pour qu'Emily puisse se déplacer pendant ses séjours au cap Ferrat. Pas tape-à-l'œil, la petite-fille de milliardaire sud-africain. La Citroën Ami 8 est plus intéressante. Voiture de location, groupe Eurauto. Après quelques coups de fil, Daquin finit par avoir un interlocuteur au service central de régulation du groupe, et par apprendre que la dernière localisation connue de cette voiture était à l'agence Eurauto Marseille-Gare Saint-Charles, la plus importante de la région. Le dossier n'est pas encore remonté au service central, ce qui signifie que la location est toujours en cours. Il appelle l'agence, obtient la responsable. Une voix charmante.

— Bien sûr, commissaire. Passez maintenant si vous voulez. Je suis à l'agence jusqu'à 20 heures.

Daquin quitte l'Évêché, direction la gare Saint-Charles et l'agence Eurauto. À pied, pour se donner du temps pour respirer. Il traverse le Panier, le vieux Marseille. Ruelles étroites, entre de hautes façades rongées par la pauvreté que la perspective resserre sur les passants comme les parois d'un étau. Très haut, très loin, une mince bande de ciel. Un quartier replié sur son folklore et ses réseaux mafieux. Pieri-Simon, un nœud d'embrouilles. Simon, l'ombre d'un inconnu qui semble prospérer dans les officines. Pieri, une présence écrasante, mais un personnage dont il ne sait toujours rien. Le *Santa Lucia*, une promesse d'orage. Un ou plusieurs tireurs d'élite dans la nature. Le couple intrigant que forment Emily et son cousin. Frickx, le grand absent. Et ce sentiment oppressant, sans doute lié à la configuration du quartier, que le pire est à venir, et que l'étau des murs lépreux des rues du Panier va finir par le broyer. Encore quelques pas, les rues s'élargissent. Des arbres. Un peu plus loin la gare. Daquin respire mieux. Les papiers de la Somar, une promesse, encore un effort, il va trouver le centre à partir duquel tout s'articule. Il existe, ce centre, forcément. À ce niveau de complexité, il n'y a pas de hasard. Au travail.

Daquin pénètre dans le hall de l'agence où deux employés, derrière un comptoir, reçoivent la clientèle. Il demande à voir la responsable de l'agence qui le reçoit immédiatement, dans un petit bureau clair, très ordonné, et plein de fleurs. Elle est ravissante, blonde et soucieuse de donner toute satisfaction aux représentants de l'ordre. Une Citroën, 630 GT 51, dans notre agence il y a une dizaine de jours ? En quelques gestes, elle retrouve le dossier, et le fait glisser vers Daquin, avec un petit sourire – voyez comme je suis efficace. Le véhicule a été loué le 10 mars, pour une période de quinze jours, éventuellement prolongeable. Photocopie du permis de conduire du conducteur : Leo Siebert, permis de conduire américain. La photo ne laisse aucun doute, il s'agit bien de David Hammersfeld. Daquin demande une photocopie du document, et l'obtient sans difficulté.

Retour vers l'Évêché. Excellente opération. L'homme a plusieurs identités, et des papiers de qualité. Il était dans la région au moment des meurtres. Tout sauf anodin. Il est désormais une des pièces du puzzle.

En arrivant dans les locaux, Daquin fait un détour par les services techniques, il dépose la photocopie du permis de conduire de Leo Siebert, et demande s'il est possible de lui sortir une photo retravaillée, plus précise du visage de cet individu. C'est possible. Il l'aura demain matin, sur son bureau.

Grimbert l'attend en buvant un pastis, et en contemplant les cartes qui se sont multipliées sur les murs.

— Vraiment intéressant.

— Oui, sûrement, nous verrons cela en réunion d'équipe demain. Je voulais vous parler d'autre chose. Leccia est venu me voir ici, dans mon bureau, vendredi dernier, assez tard, il n'y avait plus grand monde dans le service.

— Qu'est-ce qu'il voulait ?

— Je n'en sais rien. Il m'a servi un discours en style mafieux. Comme je suis étranger dans cette ville, ma réputation est fragile. Pas d'attaque précise, pas de demande claire, quelques pseudo-conseils de prudence. Et peut-être, plus ou moins, des offres de «soutien amical».

— Qu'avez-vous répondu ?

— Rien, ou le moins possible, et dans le même style. Je n'ai pas compris ce qu'il cherchait.

— Souvenez-vous, pendant la cérémonie Pieri, je me demandais pourquoi Leccia s'était déplacé. Maintenant, nous avons la réponse : pour vous voir. Notre enquête le dérange. Il y a plusieurs hypothèses. Il doit savoir par Bonino que nous avons évoqué le SDECE, mais je n'y crois pas beaucoup. S'il est au courant pour la carte du SAC de Simon…

— Il doit le savoir.

— Je le pense aussi. Là, c'est un mobile plus crédible. De nouveau un regard sur la carte du *Santa Lucia*. À mon avis, l'hypothèse la plus probable est qu'il sait ce qu'il y a dans ce bateau. Et il cherche à prendre ses précautions.

— Vous voulez dire ce qu'il y avait dans ce bateau, avant que la police turque ne le mette en sécurité.

Daquin se lève :

— Café ?

— Non, pas à cette heure-ci. Un jaune, je ne refuserais pas.

Daquin prépare un café, va chercher de l'eau et de la glace au frigo de l'étage, dépose le verre de pastis devant Grimbert, la tasse de café devant lui, ajoute une goutte de cognac, et continue :

— Hier, il y a eu plus intrigant. Au Palais de la Méditerranée, j'étais attendu par deux flics de Nice en planque, et ils m'ont suivi jusqu'à l'aéroport, où j'allais chercher un ami. Là, j'ai mis fin à leur petit jeu, d'une façon trop brutale, je le reconnais. C'est courant, chez vous, ce genre de mœurs ?

— Courant, non, je ne peux pas dire ça. Leccia en fait beaucoup pour vous intimider. Il devient urgent de savoir pourquoi avec certitude. Les deux Niçois vous attendaient au Palais de la Méditerranée ?

— Oui.

— Qui les a informés du rendez-vous avec le gars des GIP ?

Daquin fait un geste des deux mains : aucune idée.

— Vous vous demandez si cela pourrait venir de moi ?

— Non. J'ai choisi de ne pas vous poser la question.

— J'apprécie. Un temps de réflexion. Il faut prendre ces manœuvres au sérieux. Pas au tragique, mais au sérieux. Donnez-moi quelques jours, je vais consulter mes amis.

— À votre avis, j'en parle au directeur ?

— Non. Pas tout de suite. Pas avant que je sache de quoi il retourne. Et puis, vous avez peu de chance de le trouver.

— Pourquoi ? Il est en vacances ?

— Vous ne connaissez pas la nouvelle ? Aujourd'hui, le corps d'un touriste anglais assassiné, John Cartland, a été retrouvé dans la garrigue, à Pélissanne. Son fils était blessé et leur caravane en feu. L'enquête a été confiée à l'antenne d'Aix du SRPJ, le patron a filé sur place pour récupérer le dossier à Marseille.

— C'est important ?

— Très. Vous avez sûrement entendu parler de l'affaire Dominici. Peut-être pas, après tout. C'était il y a vingt ans, vous n'aviez pas dix ans. Toute une famille de touristes anglais campait sur les terres de paysans du coin, les Dominici, ils ont tous été massacrés dans la garrigue. Ici, l'affaire a laissé des traces. Les ratés successifs, le désastre policier et judiciaire hantent encore tous les policiers du coin. Alors des touristes anglais qui viennent de nouveau se faire assassiner dans notre campagne, ça vire tout de suite au cauchemar.

— Excellent. Pendant ce temps, personne ne va songer à nous demander des comptes sur notre enquête.

— Un dernier verre pour la route, commissaire ?

— Pas de refus.

Daquin regarde Grimbert servir les verres. Pastis et cognac. Comment réagirait-il si Leccia venait lui dire : « ton commissaire est un pédé » ? Je ne connais pas la réponse. Et je ne lui poserai pas la question. Pourquoi ? Je n'aime pas afficher ma vie privée, certes, pas suffisant. Je ne sais pas comment gérer les réactions de Grimbert et de Delmas. J'en ai peur ?

Mardi, Marseille

Quand il arrive à l'Évêché, Daquin trouve le courrier sur son bureau. Il le dépouille, avant la réunion de l'équipe, prévue à 10 heures. Première enveloppe : le labo lui a déposé une photo agrandie et retouchée de David. Très reconnaissable. Beau travail. Il la pose bien en vue sur le dossier Pieri. Puis une enveloppe plus épaisse, provenance : le consulat français de New York. Il l'ouvre.

Note à l'intention du commissaire Daquin.

CoTrade est une entreprise de trading de minerais de grande taille, peut-être la première mondiale, dont le siège social est à New York, où elle est très favorablement connue. Frickx est considéré comme le fils spirituel de l'actuel président, Appelbaum, et son très probable successeur. L'entreprise et ses dirigeants restent soigneusement à l'écart de la jet-set new-yorkaise, leur politique de communication se résume à ne surtout pas communiquer, sur rien. On ne sait donc pas grand-chose sur eux.

Daquin soupire, se fait un café, continue.

J'ai repéré une seule exception : le mariage de Michael Frickx avec Emily Weinstein, petite-fille du magnat de la Société des Mines d'Afrique du Sud, célébré en grande pompe en 1966, à la synagogue de la 5e Avenue, devant toute la presse people. Le soir, Appelbaum et Weinstein ont donné un dîner de 500 couverts au Waldorf Astoria. Il s'agissait de faire du bruit autour de l'association de deux géants de l'extraction et du commerce des produits miniers bien plus qu'autour des deux époux qui ont disparu des rubriques mondaines dès le lendemain des noces.

Je joins à cette note les coupures de presse concernant ce mariage. La récolte est maigre, désolé, et bonne chasse.

Commissaire Raoul Dupuis

Daquin feuillette les pages de journaux et quelques photos, d'abord distraitement, soudain plus attentif.

Sur la photo qu'il a entre les mains, la mariée, le visage caché sous le voile, sort d'une berline devant l'entrée de la synagogue, elle s'appuie sur le bras d'un jeune homme en uniforme militaire qui lui tient la portière ouverte. David. Daquin regarde une deuxième fois. Pas d'erreur possible, c'est David. Il le revoit sur la terrasse du cap Ferrat, le regard dur, cette sensation bizarre d'être face à un guerrier. Intéressant, très intéressant. Mais quelle armée ? Il range la photo dans le tiroir de son bureau.

Quand les trois hommes se retrouvent pour faire le point une heure plus tard, Delmas est heureux comme un gamin de son escapade. Daquin lui donne la parole.

— La veuve se consolera assez vite, et jure qu'elle n'épousera plus jamais un marin…

— On s'en fout, dit Grimbert, l'air sinistre.

— Passez rapidement sur vos exploits de séducteur, Delmas, et donnez-nous votre commentaire, sur l'ensemble de ce que vous nous rapportez.

— Le bateau a été gardé en permanence par la police turque, je n'ai pas été autorisé à le visiter. J'ai été autorisé à consulter rapidement le livre de bord, avec la trace de la liaison radio avec Simon, et l'ordre de rentrer à Marseille. C'est en cours, même si l'équipage n'est pas au complet. Deux marins ont fait défection le jour, ou plutôt la nuit de l'accident.

Daquin lève la tête.

— Tiens… Que sait-on d'eux ?

— À peu près rien. J'ai cherché sur le livre de bord. Ils semblent avoir été embarqués à Istanbul deux mois avant. Mais le livre de bord ne donne pratiquement aucune information sur eux. L'un d'eux serait de nationalité pakistanaise…

— Nos suspects ?

— Ça y ressemble. Les trois marins chypriotes qui sont restés consignés à bord se chargent du rapatriement du bateau.

— Quand le *Santa Lucia* revient-il ?

— Il devrait avoir quitté Istanbul avant-hier. Les policiers turcs que j'ai croisés avaient l'air pressés de s'en débarrasser.

Et un cadeau surprise : le cahier de poésie de Nicolas, que Delmas sort de sa poche et tend à Daquin, ouvert à la page de la prière pour Pieri. Daquin lit à haute voix les dernières lignes :

Tu m'as ramassé, hébergé, soigné. Tu m'as donné un métier dans la marine marchande. Tu m'as confié l'un de tes bateaux, le plus secret, le plus dangereux. J'ai su le protéger. Je suis fier de ta confiance. Je suis fier de ne t'avoir jamais manqué. Repose en paix. Je garde ta mémoire.

14 mars 1973, Istanbul
Capitaine Nicolas Serreri

— Bel hommage. Vos commentaires, Delmas ?

— Nous avons votre carte, commissaire, puis l'allusion aux affaires réservées dans l'hommage de Nicolas à Pieri, puis l'assassinat du capitaine. Chypre. Dans la presse, j'ai lu il y a quelques jours qu'un cargo chypriote bourré d'armes venait d'être arrêté au large de l'Irlande. Forcément, on pense trafic d'armes.

Daquin interroge du regard Grimbert, qui répond :

— Nous pensons tous les trois la même chose. Chypre est le plus grand marché de vente d'armes de contrebande, en direction des mouvements terroristes, les Palestiniens, l'IRA en Irlande, et l'ETA au Pays basque entre autres.

— Bon travail, Delmas. Daquin prend un temps de réflexion, puis poursuit : à tout hasard, je suggère de ne pas enregistrer ce cahier dans la procédure. Nous le gardons sous la main pour faire craquer Maïté, si ça se présente. Elle a beaucoup aimé ce Nicolas. On va dire : comme le fils qu'elle n'a pas eu avec Pieri. Il referme le cahier. Le rapport de Delmas vous convient, Grimbert, ou vous continuez à râler ?

Grimbert sourit :

— Ça me va très bien. Mais avant d'en venir à l'essentiel, les papiers de la Somar, en deux mots : j'ai rencontré Casanova dimanche matin, il a identifié le gars sur la photo à côté de Maïté, un dénommé Jo l'Arménien.

Delmas le coupe :

— Jo l'Arménien. Catherine Serreri m'en a parlé. Nicolas le considérait comme son frère. Puis Nicolas et lui se sont violemment disputés à la fin de l'année dernière, et Nicolas l'a vidé de chez lui.

— Intéressant. Frère de Nicolas, chevalier servant de Maïté, Jo appartient à la famille. Casa m'a semblé mal à l'aise pendant toute notre discussion, tout le temps en train de peser ce qu'il pouvait me dire, et ce qu'il ne devait pas me dire…

— Nous n'avons pas de fiche sur Jo l'Arménien ?

— Non, j'ai vérifié, mais si nous avions son état civil…

— Je peux demander à Catherine.

— Faites Delmas, faites. Venons-en à la Somar.

— Nous avons donc travaillé à trois, mon collègue de la Financière, Delmas quand il ne consolait pas la veuve, et moi. Nous n'avons pas encore pu tout examiner. Mais, sur la Somar, nous avons compris l'essentiel de son fonctionnement. Premier temps, l'activité des cargos génère des profits très importants, bien plus importants que chez les concurrents. Comment est-ce possible ? Une part des dépenses de cette branche (approvisionnement, gasoil, salaires) est manifestement sous-facturée. Nous avons comparé les prix courants de ces postes et ceux qui apparaissent sur les factures. La Somar pratique des tarifs qui ne s'élèvent qu'à 10 % des prix courants. Nous avons peut-être le même écart sur les prix des marchandises transportées, mais là, nous n'avons pas eu le temps de faire les comparaisons, beaucoup plus complexes. Comment un tel écart entre prix courants et prix facturés est-il possible ? Une certitude : une grande partie de ces achats est réglée hors factures, en argent liquide dont nous ne trouvons aucune trace dans la comptabilité de la Somar. Notre hypothèse : il s'agit d'argent noir liquide, provenant de corruptions et trafics divers. Vous me suivez ?

— Jusqu'ici, tout va bien.

— Comme ces dépenses ne sont pas facturées, les profits qu'affiche la Somar sont artificiellement gonflés. Toujours d'accord ?

— Toujours.

— Deuxième temps, la Somar a une filiale à Malte…

Daquin lève le nez des notes qu'il est en train de prendre, regarde Grimbert qui marque un temps d'arrêt, puis poursuit :

— … la Serval qui lui rend des services, du genre

frais de publicité, de communication ou, encore mieux, de conseils, facturés à des prix astronomiques. La Somar ne fait ni publicité ni communication, et n'a sûrement pas besoin de conseils, mais elle paie. Des sommes considérables transitent ainsi vers Malte, où elles sont désormais à l'abri des regards du fisc, ou de la police. Notre hypothèse : il existe tout un ensemble de gens qui ont prêté de l'argent noir liquide en amont à la Somar, et qui le récupèrent propre et blanchi dans une banque maltaise, ou suisse, ou luxembourgeoise, le choix est vaste, moyennant une modeste commission de l'ordre de 20 %, tarif de base dans ce genre de transaction, me dit mon collègue de la Financière. La Somar est ce qu'on appelle une lessiveuse, et une entreprise d'évasion fiscale. Rappelons-nous que Pieri l'a créée au moment où la French tournait à plein régime. Mon hypothèse est qu'il a monté la Somar pour blanchir et placer l'argent du clan Guérini, plus en sécurité hors de France. Ensuite, l'entreprise a pris une forme de développement autonome. Mais elle blanchit toujours de l'argent.

— L'argent de qui ?

— La réponse est sans doute à Malte. En tout cas, elle n'est pas dans les comptes que nous avons saisis. Nous n'avons rien sur la filiale maltaise en dehors de son nom et de son adresse sur les factures.

— On peut penser que le nom de l'assassin est sur cette liste des clients de la lessiveuse ?

— J'ai des doutes. Ses clients étaient en confiance avec Pieri, qui faisait fonctionner la lessiveuse sans heurts et sans indiscrétions depuis des années. Le danger pour eux vient plutôt maintenant, après son assassinat.

— On pourra être au clair sur le sujet lorsqu'on aura identifié les bénéficiaires. Les meurtres peuvent être liés à un conflit de fric avec l'un d'eux.

— C'est possible, mais à mon sens peu probable.

— Il nous faudrait ces listes. Elles donneraient une sacrée puissance de feu à notre enquête.

Daquin change de sujet :

— Pourquoi les Impôts n'ont-ils rien vu ?

— Il y a des factures pour toutes les transactions opérées. Si on se contente de faire des additions et des soustractions, sans se soucier de ce que ces factures représentent, les comptes sont justes. Les Impôts n'ont pas cherché plus loin.

— Pas pu ou pas voulu chercher ?

— Impossible à dire, pour l'instant. Ce n'est pas tout. La Somar a une autre filiale à Malte, la Mival, qui exploite, ou semble exploiter, deux tankers pétroliers, qui battent pavillon maltais.

— Voilà enfin le pétrole dont parlait Thiébaut…

— Mais nous n'avons pas eu le temps de débrouiller les comptes qui semblent extraordinairement compliqués. Les tankers n'appartiennent pas à la Somar, ils appartiennent à une société domiciliée à Curaçao, les ordres sont donnés par la Somar, et l'exploitation est confiée à la Mival. Un vrai merdier. Mais cela semble la règle dans le secteur, d'après ce que m'a dit mon collègue.

Grimbert se tait. Daquin réfléchit à haute voix :

— Pourquoi Malte ? Ce n'est pas un paradis fiscal répertorié. Pourquoi pas Panamá, ou Jersey ? Vous êtes vous-même originaire de Malte, Pieri s'implante à Malte, je voudrais comprendre, c'est l'effet du hasard, ou Malte est le centre du monde ?

— Ce n'est pas tout à fait le hasard. Les liens entre Marseille et Malte sont anciens. Après la guerre, des Maltais misérables sont venus chercher fortune du côté de Marseille, et plus précisément comme marins dans la contrebande de cigarettes basée à Tanger, une entreprise de grande ampleur, dirigée par des Marseillais, qui a employé des centaines de gens. Les Guérini en étaient. Pieri y a fait ses armes, et il a dû travailler avec des Maltais. Vous commencez à connaître l'esprit de famille de Pieri, j'imagine qu'il s'est souvenu de ses compagnons d'armes au moment de créer des sociétés à l'abri du fisc français. À chacun ses réseaux.

Grimbert reprend son souffle, hésite, puis :

— De mon côté, le lien entre Malte et Marseille n'est pas non plus tout à fait l'effet du hasard. Après la guerre, mon père ne supportait plus sa misère, et voulait gagner de l'argent. Quand il a emmené sa famille à Marseille, il n'avait pas choisi notre point de chute au hasard, il avait une idée en tête, on parlait beaucoup de trafic de cigarettes sur notre île, il nous a assez vite abandonnés, ma mère et moi, et la rumeur dit qu'il est allé chercher fortune à Tanger, avec ses voisins corses, dans les équipes de Marseillais. Nous n'avons plus jamais eu de ses nouvelles. Donc, je propose qu'on ne parle pas de hasard, mais plutôt de concours de circonstances.

— J'enregistre.

— Et si Malte n'est pas encore un paradis fiscal répertorié, elle ne va pas tarder à le devenir. La base militaire britannique qui la faisait vivre par perfusion déménage progressivement depuis que l'île est devenue indépendante. Elle n'a aucune ressource naturelle, elle est très peuplée, et les Maltais sont des marins et des commerçants expérimentés avec en prime un solide héritage anglais de libéralisme amoral et efficace dans le domaine des affaires, et une situation géographique idéale, au cœur de la Méditerranée. Pieri a reniflé la terre de tous les possibles, à deux pas de chez lui. Bientôt peut-être, il aura sa statue dans l'île comme pionnier de la nouvelle prospérité maltaise.

Daquin râle :

— Donc nous sommes coincés.

— Pas sûr. Quand je suis entré dans la police, ma mère, rassurée sur mon sort, est retournée à Malte, elle n'était jamais parvenue à parler correctement le français. Elle y vit toujours, avec toute sa famille. J'y vais avec ma femme et mes gosses une fois par an, pour les vacances.

— Je vois où vous voulez en venir, Grimbert. Vous m'intéressez.

— Je connais bien les mœurs de l'île, La Valette est une toute petite ville, 5 000 habitants, un village en fait, tout le monde se connaît, j'ai en ville des amis et des parents. Je pense que, grâce à eux, je peux trouver les gens qui gèrent la Serval et la Mival, leur rendre visite et en tirer des informations. Traiter l'affaire à la marseillaise. Ou à la maltaise, si vous préférez. C'est un peu la même chose.

— Vendu. Et je ne veux pas en savoir plus. De mon côté, j'ai deux informations à vous donner. La reconstitution informelle du meurtre de Pieri avec le spécialiste des GIP ne laisse pas vraiment place au doute. Le règlement de comptes du milieu lui paraît très improbable. Nous pouvons considérer comme acquise votre hypothèse, Grimbert, d'une mise en scène d'un assassinat à la mode des règlements de comptes du milieu pour égarer les enquêteurs. Ou leur fournir une porte de sortie commode.

Il y a un temps de silence, puis Daquin poursuit :

— Autre point, j'ai rencontré David Hammersfeld, le cousin d'Emily. Beau mec. Voilà sa photo. Il a loué une voiture à Marseille le 10 mars, sous le nom de Leo Siebert, avec des papiers d'excellente qualité, photocopie dans le dossier. Il n'arrive chez sa cousine que le 15 mars, il est donc dans la nature pendant les deux meurtres. Il devient un personnage incontournable de notre enquête. Nous allons nous en occuper pendant que vous rendez visite à votre famille. Des remarques ? La séance est levée, et nous allons arroser vos quelques jours de congé à l'annexe.

Le Bar-Tabac, l'annexe, est bourré de monde, flics de la PJ et journalistes mêlés, tous debout agglutinés autour du bar. Le pastis coule à flots, la discussion est générale, très bruyante, sujet unique de toutes les conversations : l'affaire Cartland. Les journalistes vont à la pêche au tuyau, comme d'habitude, mais il n'y a pas encore de tuyaux et le ton est à la blague. Le patron de la PJ en fait les frais. Il se bat pour récupérer l'affaire, il n'a pas compris, les Anglais, dans le coin, ça porte malheur, désastre assuré, les flics de la PJ vont encore passer pour des branleurs. Un journaliste prend les paris, qu'il inscrit dans un petit carnet noir : fiasco policier et judiciaire à dix contre un.

Daquin, Delmas et Grimbert s'installent à la terrasse, au soleil, comme à leur habitude, commandent un cognac et deux Ricard, trinquent. Grimbert apprécie ce moment de décompression avant ce qui est, quoi qu'il en dise, un saut dans l'inconnu.

Dans un coin de la salle, le ton monte brusquement, début de bagarre, les invectives fusent.

— Qu'est-ce que tu fous là ? Sale con…

— Branleur de mes deux…

— Va vendre tes tuyaux crevés chez les Ricains.

Deux inspecteurs bousculent un bonhomme qui n'en mène pas large, ils l'attrapent par le col, le traînent, le poussent vers la terrasse en le bourrant de coups.

Le groupe passe à côté de la table de Daquin et son équipe, qui ont juste le temps d'apercevoir un crâne rasé, un visage à la peau brune ravagé de peur, des yeux qui partent en vrille, l'homme se protège la tête entre ses deux bras.

— On ne bouge pas, murmure Daquin.

En arrivant à l'extrémité de la terrasse, les deux inspecteurs attrapent chacun un bras et une jambe, et balancent l'homme sur le pavé de la place, sans ménagement.

— Ne fous plus jamais les pieds ici, sans blague.

Il atterrit à plat ventre, se relève en trébuchant, s'enfuit sans se retourner.

Un des deux inspecteurs se dirige vers Grimbert, en remettant de l'ordre dans ses vêtements. Il s'arrête près de lui :

— Tu l'as reconnu ?

— Non.

— Jo l'Arménien, un second couteau de la bande aux Guérini. Il a toujours plus ou moins fricoté avec tout le monde. Depuis quelque temps, il joue les indics pour les Ricains. Et quand je te dis Ricains, c'est le consulat, en direct. Une vraie merde. Il était en train d'essayer de ramasser des tuyaux sur l'enquête Pieri, méfiez-vous les gars.

— Merci de l'info, Gros, on va y penser.

L'inspecteur s'éloigne. Grimbert se tourne vers Daquin.

— Il s'appelle Noël Legras. On l'appelle Père Noël, ou Gros. Jo l'Arménien prend de l'importance, on dirait.

— On dirait.

— Avant mon départ en vacances, on pourrait aller déjeuner tous les trois chez Étienne, cela me ferait plaisir. Vous connaissez ?

— Non.

— Vous allez aimer. Ce n'est pas loin, on mange vite et bien des supions frits à l'ail et au persil, des boulettes avec des spaghettis, des pizzas au fromage ou aux anchois.

Daquin se lève.

— On vous suit.

Les deux salles du restaurant sont bondées. Beaucoup de flics en civil, et des militaires en treillis, ou plus ou moins en uniforme dans une ambiance très décontractée.

— Surtout des gars de la Légion, précise Grimbert, beaucoup d'hommes de troupe ou de gradés qui font un séjour au centre de repos de la Légion étrangère, sur la Corniche, juste avant le vallon des Auffes.

Et quelques Marseillais qui n'appartiennent ni à l'un ni à l'autre groupe. L'ambiance est chaleureuse et bruyante. On parle fort, on se détend, on rit, épaule contre épaule, claques dans le dos, on se sent bien, chez soi. Étienne trouve très vite un coin de table, pas question de faire attendre Grimbert, un habitué. Les trois hommes s'installent, et se mettent au diapason de leurs voisins, on ne parle pas boulot, on oublie, le temps d'une pizza et d'un pichet de rouge, les sables mouvants et la marée qui monte.

À la fin du repas, Delmas et Daquin serrent la main de Grimbert, «Donnez des nouvelles, dès que vous pourrez», et retournent à l'Évêché.

Daquin téléphone au port autonome : le *Santa Lucia* est attendu pour le surlendemain dans la matinée.

Et Delmas s'isole pour téléphoner à Catherine.

Quand il revient dans le bureau, Daquin est plongé dans le dossier d'enquête, fouille, classe certains documents, en sort d'autres, puis il se tourne vers Delmas :

— Alors, Jo l'Arménien…

— … s'appelle Joseph Stepanian. C'est tout ce que Catherine sait.

— Pendant que Grimbert prend des vacances, nous allons faire le métier. J'ai pour vous un programme chargé et pas très glamour. Il pousse un dossier devant lui. Vous allez vous intéresser à David, le cousin d'Emily Frickx. Je vous ai mis là-dedans les informations dont nous disposons. Il est connu sous deux identités différentes. Emily le présente sous le nom de David Hammersfeld, Sud-Africain. Il détient un permis de conduire au nom de Leo Siebert, citoyen américain. Je vous ai mis la photocopie. J'ai vu le permis, je l'ai eu en main, c'est soit un vrai, soit une excellente contrefaçon. Nous avons une bonne photo de lui, la voilà, je vous la confie. Enfin, il a loué le 10 mars une Citroën Ami 8 blanche immatriculée 630 GT 51 qu'il semble encore utiliser, je vous ai mis la photocopie du dossier de location. Je veux savoir deux choses.

«La première est relativement simple. Quand l'hôpital Saint-Roch a renvoyé Emily chez elle, après l'assassinat, il l'a confiée à une garde-malade. Avec un peu de chance, cette femme a assisté à l'arrivée de David et de Michael Frickx. Identifiez-la, retrouvez-la, interrogez-la, personne ne l'a encore fait, insistez pour avoir le récit le plus complet possible. Comme nous ne savons pas ce que nous cherchons, le moindre détail peut se révéler important.

« La deuxième est plus compliquée. David est dans la région au plus tard le 10 mars, date à laquelle il loue la voiture. Il semble n'arriver chez sa cousine que le 14, ou le 15 mars, date à préciser. Où est-il, que fait-il entre-temps ? Creusez-vous la tête et faites pour le mieux. Moi, je vais voir le directeur, si j'arrive à le coincer, et m'occuper de préparer la réception du *Santa Lucia*, avec les douanes. Même chose qu'à Grimbert : donnez de vos nouvelles. Et revenez avec des réponses à mes questions.

Puis Daquin se met au travail sur une courte note de synthèse pour le patron de la PJ.

Il ne parvient à obtenir une entrevue qu'en fin de journée.

— Comment vont votre équipe et votre enquête, Daquin ?

— Travail intéressant, et excellente équipe, monsieur le directeur. Je vous ai préparé une petite note, la voici. Après les perquisitions, l'enquête prend de l'ampleur. Nous sommes en train de dépouiller les documents saisis à la Somar. Un travail de longue haleine. Une comptabilité en ordre, mais seulement en apparence. La Somar est une lessiveuse, monsieur le directeur.

— Ici, à Marseille, tout le monde s'en doutait, plus ou moins. (Daquin, visage sans expression, entend le procureur Coulon lui dire «il ne faut pas ternir l'image d'une entreprise marseillaise dynamique».) Vous avez assisté à la cérémonie d'hommage à Pieri à la Chambre de commerce, vendredi dernier, je suppose?

— Oui monsieur le directeur.

— D'après ce que l'on m'a dit, beaucoup des clients douteux de la Somar étaient là. Vous voyez la complexité de la chose. Bon, rien d'autre à me signaler?

— L'inspecteur Grimbert a un problème de famille, et fait un aller et retour à Malte.

— Vous souhaitez qu'il soit remplacé?

— Non monsieur le directeur. Il s'agit tout au plus d'un jour ou deux, Delmas et moi y suffirons.

— Tant mieux. Nous avons une grosse affaire sur les bras, je suppose que vous êtes au courant, j'ai fait rapatrier le dossier Cartland. Désormais, l'affaire est à nous. Cela mobilise beaucoup de nos effectifs… Vous verrez tout cela dans la presse demain.

— L'inspecteur principal Leccia, du commissariat central de Nice, est passé me voir l'autre soir.

— Encore lui!

— Je n'ai pas très bien compris ce qu'il voulait.

— Je n'aime pas que ce personnage traîne dans les services de police judiciaire de l'Évêché. S'il revient, éconduisez-le, mais en y mettant les formes. Bon, laissez-moi votre note, je vais la lire, dès que j'en aurai le temps.

12

Mercredi 21 mars 1973

Mercredi, Nice, Saint-Tropez

Delmas part tôt de Marseille et arrive à Nice dans la matinée, de très bonne humeur. Au moins deux jours loin de l'Évêché, toujours bon à prendre. Puis tout s'enchaîne vite et facilement. Du service des urgences de Saint-Roch au bureau de placement des professions de santé, puis du bureau de placement au domicile de Mme Dupâquier, un grand appartement fin de siècle dans le vieux Nice, il ne tarde pas à retrouver la garde-malade qui officiait au chevet d'Emily, Sophie Clout. Celle-ci accepte immédiatement de lui raconter ses quarante-quatre heures de présence dans la famille Frickx, sans trop se soucier de savoir s'il est bien conforme à la déontologie des professions médicales de raconter à la police les petits secrets de ses malades. Comme Mme Dupâquier s'est profondément endormie après la grande toilette du matin, Sophie entraîne Delmas dans la cuisine, et lui fait un café. Ils s'installent confortablement autour d'une grande table en chêne, à l'ancienne, et elle se lance dans un récit circonstancié, contente que quelqu'un s'intéresse enfin à ses faits et

219

gestes. Flot continu de paroles, Delmas pratique une attention sélective. Il retient au passage qu'Emily était vraiment très ébranlée, sans mise en scène, et se concentre sur le récit des dernières heures. Frickx arrive tard, vers 22 h 30. Il la prévient tout de suite dans la nuit qu'il repart tôt le lendemain matin, et qu'un cousin d'Emily viendra lui tenir compagnie.

— Un homme qu'Emily et lui n'ont pas revu depuis longtemps parce qu'il séjourne à l'étranger. C'est la phrase qu'il a dite. Je m'en souviens parce que je n'ai pas compris pourquoi il avait besoin de me donner cette précision. Je me suis donc levée tôt pour saluer M. Frickx avant son départ. J'étais dans l'escalier quand ce David est arrivé. M. Frickx est allé vers lui et lui a dit : « Ça va ? Tu tiens le coup ? » J'ai trouvé cette façon d'accueillir quelqu'un qu'on prétend ne pas avoir vu depuis longtemps vraiment bizarre.

— Il parlait en quelle langue ?

— En anglais.

— Vous comprenez l'anglais ?

— Mais oui. Vous savez, à Nice, quand on travaille auprès des vieux et des malades, c'est presque indispensable, avec tous les Anglais qu'on a ici. Le bureau de placement m'a envoyée chez Mme Frickx parce qu'elle est américaine et que je parle la langue. Mais je n'en ai pas eu besoin, elle parle un français parfait. Lui aussi parle français. Il passe d'une langue à l'autre sans problème. Il s'est toujours adressé à moi en français. Il ne savait peut-être pas que je pouvais le comprendre quand il parlait anglais.

— Il a dit quoi, exactement ?

— D'abord : « *How are you ?* » Puis il a insisté : « *Are you holding on ?* » Tu tiens le coup ? L'autre lui a répondu en parlant du charme de Saint-Tropez, dans une phrase dont je ne me souviens plus exactement. Mais pourquoi M. Frickx m'a-t-il parlé d'un homme qui séjourne à l'étranger? Saint-Tropez n'est pas si loin... Si vous voulez mon avis, ces deux-là avaient l'air de s'être quittés la veille au soir, après une bonne bringue, et ils ne voulaient pas que cela se sache.

Delmas va manger une omelette, boire un café dans la brasserie la plus proche, et rédige quelques notes sur sa rencontre avec Sophie Clout. «Tu tiens le coup?» quelques heures après l'assassinat de Simon, prometteur?

La suite : localiser David entre le 10 et le 15 mars. Creusez-vous la tête... Trouvez des réponses... Le charme de Saint-Tropez... Saint-Tropez. J'essaie? Pourquoi pas? Pas d'autre idée. Cibler les hôtels deux étoiles, trois maxi. Il a choisi une Citroën Ami 8, une voiture qui attirerait l'attention dans les palaces. Delmas reprend la route, la dernière bouchée avalée.

À Saint-Tropez, il se rend au syndicat d'initiative, obtient une liste des hôtels deux et trois étoiles en ville et dans les environs, une liste d'une petite cinquantaine de noms, dont il n'est pas sûr qu'elle soit exhaustive. Il se munit d'une bonne carte routière, et attaque la liste en commençant par le centre-ville. Boulot de flic, fastidieux. Il présente d'abord la photo de David, ses deux noms connus, les dates éventuelles de son séjour, les données de l'agence de location sur sa voiture. Un interlocuteur, deux ou trois parfois. Compter un quart d'heure par hôtel. À 8 heures du soir, Delmas a visité sans résultat une petite dizaine d'établissements. Il téléphone à Daquin à l'Évêché. Absent. Il laisse un message au standard, annonçant son retour pour le lendemain après-midi, et passe une soirée et une nuit solitaires à l'hôtel des Vagues Bleues, avec vue sur la mer.

Mercredi, Marseille

Le port autonome a signalé que le *Santa Lucia* est attendu pour demain, 22 mars, dans la matinée. Daquin a pris rendez-vous avec Jaland, le directeur des douanes, dans ses locaux, boulevard des Dames. À moins de dix minutes à pied de l'Évêché.

Les deux hommes se serrent la main, sans chaleur. Le douanier est sur ses gardes : depuis le début de la « guerre à la drogue », les rivalités sont fortes entre la douane et les Stups, et les relations humaines franchement dégradées. Où se situe Daquin ? Avec les Parisiens et les Américains des Stups ? Ou avec les Marseillais de l'Évêché, ce qui est peu probable, puisqu'il est parisien. Il l'invite à s'asseoir, puis :

— Vous souhaitiez me voir ?

— J'ai besoin de votre aide. Cela concerne la Somar. Nous avons perquisitionné ses bureaux.

— Je l'ai entendu dire.

— Et j'ai maintenant à gérer une histoire tordue. L'un de ses cargos, le *Santa Lucia*, rentre demain à la Joliette, et j'aimerais votre avis sur les rotations régulières de ce cargo.

— Le *Santa Lucia*, le cargo dont le capitaine a été retrouvé mort, noyé dans le port d'Istanbul ?

— Exact.

— Après les assassinats de Pieri et de Simon, une malheureuse succession de coups du sort ?

— Je ne dirais pas ça, non. Sourire. Mais nous n'avons aucun moyen de mettre en cause la version de la police turque qui a conclu à une noyade accidentelle due à une trop forte absorption d'alcool. Voulez-vous jeter un coup d'œil sur cette carte ? Daquin glisse la carte des trajets du *Santa Lucia* en Méditerranée vers le douanier, qui la regarde en silence. Qu'en pensez-vous ?

— Et vous, que cherchez-vous ?

— Un trafic d'armes sur le trajet Constanţa-Chypre ?

— Vous avez des indices ?

— Aucun. Simplement des interrogations.

— C'est envisageable. Des firmes bulgares produisent beaucoup d'armes légères et semi-légères pour la consommation intérieure soviétique. Il n'est pas impensable qu'elles cherchent aussi des débouchés vers l'Occident. Sans doute en contrebande. D'autant qu'avec les Palestiniens, l'IRA en Irlande, l'ETA en Espagne il y a une forte demande non officielle pour ce type d'armes qui se vendent bien. Comme l'exportation est interdite, ou au moins fortement contrôlée chez eux, les Bulgares utilisent souvent les ports roumains. Et Chypre est une plaque tournante très active en direction des divers mouvements dont nous parlons. Que voulez-vous que je vous dise d'autre ?

— Rien de plus, mais j'ai besoin de votre aide. Nous savons que Simon, le numéro 2 de la Somar, est entré en liaison avec le *Santa Lucia* la veille de son assassinat. Nous savons aussi que le *Santa Lucia*, en provenance de Constanţa, se dirigeait vers Chypre, avec une escale prévue à Istanbul. Justement le trajet qui nous intéresse. Simon lui a ordonné de revenir directement à Marseille, après l'escale d'Istanbul, sans passer par Chypre, ce que le bateau est en train de faire. Si le *Santa Lucia* prend livraison d'armes à Constanța, comme nous pouvons peut-être le supposer, il y a une chance qu'elles soient encore à bord en arrivant ici.

— Après une escale et un meurtre à Istanbul ?

— Le bateau a été constamment sous surveillance des policiers turcs après la mort du capitaine.

Jaland sourit de toutes ses dents.

— Humour ou naïveté ?

Daquin sourit à son tour.

— Ni l'un ni l'autre. Chez moi, l'optimisme de la volonté l'emporte parfois sur le pessimisme de la raison.

— Belle formule. Pourquoi ne faites-vous pas une perquisition, dans le prolongement de celle de la Somar ? Ce serait logique.

— Pour une raison majeure. Je veux une opération discrète. Je me dis qu'il existe une petite chance pour que quelqu'un vienne réceptionner la marchandise à l'arrivée du *Santa Lucia*, et je peux prendre mes dispositions pour le repérer. Si je fais la perquisition moi-même, le bureau du procureur de Nice sera au courant, l'Évêché aussi, et dans la foulée, tout Marseille. Et personne ne viendra attendre le *Santa Lucia*. Si vous faites un banal contrôle…

— Un contrôle de routine. C'est le terme que nous utilisons.

— … c'est ça, un contrôle de routine, sans afficher la recherche d'armes, je garde mes chances.

— Ça fait beaucoup de « si ».

— Certes.

— Mais pourquoi pas ? Vous êtes direct, j'apprécie. Les rapports ne sont pas toujours faciles entre nos services des douanes et les policiers en poste dans certains services de l'Évêché.

— Je sais, on m'en a dit deux mots.

— Nous pouvons envisager un contrôle de routine des douanes, sur un bâtiment en provenance d'Istanbul, et jamais contrôlé jusqu'à maintenant. En cette période d'intense activité antidrogue, cela me paraît tout à fait justifié. Il se pourrait même que l'on en trouve, de la drogue.

— Tout peut arriver.

— Vous vous chargez de mettre en place un dispositif de surveillance léger pour vérifier si des clients se présentent ?

— Exactement.

— Prévenez-moi, nous nous coordonnerons.

Poignée de main, sourires.

— J'ai été très content de faire votre connaissance, je retourne tout de suite à l'Évêché, mettre sur pied une petite équipe d'accueil avec ce qui reste du SRPJ.

— Ce qui reste du SRPJ… Il a été démantelé et on ne m'a pas prévenu ?

— Non. Mais la mobilisation est générale sur le dossier Cartland. Il paraît que ce sont les séquelles du cauchemar de l'affaire Dominici. Je vous tiens au courant.

Quand Daquin quitte la direction des douanes, il est l'heure de déjeuner. Il a gardé un bon souvenir du repas de la veille chez Étienne, et sait qu'il y retrouvera le même public de militaires et de légionnaires. Il remonte à travers le Panier, entre dans le restaurant, repère trois tablées d'hommes en treillis. Il s'approche, se présente, sort de sa poche la page de journal qui contient la photo d'Emily en mariée, appuyée au bras de son cousin en uniforme, la fait circuler et demande si quelqu'un peut lui dire à l'armée de quel pays appartient ce beau soldat. Quelques convives ne savent pas et l'avouent. Les autres sont unanimes : uniforme d'un lieutenant de l'armée israélienne. Daquin offre l'apéro aux trois tablées, et déjeune avec l'un des groupes. Au menu, boulettes-spaghettis. Chez Étienne, l'ambiance est à la fraternité.

De retour à l'Évêché, Daquin cherche et finit par trouver quatre inspecteurs de la PJ pour surveiller avec lui l'arrivée du *Santa Lucia*, sans donner trop d'informations sur la cible et l'organisation de l'opération.

Il faut maintenant attendre l'arrivée du cargo. Ces temps de suspension sont incontournables et usants. David, lieutenant dans l'armée israélienne, double identité, double nationalité, très bons faux vrais papiers, peut-être dans les environs pendant les deux meurtres. C'est beaucoup et ce n'est rien. Il m'en faut plus et je ne sais pas où le trouver. Décroche mec, tu en as besoin.

Le visage de Vincent, dans ses yeux des reflets bleutés d'eau courante quand ils chavirent, garder notre relation secrète, «stricte clandestinité», disait Thiébaut, retour à Pieri. Pas assez incarné. Besoin de le sentir proche, de le toucher. Je voulais visiter son appartement. Grimbert et Delmas ne sont pas là, Maïté est toujours en Corse, c'est le moment.

Pieri habitait rue Paradis, une des plus belles adresses de Marseille, disait Grimbert, une rue plutôt discrète, trouve Daquin. Un bâtiment du début du siècle. Daquin pousse la lourde porte du porche, pas de concierge en vue. L'appartement est au quatrième et dernier étage, porte de droite, indique le procès-verbal de perquisition. Il monte par l'escalier pour prendre le temps de sentir l'atmosphère de l'immeuble. Très calme dans ce début d'après-midi, sans être morte, quelques traces sonores de vie au ralenti derrière les portes palières. Quatrième étage, Daquin vient rapidement à bout de la serrure, ordinaire. Aucune mesure particulière de sécurité. Il ouvre la porte, un choc. À la lumière incertaine qui vient du palier il entrevoit une silhouette devant lui, comme la trace immatérielle de Pieri. Il hésite, troublé, ferme la porte derrière lui, allume la lumière. Un grand miroir en pied fixé au mur face à la porte lui renvoie sa propre image, massive, solide, impeccablement cadrée. Ce miroir, à cet endroit, Pieri devait vérifier une dernière fois sa tenue avant de sortir, attentif à son apparence. Même carrure que lui ? Il réalise qu'il n'a jamais vu d'autres photos de Pieri que son portrait à la cérémonie d'adieu. Insuffisant.

L'entrée est petite, fonctionnelle. À droite, une table basse pour déposer les clés et le courrier, à côté du miroir un portemanteau de bistro en bois sombre. Il entre dans une grande pièce à vivre. Beau plancher de bois blond. En face de lui, trois portes-fenêtres. Les stores ont été baissés, la pièce est dans la pénombre, l'air lourd, immobile. Daquin s'approche, aperçoit à travers les lames un balcon en ciment, une rambarde en fer forgé, ni fleurs, ni meubles, un espace mort. Au-delà, un jardin à la végétation luxuriante, quelques palmiers en bonne santé, et un bananier somptueux, peu courant dans la région. Calme absolu. Il se retourne. À droite la partie salle à manger, sur le mur une grande carte très détaillée en noir et blanc de l'archipel de Malte, devant une table en marbre blanc et six chaises Knoll, à gauche la partie salon, un canapé, des fauteuils en cuir fauve, une table basse devant une cheminée de pierre blanche. Une impression de confort chic et aseptisé : Pieri a passé commande à un décorateur et ne s'est occupé de rien. Aucun désordre, aucune marque personnelle, sauf la carte de Malte.

Daquin entre dans la chambre. Pièce plus petite, une seule porte-fenêtre qui donne sur le balcon. Un lit Louis Philippe en acajou, un couvre-lit en coton blanc, un tapis iranien rouge sombre, superbe, une table de nuit en acajou, une lampe de chevet en cuivre. Face au lit, une grande carte noir et blanc des calanques de Marseille jusqu'à Cassis fait écho à celle de Malte dans la salle à manger. Malte dans la vie publique, Marseille dans le domaine privé, étonnant. Dans cet espace intime, même ordre maniaque. Malgré la mort brutale du propriétaire, une perquisition sauvage et une perquisition officielle, rien ne traîne.

Un livre posé sur la table de nuit. *Sociologie de l'art*, de Jean Duvignaud. Tout de suite, l'image d'Emily : « L'art appartient à tout le monde. » Foutaises, et elle le sait… Il prend le livre. Marque-page à la page 72. Emily-Pieri, rien ne colle, trou noir. Il le repose. Il ouvre le tiroir de la table de nuit, des boîtes de médicaments bien alignées, antidouleur à gauche, difficultés respiratoires à droite, les séquelles du Combinatie, logique, rien de neuf. Tout à coup, un souvenir remonte : cet ordre maniaque, les deux bureaux de Maïté et Pieri à la Somar. Maïté certaine d'être capable de repérer une visite discrète de professionnels de la discrétion chez Pieri comme chez elle. Il referme le tiroir. Une évidence : l'ordre, ici comme à la Somar, c'est elle. Maïté est venue ranger l'appartement après le passage des flics. Par respect et affection pour Pieri. Et parce qu'elle en avait l'habitude.

Il s'assied sur le lit, largeur un mètre, un mètre dix, confortable pour une personne. Mais une personne seule. « Il n'était ni débutant ni coincé », disait Thiébaut. Impossible de les imaginer tous les deux, ces deux grandes carcasses, en train de s'envoyer en l'air en toute liberté dans un lit de cette dimension. Soudain, une certitude : Thiébaut n'est jamais venu ici. « Pieri s'en tenait à une stricte clandestinité pour ses relations amoureuses », par nécessité, certainement, Daquin maintenant l'a bien compris, mais peut-être aussi par goût et par habitude. La règle du cloisonnement. Maïté ne connaissait pas Thiébaut, et respectait la vie privée de Pieri, bien obligée, il ne lui laissait pas le choix. Il existe quelque part un autre lieu où Pieri vivait bien plus intensément qu'ici. Je le découvrirai.

Daquin se lève. Il a trouvé ce qu'il était venu chercher, une trace, une présence, une absence, il s'approche de cet homme. Fin de la visite.

Fin d'après-midi à l'Évêché, Daquin recherche quelques traces de Joseph Stepanian, dit Jo l'Arménien, dans divers fichiers de police, et en trouve.

En 1954, les parents Stepanian signalent la disparition de Joseph, alors âgé de dix-neuf ans. Il est le troisième d'une fratrie de cinq enfants, ses parents sont des Arméniens orthodoxes qui ont fui l'Arménie très jeunes, pendant le génocide de 1915, et se sont établis à Marseille. Le père a créé en 1945 une entreprise de livraison de vins et de gasoil. Joseph semble avoir travaillé dès quinze ans dans l'entreprise familiale, alors que ses frères et sœurs faisaient des études, puis il disparaît.

Il réapparaît dans les fichiers de la Sécurité publique dans les années 60. Il est arrêté à plusieurs reprises au cours de rafles dans le quartier de l'Opéra. Il travaille alors dans différents établissements des frères Guérini. Il n'est jamais condamné. Il est mentionné qu'en 1969, à la mort de son père, il reprend, avec l'accord des frères et sœurs, l'entreprise familiale de livraison de vins et gasoil. Il disparaît alors des fichiers de la Sécurité.

Passé la crise d'adolescence, un bougnat version marseillaise, un tout petit bonhomme. Mais il est un intime de Maïté. Mais Nicolas le considérait comme un frère. Mais Casanova est réticent à parler de lui. Mais il cherche des tuyaux sur le dossier Pieri. Daquin flashe sur le visage terrorisé, la tête qui s'enfouit dans les bras pour se protéger, dans un geste presque enfantin. Conclusion : les fichiers de police sont lacunaires.

13

Mercredi 21 et jeudi 22 mars 1973

Mercredi matin, cap Ferrat

Emily monte vers la villa, dans la pinède mi-ombre, mi-soleil, chaleur, odeur de paresse. Une matinée de baignades entrecoupées de somnolences, un livre à la main. David, lui, a nagé plusieurs kilomètres, pour entretenir sa forme, dit-il, pour se faire mal, pense-t-elle, et dort maintenant sur une plateforme rocheuse, au ras de l'eau.

La pente est raide. Emily amplifie chacun de ses gestes, joue avec son corps, trouve une cadence, jubile. En arrivant sur la terrasse, le souvenir du commissaire Daquin remonte, avec un zeste d'inquiétude. Que cherche-t-il? Étrange, la mort de Pieri? Étrange, la fuite de Frickx? Étrange, la présence de David? Évidemment étranges. Il va bien falloir y penser un jour. Pas aujourd'hui.

Elle entre dans la cuisine, prépare deux sandwichs, les met dans un panier avec quelques biscuits et une bouteille d'eau. Par la fenêtre, elle aperçoit le facteur qui lui fait un signe amical, glisse une lettre dans la boîte aux lettres et s'en va. Elle traverse la cour, la prend. Timbre d'Afrique du Sud. Son cœur bat. Elle l'ouvre, la parcourt très vite, pousse un cri, esquisse quelques pas de danse, et fonce dans la cuisine. Elle met une bouteille de champagne dans le panier, deux flûtes et descend vers la mer, panier au bras, en chantonnant.

David dort toujours, allongé sur le dos, le visage penché. Beau. Un don des dieux. Elle fait sauter le bouchon de la bouteille, se penche sur ce corps abandonné, et fait couler un filet de champagne sur les lèvres entrouvertes. Il se réveille en souriant.

— Alors, monsieur le râleur, pas crédibles ces histoires d'amateur d'art ? C'est ce que tu m'as dit, non ? Eh bien, je viens de réussir ma première vente. Elle joue de la lettre africaine comme d'un éventail. Tu ne peux pas savoir comme je suis heureuse. Champagne.

David conduit, Emily raconte. Un artiste formidable, elle aime ce qu'il fait, elle y croit. Et c'est un ami. Quand il a exposé dans une des meilleures galeries de Nice, elle a pris des photos et les a envoyées à quelques personnes à Joburg et au Cap, des amis de la famille qu'elle pensait susceptibles d'être intéressés.

— Et ça a marché. Elle brandit l'enveloppe. Weissmann achète.

— Cher ?

— Non, pas cher. 3 000 dollars. (David sursaute.) Mais je lui ai garanti que dans les cinq ans la valeur de l'œuvre doublerait, au minimum. Elle coule un regard vers David. J'avais ciblé Weissmann parce que sa femme est américaine.

— Et alors ?

— Il ne veut pas passer à ses yeux pour un plouc. Et

elle, elle est sensible à la plus-value promise. Arrête-toi là, nous sommes arrivés.

Au rez-de-chaussée d'un immeuble bourgeois, en plein centre de Nice, une entrée discrète. David accompagne Emily. Dans le vestibule, une jolie jeune femme accueille les visiteurs, assise derrière un bureau. Elle se lève, vient au-devant d'Emily, l'embrasse, lui indique la porte derrière elle :

— Augusto t'attend.

— Juste une minute. Je te présente David, mon cousin. Je veux lui montrer l'œuvre.

Elle l'entraîne dans une enfilade de vastes salles, très blanches, très éclairées, quelques sculptures dans les espaces centraux et aux murs, présentées comme des tableaux, des œuvres que David peine à définir. Ici, une sorte de caisse vitrée, remplie de gants de chantier usagés. Là, une planche peinte en noir sur laquelle est écrit en blanc, d'une écriture ronde et appliquée :

Ben doute de tout

Bon. Et alors ?

Dans la deuxième salle, Emily s'arrête devant un tissu qui pend du plafond jusqu'au sol, fait de pièces et morceaux violemment colorés, que David croit identifier comme un couvre-lit en patchwork.

— Magnifique non ?

— C'est ça que tu as vendu 3 000 dollars ?

— Oui. Ça, comme tu dis, s'appelle *Fragments*, et c'est une œuvre d'Alocco. Tu vois, elle pointe du doigt telle ou telle partie de l'œuvre, le tissu est peint par endroits, déchiré, puis remonté par tissage ici, par couture là et là. Il joue sur le continu-discontinu, sur la juxtaposition des dissemblables, sur la peinture et la matière, c'est magnifique, non ? (David est muet.) Je te laisse pendant cinq, dix minutes, pas plus. J'ai prévenu Augusto, il est au courant, il a préparé tous les papiers, nous n'avons plus qu'à signer. Ici, tu ne vas pas t'ennuyer.

Dès qu'Emily a disparu, David se laisse glisser à terre, assis le dos appuyé au mur, ferme les yeux. La petite-fille d'un milliardaire sud-africain joue au casino avec un vieux trafiquant d'armes, viole son cousin qui est un guerrier et devrait savoir se défendre, et vend un couvre-lit déchiré 3 000 dollars à un ami de la famille. J'ai perdu pied.

Mercredi après-midi, Genève

Michael Frickx et Antoine Pélissier, son banquier, sont debout côte à côte dans leur petite salle de réunion habituelle du septième étage de l'immeuble de la banque Parillaud à Genève.

Frickx fume cigarette sur cigarette, Pélissier regarde sa montre.

— Appelle Jos, il est 8 heures à New York, c'est une heure correcte. Et nous devons avoir sa réponse avant l'arrivée de Malekeh.

— Comme convenu, je ne dis rien de nos accords avec les Israéliens ?

— Non, rien tant que Jos n'a pas dit si oui ou non il entre dans le grand jeu. C'est ce dont nous sommes convenus avec nos partenaires.

Frickx s'assied, écrase sa cigarette, prend l'attitude

de l'homme d'affaires posé et sûr de lui, respire à fond deux fois, se racle la gorge, maîtriser son souffle et sa voix, très important, puis décroche le téléphone et compose le numéro de la ligne directe de Jos au siège de CoTrade, à New York. Il l'obtient dès la deuxième sonnerie.

— Bonjour Jos. Je vous appelle pour vous proposer un nouveau marché dans le pétrole. (Jos grogne.) Un gros. (Nouveau grognement.) L'affaire du siècle…

— L'affaire du siècle… Je n'aime pas ça du tout, mais pas du tout…

— La compagnie nationale iranienne, la NIOC, nous propose de nous vendre sa production sur un an…

— C'est non.

— … avec l'accord explicite du Shah…

Jos crie :

— Je me fous du Shah, je me fous de l'accord du Shah. Je vous répète, c'est non. Comment faut-il vous le dire ?

— … J'estime cette production à 200 000 barils jour.

Jos exhale un son rauque au bout du fil, un râle, il a pris un coup à l'estomac. Frickx continue :

— … et je propose de la prendre à 5 dollars le baril, contrat sur l'année à partir d'octobre.

— 2 dollars de plus que le prix posté des compagnies. Pourquoi pas 10 ou 15 dollars pendant que vous y êtes ? Vous avez fini vos conneries ? Votre métier, c'est le minerai.

— Jos, écoutez-moi, je vous en prie. Nixon laisse flotter le dollar, le dollar est en crise, les Européens le sauvent de justesse, et les monnaies partout dans le monde flottent. Qu'elles le veuillent ou non, comment voulez-vous que les compagnies maintiennent des prix fixes sur des temps longs avec des monnaies flottantes ? La seule solution sera le marché libre sur lequel se fixeront les prix. Comme la demande monte partout, les prix vont flamber, et nous, nous serons là avec notre contrat iranien à 5 dollars, très en dessous des prix que le pétrole atteindra dès l'automne prochain…

— Taisez-vous. C'est moi le patron ici, autant que je sache. Le pétrole, vous le laissez aux grandes compagnies, chacun son métier. Nous, c'est le minerai, nous sommes mariés avec depuis plus de cinquante ans. Nous connaissons. Je n'aimerais pas que les grandes compagnies pétrolières viennent se mêler de mes affaires de minerais, alors laissez-les tranquilles chez elles, c'est clair ? Pour nous, le pétrole, nous n'y connaissons rien, c'est trop cher, trop compliqué, trop risqué, notre conseil d'administration ne veut pas en entendre parler.

— Depuis deux ans, depuis que vous avez accepté de me laisser créer la Fimex, j'ai traité des dizaines d'opérations d'achat et de vente de pétrole, je ne vous ai pas fait perdre d'argent une seule fois, et je vous en ai fait gagner beaucoup.

— Mais vous n'avez jamais traité de marchés de cette ampleur. Et à 2 dollars au-dessus du prix des compagnies ! Vous me proposez un client, un seul client, à 1 million de dollars par jour, 365 millions par an, vous perdez la tête.

— Pour gagner beaucoup d'argent, il faut en engager beaucoup. Nous allons gagner énormément d'argent. Le pétrole, c'est l'énergie de la nouvelle société, tout le monde en a besoin, la faim de pétrole est un phénomène mondial, je vous parie que les prix sur le spot ne vont pas cesser de monter, et beaucoup plus vite l'année prochaine que ces malheureux 5 dollars.

— Vous faites le pari, mais nous sommes une entreprise de commerce, pas un casino.

— Nos contacts à l'OPEP…

Jos pousse un cri de rage :

— À l'OPEP ! Grands dieux ! Je vous interdis d'avoir le moindre contact avec les gens de l'OPEP. Écoutez-moi bien Mike, c'est un ordre. Mettez fin immédiatement à toute cette histoire, et j'accepte d'oublier cette conversation de fous.

— Jos, c'est vous qui allez m'écouter, maintenant. La façon dont vous me traitez, comme un garçon de courses cinglé, vous n'écoutez même pas les informations que je veux vous donner, votre manque de confiance m'humilient, me blessent. Je trouve cela intolérable, vous l'aurez voulu, je quitte CoTrade.

— Vous délirez Michael. Vous ne pouvez pas faire ça. Reprenez-vous. Je vous considère comme mon fils, vous me succéderez un jour…

— Je prends le contrat iranien à mon compte, et vous allez regretter de m'avoir jeté dehors.

— Mike, je vais raccrocher, rappelez-moi quand votre crise de folie délirante sera terminée.

La ligne est coupée. Frickx jette le téléphone contre le coin de la table en verre et en acier, l'appareil éclate, il se tourne vers la baie vitrée, boxe dans le vide, et flanque deux coups de pied dans le radiateur.

Pélissier ramasse les débris du téléphone, sort de la pièce pour demander des cafés, un assortiment de chocolats, et un nouvel appareil de téléphone. Quand il revient, Frickx se retourne vers lui, il a le visage blanc, crispé :

— Je le savais qu'il réagirait comme ça. Comme un trouillard et un con. Mais j'espérais qu'au moins il m'écouterait.

— Michael, ce n'est pas vrai. Cela fait deux ans que tu te construis un réseau de clientèle, sans rien lui dire. Nous espérions tous les deux la rupture.

— Peut-être, mais pas dans ces termes. Tu l'as entendu ? Je vais lui faire payer son mépris, sa morgue. Je le hais. Je vais le tuer, je lui boufferai le cœur.

— Meurtre du père par le fils, c'est un classique. Avant d'en arriver là, il faut mener à bien notre affaire.

Frickx change de visage, se contraint à respirer plus lentement.

— Antoine, la voie est libre, nous allons nous faire des couilles en or.

— Dieu t'entende.

Le café arrive. Temps de pause. Puis les deux hommes se mettent au travail, en reprenant le dossier point par point.

La société Frickx and Co. vient d'ouvrir ses bureaux, un appartement discret en étage dans un immeuble de la rue du Rhône. Contrat de location en bonne et due forme. Le cabinet Charbonnier et Fils a versé comme prévu le million de dollars en espèces dont Pélissier ne connaît toujours pas l'origine et sur lequel il ne pose toujours pas de questions. Le reçu figure au dossier. Le crédit promis par Parillaud a bien été ouvert. Trois gros clients potentiels, Espagne, Italie, Roumanie, crient qu'ils sont en manque de pétrole, et deux traders de CoTrade, ses meilleurs, n'attendent qu'un signe pour rejoindre Frickx and Co. Tout est en ordre. On va pouvoir démarrer immédiatement sur des quantités encore modestes, et roder la machine avant le très gros contrat avec l'Iran à l'automne.

Il ne reste plus qu'à accueillir le troisième homme, l'homme clé, celui qui détient les informations.

238

Quelques coups discrets à la porte de la petite salle, c'est Parviz Malekeh, l'homme de la NIOC, de l'OPEP et de la cour du Shah. Sans lui, rien n'est possible. Les trois hommes s'étreignent.

— C'est fait, dit Malekeh. Sa Majesté m'a confié ce matin la tâche d'annoncer demain à la réunion de l'OPEP sa décision de vendre directement son pétrole sans passer par le cartel des grandes compagnies, la décision sera publique demain, et deviendra effective à l'automne prochain. Les accords que tu as négociés avec la NIOC deviennent opérants. Malekeh sort une chemise verte de sa mallette en cuir, et la pose sur la table. Je suis officiellement chargé de t'en transmettre un exemplaire. Michael, CoTrade te couvre ou tu agis seul ?

Frickx est debout, une main posée bien à plat sur le texte de l'accord. 365 millions de dollars dans l'année qui vient. Il les sent palpiter au creux de sa paume. La rage, l'amertume sont loin, reste, toute pure, l'excitation qui vibre dans sa voix :

— J'ai proposé le contrat à Jos Appelbaum. Il refuse. J'agis seul. (Un long silence.) Et Parillaud me couvre.

Malekeh se tourne vers Pélissier.

— Là-haut, les grands chefs sont toujours d'accord ?

— Toujours. De plus en plus.

— Bien joué mon ami, ce n'était pas gagné.

Malekeh se tourne vers Frickx :

— Quelle est ma place dans ton montage ?

— Capitale. Voici quelle est ma proposition. Je n'ai plus un sou. Tout ce que j'avais en propre, je l'ai mis dans la création de Frickx and Co., 2 millions de dollars, soit la moitié du capital de départ, le reste est un prêt de Parillaud à titre personnel. Je raisonne donc sur un capital de départ de 4 millions. Je te cède à titre de prêt un quart du capital de Frickx and Co., en mettant à ton nom un des 2 millions que j'ai investis. Nous passons par les intermédiaires de rigueur, et tu me le rends en janvier prochain. Et je te verse la différence entre le million actuel et le prix que vaudra alors le quart de ma boîte de trading. Beaucoup si le prix du pétrole a grimpé, pas grand-chose si nous nous sommes plantés. En somme, tu paries avec moi.

Malekeh accepte, sans beaucoup d'hésitation. Il est au cœur des négociations internes à l'OPEP sur les prix du pétrole, il est certain de la hausse. Il connaît déjà, à quelques jours près, la date à laquelle la décision sera rendue publique. Dans un premier temps, le prix du pétrole sera multiplié par quatre. Après, sans doute beaucoup plus.

Pélissier se détourne vers la fenêtre, regarde sans la voir la chaîne des Alpes. J'ai bien fait de ne poser aucune question sur l'origine du million en liquide. Le voilà blanchi. Frickx est un magicien.

Cette fois-ci, la mécanique est lancée. En jeu : briser le monopole de la vente du pétrole que détiennent les grandes compagnies toutes-puissantes, et leur politique des prix bas et stables, à travers des contrats de longue durée à prix fixes, et garder le secret sur les prix réellement pratiqués. En jeu : créer un nouveau marché du pétrole, public, libre, fluctuant, en un mot spéculatif. En jeu : des milliards de dollars. Les joueurs : trois jeunes hommes d'à peine quarante ans, un grand propriétaire iranien, un trader américain, un banquier français.

— Il faut fêter dignement l'entrée dans ce monde nouveau, dit Pélissier.

— Et l'ouverture de la chasse au trésor, dit Frickx. Je vous invite à dîner dans ma suite, à l'hôtel, j'ai tout prévu, filles au dessert.

— Je suis votre homme, dit Malekeh.

Pélissier, conscient de l'importance du moment, les prend tous les deux par les épaules, avec une sorte de gravité fraternelle. Ils sortent de la pièce, épaule contre épaule, corps contre corps, parcourent le couloir jusqu'à l'ascenseur. Pélissier, qui a de la culture, dit en riant :

— La Conjuration des Égaux.

Les deux autres acquiescent en riant, le nom sonne bien, et la référence historique leur échappe.

Michael loge pour la nuit au Palace de Genève dans une suite composée d'une chambre et d'un salon. C'est là qu'il a organisé pour les nouveaux affidés un petit dîner. Un repas léger, a-t-il prévu, il faut garder des forces pour le dessert. L'apéritif commence bien. Malekeh a apporté du caviar d'Iran, Michael fournit la vodka, les trois hommes boivent sec. Les conversations dérivent autour des intrigues à la cour du Shah, on rit beaucoup, on parle très fort. Puis Malekeh glisse vers les coulisses des réunions de l'OPEP. Frickx, planqué derrière son verre de vodka, mémorise chaque portrait, chaque anecdote. On passe à table. Deux maîtres d'hôtel, sombres et cérémonieux, apportent des ombles chevaliers, arrosés de chignin-bergeron, vite expédiés. Plateau de fromages, les convives n'y touchent pas, pressés maintenant d'en arriver au dessert. Pendant que les maîtres d'hôtel font très rapidement place nette,

Michael pose sur la table basse une petite boîte en or, ouverte, pleine de cocaïne, un miroir, et une paille en or. Il se sert du couvercle pour tracer la première ligne, sniffe, sent la chaleur lui éclater la tête, et passe la paille à Malekeh, qui décline.

— Moi, c'est la pipe d'opium, tu le sais, j'ai apporté mon matériel, mais plus tard dans la nuit, après le dessert.

Pélissier, lui, ne consomme aucune de ces substances.

Enfin, le moment attendu. Quatre ravissantes jeunes femmes apportent sur un grand plateau un vacherin dégoulinant de chantilly, accompagné d'un jéroboam de champagne. Elles sont juchées sur d'acrobatiques talons aiguilles, bas noirs sur des jambes interminables, porte-jarretelles noirs, minuscules tabliers roses noués autour de la taille, gros seins nus, cheveux relevés en longue queue-de-cheval tressée. Malekeh applaudit l'entrée fracassante du dessert, tandis que Pélissier murmure «Goûtons ça», en saisissant un sein. Michael s'empare du jéroboam, le secoue, fait sauter le bouchon, arrose généreusement ses associés hilares. Il hurle : «À la santé des Conjurés !» Puis il boit au goulot, en tenant la bouteille à deux mains, une longue gorgée, s'étrangle, s'essuie la bouche d'un revers de bras, pose la bouteille, vacille, se raccroche à la taille d'une fille, déchire le tablier rose, et roule sur le sol avec elle. Juste le temps de faire sauter sa braguette, de trouver le sexe de la fille à tâtons, il décharge, avec un hurlement de triomphe. «Je suis au top !» Deux filles entreprennent de déshabiller Malekeh, qui se laisse faire comme un bébé. Il a abondamment barbouillé de chantilly tout le torse d'une des filles, se frotte le visage

242

entre ses seins avec un sourire d'extase, et ronronne de plaisir en contemplant Pélissier allongé sur le canapé, les bras en croix, chevauché par une fille. Elle a gardé son tablier rose, sa queue-de-cheval bat la mesure.

Le sexe, le risque, le fric, le monde leur appartient. La nuit ne fait que commencer.

Jeudi matin, cap Ferrat

Aujourd'hui, le temps est frais et pluvieux. Emily et David prennent le petit déjeuner debout dans la cuisine, en picorant ici un gâteau, là un fruit ou un yaourt, en buvant des litres de thé. Ils se croisent sans se parler. Depuis la visite à la galerie d'art, entre eux, une gêne. Sans rien en dire, chacun sait que le charme est rompu, et cherche une porte de sortie. Sonnerie du téléphone. Emily décroche.

— Emily, ma chérie… (Elle se fige. La voix de Michael…) Je ne te réveille pas ?

— Non. Simplement, je t'avais presque oublié.

— Pas moi, mon ange. J'ai beaucoup pensé à toi… (Emily a un rire bref…) à ce que tu as vécu, à ce choc. Comment vas-tu maintenant ?

— Bien.

— Toujours aussi solide ? Tu es une femme merveilleuse, tu es ma femme. Tu me manques, si tu savais comme j'ai besoin de toi en ce moment, pour me calmer, me réconforter. J'ai voyagé et j'ai bossé comme une brute. À partir d'aujourd'hui, je vais reprendre mon rythme normal, il glousse, dix-huit heures de travail par jour, pas plus. Tu sais comment c'est…

Emily cesse d'écouter. Elle regarde David immobile,

figé au fond de la cuisine, mâchoires serrées, regard dur. Constat : l'amant adolescent a disparu. Je l'avais peut-être inventé. Comme j'avais oublié l'existence de Frickx. J'ai vécu pendant quelques jours un rêve bienheureux… Une voix forte, impérieuse :

— Emily, tu es toujours là ?

Retour à la vraie vie.

— Oui.

— Emily, j'ai quitté CoTrade…

Un cri :

— Quoi ?

Défilent à toute allure les images de son mariage, Jos le patron de CoTrade, son bon sourire, il ressemble à mon grand-père, il m'aime comme sa petite-fille, l'appartement tout en haut du gratte-ciel, la vue sur New York, l'espoir d'y revenir un jour…

— Je fonde ma propre boîte de trading.

— Et tu ne m'en as jamais rien dit ?

— Je ne veux pas t'ennuyer avec toutes mes histoires de fric, de bureaux, de bateaux. Tu mérites mieux que ça.

— Charmante attention de ta part.

— Nous nous installons à Genève.

— Nous, qui nous ?

— Les bureaux de Frickx and Co., toi et moi.

Brusquement, elle ne supporte plus cette voix, elle ne supporte plus cette vie. En finir.

— Je te passe David.

Elle lui tend le téléphone, David le prend, lui tourne le dos, parle bas.

Elle sort sur la terrasse. Je lui tends le téléphone, je ne sais même pas pourquoi, juste pour me débarrasser de Michael, et lui, il le prend, et se met à parler, comme si cela allait de soi. David connaît bien mieux Michael qu'il ne me l'a dit. Ils sont en affaire ensemble, d'une façon ou d'une autre. Il est là pour me surveiller ? Genève, jamais. Maxime, tu me manques. Du calme, réfléchis. Genève, c'est la guerre. Je ne suis pas en situation de force. Trop tôt, pas prête ? Pas le choix. Pas le droit de me planter. Je le sentais venir. La rupture, c'est maintenant.

David se sent plus libre dès qu'Emily a quitté la pièce.

— Content de t'entendre. Tu aurais pu appeler plus souvent.

— J'ai eu trop de travail. Dans ces moments, tu n'as ni le temps ni la possibilité de penser à autre chose, tu sais comment c'est. Quelle est la situation à Nice ?

— Globalement bonne, mais la police prend régulièrement de tes nouvelles. Et j'ai entendu une fois évoquer le pétrole.

— Mon retour en France ?

— Déconseillé.

— Emily ?

— En pleine forme.

— Ses liens avec Pieri ?

— J'ai cherché. Il me semble qu'il n'y a rien d'autre que ce qu'elle en a dit aux policiers. En tout cas, ce qu'elle raconte est vraisemblable. J'ai pu vérifier qu'elle a de nombreux contacts dans le milieu des marchands d'art.

— Elle oui, peut-être, pourquoi pas ? Des affaires de bonne femme. Mais Pieri, c'est lui qui a dû prendre contact avec elle, qu'est-ce qu'il cherchait ?…

— Tout de suite, là, Emily ne dira rien, elle est plutôt fâchée contre toi, et je la comprends.

— Moi aussi. Tâche d'arranger ça, c'est important. Je déménage cette semaine, comme prévu, il faut qu'elle vienne me rejoindre à Genève, disons la semaine prochaine. Je rappelle demain.

Quand David raccroche, il se retourne. La pièce, la terrasse sont vides, Emily est remontée dans sa chambre. Elle réapparaît un peu plus tard, en blue-jeans, tee-shirt, sandales, un grand sac fourre-tout à l'épaule.

— Je pars toute la journée, faire le tour des galeries à Nice. J'ai cru comprendre que cela ne t'amusait guère. Tu me rejoins ce soir en ville pour dîner ? Salut, je t'appelle.

David est soulagé. Une journée de repos, seul, tout seul, au bord de la mer, à ne penser ni à Michael, ni à Emily, la tête vide et le corps en paix.

14

Jeudi 22 mars 1973

Jeudi, Malte

Le petit aéroport de campagne est le premier contact avec l'île. Grimbert descend d'un coucou monomoteur vers 8 heures du matin dans le soleil et le vent. La veille, il a passé une journée entière à errer à la recherche de vols vers Malte. Une piste tracée sur le plateau cailouteux et semi-désertique, un trafic somnolent, encore très lié aux restes de la présence militaire britannique, et quelques hangars plus ou moins aménagés, rien n'a changé depuis sa dernière visite, il y a moins d'un an. Mais maintenant, il sait qu'une part de l'argent de la French a transité par ici. Ce qui change le regard qu'il porte sur son île natale.

Debout dans le soleil, son cousin Samy l'attend à la sortie, comme convenu au téléphone. Très maigre, très brun de peau et noir de cheveux, à peine dix-huit ans. Les deux hommes s'embrassent. Samy :

— On est toujours bien d'accord, je te transporte pendant un jour ou deux ici, et tu m'héberges à Marseille cet été pendant un mois ?

Plaisir de retrouver la langue maltaise, la langue de l'enfance.

— Ça marche. On est bien d'accord, tu ne parles de ma présence ici ni à la famille, ni aux autres ? Même pas à ma mère. Et si on te le demande, tu ne m'as pas vu.

— D'accord.

— On y va. Perdons pas de temps.

Samy prend un scooter appuyé contre une borne, une machine retapée, bricolée, à la silhouette préhistorique, qui démarre à la première sollicitation, et tourne rond, sans raté. Grimbert grimpe sur le siège passager, direction la vieille ville de La Valette.

Le scooter se comporte bien sur la route défoncée et caillouteuse, et les deux hommes arrivent vite à la muraille de la vieille ville. Une petite sœur du vieux Marseille. Même ciel, même soleil, mêmes pierres calcaires, mêmes rues étroites et rectilignes entre de hautes maisons aux façades usées parfois misérables, mais la vie ici pulse beaucoup moins fort, frôle même parfois la léthargie. Et puis le port, la mer, le ciel sont au bout de chaque rue. Et les calanques ne sont jamais loin. Pieri le Marseillais a dû aimer ces résonances entre les deux villes, comme lui, Grimbert, les aime.

— On va d'abord au 4 Triq Zekka, dit-il.

Une rue comme les autres, rectiligne, délabrée, et déserte quand ils s'arrêtent devant le numéro 4. Ils entrent. Personne. Sous le porche, une rangée de boîtes aux lettres métalliques. Sur l'une d'elles : Serval-Mival.

— Voilà ce que je cherche.

Pas d'indication d'étage, pas d'autres sociétés dans l'immeuble, semble-t-il.

— On fait un tour dans les étages.

Au premier étage, deux portes. Sur l'une d'elles, une sorte de carte de visite :

Messieurs Baldocchino et Theuma
Gérants de sociétés.

Grimbert sent Samy se crisper à son côté. Coup d'œil rapide. Pas de doute, il fait une drôle de tête, mais ne dit rien, fuit son regard. Un, deux, trois coups de sonnette qui résonnent dans le vide derrière la porte, aucune réaction. Grimbert examine soigneusement la serrure, très ordinaire. Normal, le fric n'est sûrement pas là. Il sort de sa poche son trousseau de clés, garni de deux rossignols, Samy toujours figé, muet à son côté. Après trois ou quatre essais, la serrure cède, Grimbert pousse la porte, entre. Samy hésite, le suit tête baissée. Le bureau de la Serval et de la Mival. Sommaire. Une seule pièce, à peine meublée, sombre, les deux fenêtres donnent sur la cour arrière. Au centre, une grande table, quatre chaises, deux téléphones. Le long des murs, un embryon de cuisine, des assiettes dans un évier, des bouteilles par terre, quelques étagères, vides. Samy se détend. Grimbert traîne ici et là, ouvre un tiroir, plus un papier, plus un crayon, vide. Soulève un téléphone. Tonalité. Les lignes n'ont pas encore été coupées, nettoyage récent. Grimbert demande :

— Tu sais où je peux trouver Theuma ou Baldocchino ?

— Non. Je ne les connais pas.

Ils quittent les lieux, en refermant aussi bien que possible derrière eux.

Sous le porche, un petit vieux est en train d'ouvrir la porte de son logement. Il les regarde descendre.

Grimbert le salue.

— Nous cherchons la Mival ou la Serval, j'ai sonné là-haut, personne au bureau, apparemment. Vous savez s'ils seront là cet après-midi ?

— Non, vont pas revenir, ont tout déménagé, des caisses de papiers.

— Il y a longtemps ?

— Trois, quatre jours.

— Vous savez où je peux les joindre ?

— Ont pas laissé d'adresse.

— Merci monsieur, vous êtes bien aimable.

Dans la rue, Grimbert s'arrête.

— La boîte à lettres. Il faut ouvrir la boîte à lettres. Tu peux me débarrasser du vieux ?

— Combien de temps ?

— De l'ordre de la minute.

— Pas de problème.

Les deux hommes se coordonnent. Samy frappe à la fenêtre qui s'ouvre, Grimbert entre sous le porche, la négociation s'engage avec le vieux pour obtenir l'auto-risation de garer le scooter dans la cour arrière de l'im-meuble, Grimbert force la boîte à lettres, y trouve une feuille pliée en quatre, contre toute attente le vieux accorde l'autorisation et referme sa fenêtre, Grimbert a juste le temps d'empocher la feuille et de ressortir dans la rue, tandis que Samy gare le précieux scooter.

Ils descendent vers le port, la partie la plus vivante de la ville, s'installent au fond d'un bar assez fréquenté. Deux cafés. Grimbert pose la feuille ouverte sur la table. Papier à en-tête de la banque de l'Archipel, avec une adresse en centre-ville, et deux lignes de téléphone. Ce n'est pas une surprise, c'est la banque dont le nom apparaît dans les papiers de la Somar, pour tous les versements effectués vers Malte. Une date, une heure écrites à la main en haut à droite : 20 mars, midi. Donc, après le déménagement, le vieux a dit « il y a trois, quatre jours » et on est le 22. Juste une ligne de texte manuscrit : « Cris, je suis passé, personne. Il faut qu'on se voie. Urgent. » Et une signature : Jonni.

Réfléchir, vite. Tous les 15 du mois, la Somar solde ses comptes avec la Serval, et envoie le règlement à la banque de l'Archipel. Les ordres de versements partent de Marseille le 15 mars, arrivent ici environ trois jours après. Il est possible, vraisemblable, que, dans la panique qui a suivi les meurtres, les ordres aient pris un jour ou deux de retard, et soient arrivés ici le 19 ou le 20 mars. À ce moment-là, Jonni le banquier et la Serval savent que Pieri a été assassiné, Jonni se demande quoi faire du fric, cherche Cris pour avoir son avis. Quel a été l'avis de Cris ?

Grimbert se tourne vers Samy : qui est Cris ?

— Sans doute Theuma. Baldocchino s'appelle Marco.

Grimbert lui sourit.

— Vraiment ? Marco. Et tu ne le connais pas ? Je me disais aussi, dans un village comme La Valette, comment est-il possible que Samy ne connaisse ni Theuma ni Baldocchino ? Un gars aussi débrouillard et bien renseigné… Bon, maintenant, raconte-moi un peu qui est ce Baldocchino.

Samy sait qu'il est coincé.

— Oui, lui, je le connais. C'est un vieux dégueulasse. Il est bien considéré parce qu'il est riche.

— Riche? Vraiment riche? Tu as vu son bureau minable?

— Il a deux bateaux, deux pétroliers, ici c'est une fortune.

— Ils ne sont pas à lui.

— Tu es sûr?

— Certain. Ils appartiennent à un Marseillais, qui lui verse un peu d'argent pour qu'il lui prête son nom. Comme mon Marseillais vient de mourir, ton Baldocchino va se retrouver en slip.

— C'est une bonne nouvelle.

— Pourquoi?

— Parce que ce vieux de soixante berges vit avec Lila qui en a vingt, et elle le plaquera dès qu'il n'aura plus d'argent.

— Et tu penses que tu auras ta chance?

— Peut-être bien. Mais je ne serai pas le seul. Lila fait virer dingues la moitié des gars de La Valette.

— Comment ton Baldocchino a-t-il rencontré mon Marseillais, à ton avis?

— Je n'en sais rien.

— Fais pas ton enfoiré, Lila t'a raconté des choses.

— Tout ce que je sais, c'est qu'il est né à Malte, il est parti très jeune en Italie, pour trouver du travail, il a travaillé en Italie et à Tanger. Une très belle ville, à ce qu'il a dit. Il a promis à Lila de l'emmener là-bas. Il est revenu en 69, pour créer la Mival. Pas de Marseille dans l'histoire.

Exactement ce que j'imaginais. Trente ans pendant la guerre, fasciste peut-être, plus ou moins truand sûrement, à Tanger dans la bande à Renucci et son trafic de cigarettes, il croise Pieri. Qui est allé le rechercher là-bas pour construire ses filiales maltaises. Comme

Theuma probablement. Toujours les bonnes vieilles habitudes, on fait confiance à la famille. Pas des apprentis financiers, mais deux truands à la retraite. J'ai une chance. Je fonce.

Le téléphone est sur le comptoir. Grimbert met une pièce dans le juke-box, juste à côté du téléphone. Chansonnette italienne. Il appelle la banque, demande Jonni. Dans le brouhaha, il parle très bas, protège l'appareil avec sa main, et respire bruyamment.

— C'est moi, Cris. Il y a du nouveau, faut qu'on se voie, tout de suite, à la Serval.

Et ça marche.

— Samy, on retourne à la Serval. Récupère ton scooter, et occupe le vieux pendant un grand moment. Au moins une heure.

— Je lui ai promis un tour de scooter. Je vais l'emmener.

— Ensuite, on se retrouve ici, au bar du port.

Dans le bureau de la Serval, Grimbert arrache les fils des téléphones, les pose sur la table, remplit une bouteille en plastique d'eau, fourre un torchon dans la poche de son jeans, s'assied près de la porte de façon à se trouver caché derrière le battant quand il sera ouvert, la bouteille d'eau à ses pieds, et attend. Pas longtemps. Bruits de pas dans l'escalier, il se lève, bouteille en main, quelqu'un sonne, pousse la porte, avance d'un pas, regarde dans la pièce, méfiant, Grimbert l'assomme avec la bouteille d'eau, pas trop fort, le bonhomme n'a pas l'air particulièrement vigoureux. Il le ramasse avant qu'il ne tombe, le cale sur une chaise, le ligote avec les fils du téléphone, lui coince un morceau de torchon dans la bouche, puis l'arrose généreusement de l'eau de la bouteille pour pouvoir entamer la conversation. Le bonhomme revient lentement à lui, regarde Grimbert, les yeux dilatés de terreur.

— Calme-toi. Si tout va bien, je ne te ferai pas de mal. Je t'ai saucissonné pour que tu m'écoutes sans hurler, il y a du monde dans la maison. (Le regard se calme un peu.) Pieri a été assassiné. Tu le sais, ça ?

Jonni hoche la tête.

— Nous, ses amis, à Marseille, on cherche son assassin. (Jonni grogne.) Grimbert s'avance d'un pas. Briser toute velléité de résistance. Il se penche, visse un doigt sur un point du plexus de Jonni, appuie, le bonhomme gémit. Oui, je sais, l'assassin c'est pas toi, ni tes copains. Mais tu l'as dépouillé, et mes amis, à Marseille, n'aimeront pas ça, quand je leur raconterai. Alors, si tu veux que je la boucle, tu vas me donner la liste des bénéficiaires des versements de la Serval. L'assassin est sur la liste. Grimbert abandonne le plexus de Jonni, lui pose ses deux mains autour du cou. Pression sur la carotide. Tu comprends comme c'est facile pour moi de t'étrangler ?

Jonni, les yeux exorbités, sent, voit l'obscurité lui monter à la tête. Grimbert le lâche, se redresse, saisit la bouteille d'eau, la remplit de nouveau.

— Maintenant, je vais enlever le torchon. Si tu hurles, je t'assomme, je te laisse sur le plancher, et je rentre direct à Marseille raconter à mes amis que tu as piqué dans la caisse. Comme ce ne sont pas des rigolos, je ne donne pas cher de ta peau. Tu as intérêt à m'écouter, et à m'obéir. Compris ?

Hochement de tête.

Grimbert enlève le torchon, Jonni grince :

— Je peux avoir un verre d'eau ? Quand il a bu : j'étais pas tout seul. J'ai partagé avec Theuma.

— Ça ne m'étonne pas. Donne-moi les listes.

— Dans les listes, vous risquez pas de trouver l'assassin, y a pas de noms.

— Comment ça, il n'y a pas de noms ?

— Non, y en a pas. D'ailleurs, vous n'êtes pas le premier à demander. Mais l'autre, il était plus… poli, on va dire, et il a bien compris.

— Raconte.

— Il parlait ni maltais, ni anglais, c'était un Français, avec un nom italien. Il est allé voir le directeur, mais le directeur, il parle pas français. Moi, je le parle un peu. Le directeur m'a fait venir.

— C'était quel jour ?

— Le 15 mars. Il a montré sa carte d'inspecteur des Impôts français, et il a commencé à nous faire peur. Il voulait qu'on lui donne les listes. J'ai dit qu'on avait pas de noms, juste des listes de comptes à numéros, avec le nom de la banque et son adresse, et le montant du versement à effectuer. Je lui ai montré les listes du mois de février, et ça lui a suffi. Il nous a serré la main, et il est parti.

Grimbert revoit Micchelozzi à la cérémonie Pieri, le lendemain, le 16 mars, il se penche, murmure, fait circuler les informations tout autour de lui. Un rapide. Et il connaissait la filiale maltaise bien avant la PJ. Il a dû se payer un avion-taxi, lui. Aller-retour dans la journée. Salaud.

— Et quand tu as reçu le versement, le 18 au soir ou le 19 au matin, tu t'es dit qu'il devait bien y avoir moyen de l'étouffer, petit malin. Baldocchino a fait pareil avec les tankers ?

Jonni se reprend, la pression physique baisse, l'inconnu ne sait pas tout, Baldocchino, une voie de dégagement ? Deux tankers, c'est plus gros qu'un versement mensuel de la Serval. Il ricane :

— Peut-être bien. Il a raconté à Theuma qu'un avocat était venu, le 16 mars, trois jours après la mort de Pieri…

— Si vite ? On s'est bousculé ici après la mort de Pieri.

— Oui, Theuma m'a dit pour un peu, il serait venu avant qu'on l'assassine, Pieri. Bon, il avait des papiers en règle, le propriétaire était une société du Costa Rica, ou du Panamá, ou par là. Et il a récupéré tous les documents des tankers. Au moins, c'est ce que lui a dit Baldocchino. Mais Theuma était pas là, va savoir s'ils ont pas partagé ?

— Très bien. Je verrai Baldocchino plus tard. Maintenant, tu vas me donner tes listes. Si tu es sage, je te laisse celle de mars, et je dis à mes amis, à Marseille, que le versement n'est jamais arrivé.

Grimbert accompagne Jonni jusqu'à la banque, une main soudée sur son coude. La banque est fermée, une vieille femme fait le ménage dans les bureaux. Jonni se fait ouvrir.

— J'ai oublié un dossier, il faut que je travaille ce soir chez moi.

Grimbert ne le lâche pas. Ils passent ensemble derrière le comptoir du guichet, entrent dans une minuscule pièce aveugle, Jonni sort un trousseau de clés de sa poche, ouvre une armoire métallique. Grimbert surveille. Des rayons de cartons classés par ordre alphabétique. Jonni extrait le carton « Serval », prend le dossier

1972, range le carton, referme l'armoire. Grimbert ne l'a pas quitté des yeux. La vieille femme de ménage, debout dans l'encadrement de la porte ouverte, les regarde faire avec un mélange de suspicion et de colère. Quand ils s'en vont, elle s'écarte à regret, en maugréant, pour les laisser passer.

Dans la rue, Jonni tend le dossier à Grimbert, d'un geste presque naturel.

— J'ai peur de la vieille. Elle va me faire des ennuis.

— Ton directeur a dû toucher au passage, pour renseigner l'autre, le Français. Vous êtes aussi crades l'un que l'autre. Tu n'as rien à craindre.

Jonni blêmit de rage. Il respire un grand coup, se dégage de la main de Grimbert sur son bras, s'écarte de quelques pas.

— Je suis pas crade, je suis employé d'une banque honnête. Les crades, c'est vous, les Marseillais. Tu vas morfler, salopard, je te le garantis.

Grimbert regarde filer Jonni. Il est conscient de s'être laissé emporter par son élan, et d'en avoir fait un peu trop. Pas rassuré non plus par l'attitude de la femme de ménage. Il serait malsain de s'attarder sur l'île. Il fonce au bar du port. Samy est là et l'attend.

— Trouve-moi dès ce soir un passage pour Catane ou Syracuse. Il faut que je m'en aille.

— Pas de problème, je m'en occupe.

15

Jeudi 22 mars 1973

Jeudi, Saint-Tropez

Delmas reprend sa tournée dès le matin. Après une vingtaine d'échecs, beaucoup de temps perdu sur de petites routes et un déjeuner sommaire, il tombe sur une charmante vieille dame, à l'accueil de l'hôtel Materassi, très ancien style, qui reconnaît immédiatement David sur la photo, et se souvient parfaitement de lui : un athlète, un bel homme. Il courait chaque matin au moins une heure au réveil, dans la campagne, alors, vous pensez, il avait un appétit d'ogre au petit déjeuner. Son nom ? Elle recherche la fiche, soigneusement rangée. Terry Sloane, citoyen britannique. Il est arrivé le 10 mars dans l'après-midi, et reparti le 15. Elle accepte de confier la fiche à Delmas.

— Il avait présenté des papiers d'identité ?

— Oui, un passeport britannique.

— À ce nom ?

— Évidemment, jeune homme.

— À votre connaissance, a-t-il découché certaines nuits ?

— Ça, impossible à dire. Il ne prenait aucun repas à

l'hôtel, sauf le petit déjeuner. Il se promenait beaucoup, en voiture ou à pied. Ce qui est normal, la région est belle, elle mérite d'être visitée, vous ne pensez pas ?

— Mais quand il rentrait ?

— La nuit, l'hôtel est fermé, mais il n'y a pas de veilleur de nuit, et les clients ont une clé. Le 15, quand j'ai ouvert l'hôtel, à 6 h 30 du matin, il était déjà parti. Il m'avait prévenue la veille, et il avait réglé son compte.

— En chèque ?

— En liquide. La somme n'était pas énorme, vous savez. Pas d'extra.

— À quelle heure a-t-il payé ?

— Difficile de me souvenir. J'étais à l'office, je rangeais la vaisselle. Peut-être après le dîner. Ou plus tôt, après le déjeuner ?

La vieille dame ne peut pas en dire plus. Hammersfeld a bien choisi son hôtel. À part sa présence continue dans la région confirmée entre le 10 et le 15 mars et une troisième identité, assortie d'une troisième nationalité, rien à récupérer. Mais ce n'est déjà pas mal. Il est temps de rentrer au bercail.

Jeudi, Marseille

Le *Santa Lucia* est attendu dans la matinée. Le dispositif d'accueil est mis en place dès 9 heures. Dispositif léger : Daquin en planque dans un local des services de gestion du port, d'où il a une superbe vue en enfilade sur le quai où le *Santa Lucia* viendra s'amarrer. Deux voitures de la PJ stationnent chacune à l'abord de l'une des deux grilles de sortie de l'espace portuaire les plus proches du quai où va accoster le *Santa Lucia*. À bord de chaque voiture, deux inspecteurs lisent les journaux régionaux qui titrent encore en une sur «l'affaire de Pélissanne». Ils sont plutôt contents d'échapper pendant un temps au fiasco que chacun prévoit dans le service. Une liaison par talkie-walkie a été mise en place, et un rendez-vous en fin d'opération est prévu dans le bureau de Daquin. Il ne reste plus qu'à croiser les doigts.

11 heures, deux hommes en tenue de travail de dockers, bleus, gilets fluo, gros godillots, gants de sécurité coincés dans la ceinture, bonnets sur la tête, s'arrêtent à quelques mètres du poste d'observation de Daquin. Ils lui tournent le dos. 11 h 10 le *Santa Lucia* est en vue. Les deux hommes sont toujours là. Daquin pense qu'ils ont été renseignés de façon plus précise que lui sur l'heure d'arrivée du *Santa Lucia*. 11 h 30, le *Santa Lucia* est amarré, un groupe de douaniers, sur le quai, fait signe aux matelots, une passerelle est mise en place, les douaniers montent à bord : contrôle de routine. Un douanier entreprend de vérifier les divers papiers des matelots, très surpris. Les échanges se font dans un anglais plus qu'approximatif, teinté d'accents improbables. Les deux hommes en tenue de travail se concertent, s'approchent de quelques pas. Quand ils voient le gros des effectifs des douaniers descendre dans les profondeurs du bateau, ils décrochent. Daquin prévient les deux équipes qui surveillent les sorties, et rentre à son bureau, attendre des nouvelles des uns et des autres.

À bord du *Santa Lucia*, le rythme s'accélère. Une équipe de douaniers, en procédant à la visite de la cale, tombe sur une centaine de caisses de dimensions moyennes, rangées plus que dissimulées sous une bâche, marquées en grosses lettres noires «*machine tools*». Une caisse est montée sur le pont, ouverte devant les matelots. Elle contient une dizaine de fusils d'assaut, démontés, graissés, soigneusement emballés dans des chiffons et du plastique. Les armes sont alignées les unes à côté des autres au soleil, sur le pont, et excitent la curiosité des douaniers. Jamais vu ce modèle.

— Des kalachnikovs, dit un douanier féru d'armes. J'ai vu des photos. Il s'approche d'un fusil en pièces détachées, le monte très facilement. Quelle belle arme. C'est la première fois que j'en touche un. Regardez comme il est simple, léger. Il paraît qu'il résiste à tout. Ces armes sont fabriquées en Union soviétique et en Bulgarie. Ici, elles doivent coûter un bras.

Les cent caisses sont ouvertes. Elles contiennent toutes les mêmes armes.

Effervescence. La prise est magnifique. Les douaniers préviennent Jaland, leur chef, et entreprennent alors une fouille systématique du bateau, qui prend plusieurs heures. Ils ne trouveront que cinq plaquettes de pâte, probablement de la morphine-base, dissimulées dans des barquettes de beurre, dans la glacière. Des broutilles.

Les deux hommes en tenue de travail s'approchent de la sortie de l'espace portuaire la plus proche. L'un des deux se débarrasse du gilet fluo et des gants de sécurité que l'autre récupère, puis franchit les grilles. Début de la filature. L'homme se dirige à pied vers le Vieux-Port, bifurque devant la cathédrale, arrive à l'Évêché, contourne le bâtiment, s'arrête devant la porte d'accès des fournisseurs du Garage, sonne. La porte s'ouvre instantanément, il entre.

Les deux inspecteurs qui le filent se regardent, grimacent et, sans échanger un mot, rentrent à l'Évêché par l'entrée principale, grimpent au troisième étage. Daquin les attend dans son bureau.

— Alors ?

— Votre homme était effectivement attendu.

— Où ? Par qui ?

— Ici, à l'Évêché. Il est entré par la porte de service des fournisseurs du Garage qui lui a été ouverte de l'intérieur, au premier coup de sonnerie.

Daquin encaisse.

— Bonne chance, lui disent les deux inspecteurs en s'en allant.

Que me dirait Grimbert ? Surpris ? Souvenez-vous, Simon, la carte du SAC. Qui a-t-il prévenu de l'arrivée d'une livraison d'armes, juste avant de mourir ? Pourquoi pas des membres du SAC, flics à leurs heures perdues ? Logique. Et il ajouterait : On est à Marseille.

Pas le temps de déprimer, le téléphone sonne, c'est Jaland.

— Vous êtes au courant du résultat de notre contrôle de routine ?

— Non.

— Alors, j'ai le plaisir de vous annoncer la saisie d'une centaine de caisses de fusils d'assaut sur le *Santa Lucia*. Mes hommes continuent à fouiller. Et vous, vous venez prendre livraison de trois marins chypriotes trafiquants d'armes. Heureux ?

— On peut le dire comme ça. J'arrive.

En fin d'après-midi, les matelots sont amenés à l'Évêché. Daquin les regarde entrer dans les cages, au sous-sol. Ouverture de la chasse, odeur du sang, ne plus penser au SAC pendant une heure ou deux, une aubaine. Deux hommes solides, la quarantaine, râblés, tannés, et un plus jeune, une vingtaine d'années, maigre, les cheveux noirs en broussaille trop longs, des yeux marron trop brillants, comme au bord des larmes. «Laissons-les mûrir pendant une heure, dit Daquin au gardien des cages, puis vous m'amènerez le petit jeune.»

Delmas rentre de ses deux jours d'enquête à Nice et Saint-Tropez juste au moment où va commencer l'interrogatoire du petit jeune qu'un policier a introduit dans le bureau. Pas le temps de procéder à un échange d'informations, et c'est tant mieux. Daquin se sent encore trop déstabilisé pour maîtriser la situation. Il embraye donc immédiatement :

— Vous comprenez l'anglais ?

— Comme tous les lycéens français, section anglais première langue, c'est-à-dire pas du tout.

— Vous allez essayer de faire un PV, vous ferez comme vous pourrez, on verra après.

Daquin fait asseoir le petit jeune sur une chaise, en face de lui, toujours menotté, se met à relire lentement les premiers procès-verbaux fournis par les douaniers, en le surveillant du coin de l'œil. Nationalité grecque. Prénom Raphaël. Famille nombreuse et misérable vivant à Chypre. Le garçon croise et décroise ses jambes, se griffe les mains, les yeux braqués sur le plancher, parfois ses lèvres se crispent comme sous l'effet de la douleur. Daquin attaque :

— Tu parles anglais ? (Hochement de tête.) Qu'est-ce que tu faisais sur ce bateau ?

— Je travaillais, gagnais ma vie.

Un anglais qui rappelle à Daquin certaines scènes de la vie libanaise.

— Un métier trop dur pour toi, c'est pour ça que tu as préféré voler des armes.

— J'ai pas volé, j'ai rien fait, Nicolas disait que j'étais un bon marin.

La voix se casse par moments, et monte dans les aigus.

— Nicolas ?

— Le capitaine.

— Mais depuis sa mort, les deux autres, Silas et Petridis, plus âgés, plus lourds, plus forts, ils t'ont fait la vie dure. (Le petit jeune s'affaisse un peu plus sur sa chaise. Touché.) Ils t'ont baisé ?

Il crie : « Non », ses mains se serrent convulsivement. Oui, non, Daquin est incapable de trancher, mais s'en fout, et continue.

— En taule, ce sera pire, tu as la gueule de l'emploi. Et ce sera pour longtemps. Tu veux y aller ?

— Non.

— Je peux te relâcher. Tu le sais ?

— Oui.

— Tu me racontes comment ces armes sont arrivées sur le bateau, le rôle de Silas et Petridis, les deux brutes, ou bien tu vas en taule. Avec eux. À toi de choisir. Alors, tu causes ?

— Je veux bien causer, mais je sais rien.

— On va voir. Je pose les questions et tu réponds, c'est tout. Le *Santa Lucia* chargeait des caisses d'armes à Constanţa ?

— Oui.

— Combien à chaque voyage ?

— Deux cents caisses de dix.

— Pourquoi il n'y en a plus que cent ?

— Parce que les policiers turcs à Istanbul, après la

264

mort de Nicolas, ils ont dit que c'était juste de partager, et que laisser la moitié, c'était généreux de leur part. Petridis a dit d'accord. Les policiers voulaient pas qu'on se plaigne à leurs supérieurs, c'est pour ça qu'ils ont laissé la moitié, et Petridis a dit que si on se plaignait, les supérieurs prendraient le reste.

— Qui vous a dit de venir à Marseille ?

— Nicolas. Il a reçu un message radio avant d'arriver à Istanbul. Il nous a prévenus : on n'allait plus à Chypre, mais à Marseille, il l'a marqué sur le livre de bord. Et il a dit qu'à Marseille quelqu'un nous attendrait. Quand Nicolas est mort, Petridis a décidé de faire comme il avait dit. Il avait peur que les acheteurs, à Chypre, nous accusent d'avoir volé des caisses.

— C'était qui, les acheteurs ?

— Je sais pas, je les ai jamais vus.

— Quand vous arriviez à Chypre, les acheteurs ne venaient pas prendre livraison ?

— Non, jamais. Nous déchargions les caisses, et nous les déposions dans un petit entrepôt.

— Toujours le même ?

— Oui. Toujours vide.

— Ouvert à tous les vents, l'entrepôt ?

— Non. Fermé à clé.

— Qui avait les clés ?

Silence. Raphaël se décompose sur sa chaise. Daquin insiste :

— Petridis ?

— Il va me tuer.

— Mais non. Il n'est pas près de te revoir.

— Oui, Petridis. Il avait les clés, il ouvrait et il fermait. Nous n'avons jamais vu personne.

Daquin jette un coup d'œil à Delmas, largué, lui sourit. Pas grave.

— Et les paquets de morphine-base dans le frigidaire ?

Raphaël se redresse d'un coup, la voix soudain assurée.

— Je ne sais rien. Je n'ai jamais vu.

— J'ai du mal à te croire.

— J'avais pas le droit d'approcher du coin cuisine.

— Admettons. Et je m'en fous. Encore une question. Qui étaient les deux marins qui ont quitté le *Santa Lucia* la nuit de la mort de Nicolas ?

Le gamin croise ses mains, se frotte les pieds l'un contre l'autre, baisse la tête, mal à l'aise.

— Je sais pas.

— Des Chypriotes ?

— Non pas des Chypriotes. Ils me faisaient peur. Ils faisaient peur même à Petridis.

— Vous parliez en quelle langue ?

— En anglais. Un peu. Difficile à comprendre. Ils ne parlaient pas arabe entre eux.

— Ils parlaient quoi ? Turc ?

— Turc, non. Je parle un peu turc.

— Décide-toi. Je sais que tu le sais. Tu veux que je te relâche ?

— Je les ai entendus parler entre eux, une nuit, pendant un quart. Ils parlaient farsi. Je ne comprends pas, mais j'ai reconnu, j'ai un ami, dans mon quartier, j'allais souvent chez lui, ses parents étaient iraniens.

Fin de l'interrogatoire. Daquin et Delmas rédigent un procès-verbal en faisant la part belle aux capacités d'expression de Raphaël, qui le signe sans le lire. Puis il retourne dans sa cage, à l'écart des deux autres.

Daquin réfléchit à voix haute.

— Chypre n'était peut-être qu'une étape, un autre trafiquant pouvait prendre le relais vers l'Europe. Simon aurait cherché à le court-circuiter, à ses risques et périls ?

Delmas ne dit rien.

Il se fait tard. Daquin veut voir le patron du SRPJ avant la fin de la journée, les inspecteurs mobilisés pour la filature ont déjà dû faire leur rapport, il doit être inquiet, il ne faut pas laisser traîner.

— Delmas, faites-moi une note courte mais précise sur vos deux journées d'enquête, et laissez-la sur mon bureau. Et demain, quartier libre. Vous n'êtes pas au courant parce que vous étiez en vadrouille ces derniers jours, mais nos chefs ont prévu une opération spectaculaire et inutile de nettoyage du quartier de la Belle de Mai qui doit mobiliser tout l'Évêché, et qu'ils ont baptisée l'« Opération jet d'eau ». Pas la peine que vous perdiez votre temps, je me charge de représenter toute l'équipe. Prenez donc des nouvelles de la santé de la veuve, et nous nous retrouvons ici demain en fin d'après-midi.

Le directeur accueille Daquin avec une certaine raideur. D'entrée de jeu, il manifeste son mécontentement de trouver la douane mêlée à cette affaire.

— Notre ministre va nous remonter les bretelles, nous n'avons pas à faire la publicité des services douaniers et du ministre des Finances dont ils dépendent. Vous les avez joints sans me consulter, comment justifiez-vous cette décision ?

Attaque prévue, réponse toute prête, juste assez crédible :

— L'information sur les horaires d'arrivée du *Santa Lucia* m'est parvenue très tardivement, il me restait peu de temps pour agir, vous étiez mobilisé sur l'affaire Cartland, je n'ai pas pu vous joindre, le passage par le procureur, à Nice, risquait d'être trop lent. La douane m'a semblé la seule issue pour agir légalement et rapidement. Le résultat n'est pas négligeable.

— Cet individu que vous avez fait suivre jusqu'à l'Évêché…

— La douane n'est pas au courant. Je venais vous en parler. Qu'est-ce que j'en fais ?

Le patron est rassuré, c'est exactement ce qu'il voulait entendre.

— Une note que vous m'adressez, et que vous ne classez pas dans le dossier. Et je vais organiser la prise en charge de la suite des gardes à vue et de l'enquête sur le réseau d'achat et de vente d'armes avec la cellule spécialisée à la PJ, ce qui permettra de récupérer l'affaire dans le bilan du service. Je préviendrai aussi les Stups de la saisie par la douane de quelques plaquettes de morphine-base.

Le patron marque un temps d'arrêt, hésite, Daquin attend. Il reprend :

— Autant vous dire qu'ici, à Marseille, personne n'imaginait que Pieri se livrait à ce type d'activités. Une comptabilité un peu insincère, de l'évasion fiscale, bon, ce n'est peut-être pas tolérable, mais c'est toléré. Du trafic d'armes, c'est autre chose. Et cela renforce évidemment la thèse d'assassinats liés à un règlement de comptes dans le milieu. C'est aussi le point de vue du procureur Coulon. C'est bien en ce sens que vous travaillez, Daquin, avec votre équipe ?

— C'est une piste que nous ne négligeons pas, monsieur le directeur, mais ce n'est pas la seule sur laquelle nous travaillons, comme vous pouvez le voir dans la note que je vous ai remise.

— Je n'ai pas eu le temps de la lire. Ne vous dispersez pas. L'affaire qui intéresse la presse et le public aujourd'hui, c'est Pélissanne. Là, nous avons une obligation de résultat. Les assassinats de Pieri et Simon sont déjà oubliés. Quant au procureur Coulon, il me semble surtout vouloir éviter toute complication dans sa ville de Nice. Je compte sur vous demain, Daquin, pour l'« Opération jet d'eau » ?

— Bien entendu, monsieur le directeur.

Daquin remonte dans son bureau, et se fait un café. Il s'assied devant sa fenêtre ouverte, les pieds sur la rambarde. La nuit est tombée, la fraîcheur entre dans la pièce, la ville ronronne. Il boit son café. Flot de pensées contradictoires. Le *Santa Lucia* et ses kalachnikovs, une belle prise, malgré tout. Une pièce de plus dans le puzzle. Frickx et Pieri, Frickx et Simon, David et ses doubles, l'argent sale, le pétrole, et maintenant les armes, les ombres du SAC, les ramifications à l'intérieur de l'Évêché, et peut-être à Nice, le tout sur fond de guerre des clans pour le contrôle de la Côte. Plus que cinq jours pour l'enquête de flagrance, et tous ces éléments s'entassent toujours en vrac sur mon bureau, sans que je sois capable de trouver comment ils s'articulent entre eux. Et le patron : « Pieri est déjà oublié. » En bon français : bouclez vite et n'importe comment. Je ne le ferai certainement pas. Parce que je sens Pieri maintenant tout proche. Pélissanne, une chance pour nous : tant que l'affaire dure, les hautes sphères sont trop occupées pour nous demander sérieusement des comptes. Plus que cinq jours…

Il faut laisser mûrir, ce soir je suis trop fatigué. Une bonne nuit… Un corps à regarder bouger, à caresser… J'aimerais partir en maraude, être surpris, jouir, et l'oublier sur-le-champ. Pas possible, «on» te surveille peut-être. Sois raisonnable. Il allonge la main vers le téléphone.

16

Vendredi 23 mars 1973

Vendredi matin, Marseille

Au réveil, Daquin contemple Vincent endormi à son côté. Il se lève sans bruit pour ne pas le réveiller. Douche chaude puis froide. Séance de rasage, moment de vérité. Hier soir, envie de chasse, de drague, d'hommes inconnus, il a appelé Vincent parce qu'il n'est pas sur ses terres, parce qu'il faut être prudent, parce que Leccia… Une nuit peu inspirée. Il regarde son visage lisse et propre dans la glace, et lui dit :

— Cette ville va finir par te rendre impuissant.

La journée s'annonce difficile entre une enquête qui ressemble de plus en plus à un labyrinthe sans issue, et la participation obligatoire à une opération de police qu'il pressent dérisoire. Il faut un vêtement qui l'aide à garder le moral, pas le jeans-blouson de cuir habituel, trop informe. Il choisit une veste et un pantalon de toile marron glacé, bien coupés, qui soulignent la puissance des épaules et l'étroitesse des hanches, un polo bleu clair, comme une touche de légèreté, et des mocassins de cuir. Vincent n'est toujours pas réveillé. Ou fait-il mine de dormir ? Il claque la porte, puis monte à pied

271

jusqu'à l'Évêché en flânant et s'installe à la terrasse du Bar-Tabac pour le petit déjeuner : un crème, deux croissants, et un rayon de soleil.

Sur son bureau, il trouve son courrier.

D'abord, la transcription par le central d'un message laconique de Grimbert : il espère être de retour en fin d'après-midi. Il respecte soigneusement les consignes de discrétion que Daquin lui a données : ne pas alimenter le marigot par des messages trop étoffés qui s'égarent malencontreusement dans les bureaux avant de parvenir à destination.

Puis un télégramme de Paul :

«Coup de tonnerre. Iran annonce à OPEP décision du Shah de commercialiser directement pétrole NIOC. Fin monopole du cartel. Tu n'as pas parié, dommage.»

Iran. Hier les marins suspects du meurtre du capitaine du *Santa Lucia* sont probablement iraniens. Aujourd'hui, le Shah d'Iran révolutionne le marché du pétrole. Le marché du pétrole qui obsédait Pieri. Une semaine après son assassinat.

Enfin, il lit les deux feuillets de la note de Delmas. Excellente, la note. Sous ses airs de plouc naïf, ce type a l'étoffe d'un vrai flic. David et Frickx sont donc très liés. Le témoignage de la garde-malade est décisif. Leurs retrouvailles, non pas entre deux camarades de bringue comme elle le pense, mais entre deux complices de l'assassinat de Simon ? David devient un personnage central de notre enquête ?

Daquin pivote sur son fauteuil, les pieds sur la rambarde de la fenêtre, le regard perdu dans le bleu de son morceau de ciel.

Ce David, encore une pièce du puzzle qui ne trouve pas sa place. Grimbert va nous en apporter d'autres. Je ne dois pas chercher à précipiter le moment de la synthèse. J'attends. Je prends une seule pièce, et je la travaille. David. J'ai quelques faits établis. Il est très proche de Frickx dont l'implication dans les assassinats est avérée. Il est présent dans la région pendant les meurtres. Il cherche à dissimuler cette présence. Pas encore de certitudes, mais je peux déjà le considérer comme faisant partie du tableau.

Mais sa présence introduit des éléments tout à fait nouveaux. Il dispose d'un jeu de faux papiers de professionnel des services secrets. Ce n'est pas la panoplie d'un amateur. Il est militaire, engagé volontaire dans l'armée israélienne, et gradé. Un profil plus proche du tireur d'élite que ne le sont les tueurs du milieu. Enfin, les trois victimes sont impliquées dans un trafic d'armes dont le point d'arrivée est Chypre, à proximité des camps d'entraînement des Palestiniens, dans un contexte international de tension extrême. Après une flambée du terrorisme palestinien, nous sommes en pleine offensive contre-terroriste israélienne. Depuis le massacre des athlètes israéliens aux jeux Olympiques de Munich en septembre dernier, Golda Meir, le Premier ministre israélien, a fait une liste des responsables politiques palestiniens à abattre, et l'a confiée au Mossad, qui les descend les uns après les autres, un peu partout en Europe. Il y a quelques jours, l'armée israélienne a abattu par erreur un avion de tourisme au-dessus du Sinaï, avec plus de cent personnes à bord, et s'est contentée de présenter de vagues excuses. Bref, c'est la surchauffe, tout est possible. Y compris l'exécution de deux personnes sur le sol français.

Conclusion : si je travaille sur David, il me semble impossible de ne pas évoquer l'ombre du Mossad. Et tout de suite, une question : peut-il exister un lien entre pétrole et Mossad ? qui expliquerait les liens entre Frickx et David ? Deuxième question : Bontems m'a parlé de «signature» des tireurs d'élite. Je pourrais trouver un modus operandi approchant, dans les exécutions récentes du Mossad ?

Daquin se détourne de sa fenêtre et de son coin de ciel bleu, décroche son téléphone, et finit par trouver Lenglet, à Beyrouth.

— Tu me déranges, Théo.

— Navré. Mais j'ai besoin de réponses précises que tu peux me donner très vite, sur deux points, après je te laisse.

— Soupir résigné. Je t'écoute.

— Le Mossad a-t-il quelque chose à voir avec le commerce du pétrole ?

— Tu plaisantes, j'espère ? Le pétrole est une question de vie ou de mort pour Israël, qui n'en a pas ou très peu, et vit au milieu de pays hostiles qui en ont beaucoup. C'est parce que Nasser a bloqué leur port pétrolier d'Eilat sans que les Américains réagissent qu'Israël a fait la guerre des Six-Jours, en 1967. Et leur situation ne s'est pas arrangée depuis. Plus l'OPEP, qui est dominée par les pays arabes, monte en puissance, plus Israël se sent menacé. Et quand Israël se sent menacé, le Mossad n'est jamais loin.

— Si je te dis exécution à l'arme de poing à une distance de huit-dix mètres, dix balles, toutes dans la cible, aucun dégât collatéral, ça t'évoque quelque chose, dans l'environnement du Mossad ?

— Évidemment. Octobre dernier, Rome, Abdel Wael Zwaiter, représentant de l'OLP à Rome, abattu dans le hall de son immeuble, au milieu d'un groupe d'amis, dix balles tirées depuis le seuil de l'immeuble. Exécution revendiquée par le Mossad, Zwaiter était sur la liste Golda Meir.

— Le tueur a été identifié ?

— Un peu de sérieux, Théo…

— Merci. Je te laisse. Retourne à tes amours.

Lenglet rit :

— Ça s'entend donc si fort dans ma voix ? Toujours aussi perspicace, Théo. Je vais suivre ton conseil.

Et il raccroche.

Donc l'hypothèse Mossad, si elle n'est pas encore avérée, n'est pas non plus totalement impensable. Et le pétrole n'est peut-être pas loin. Reste à savoir sous quelle forme. Le meurtre de Zwaiter et celui de Pieri très proches dans leur modus operandi, mais comme le tireur de Rome n'a pas été officiellement identifié, cela ne m'avance pas beaucoup. La CIA doit le connaître mais ne le dira jamais à un petit flic de la province française.

Daquin se prépare un café-cognac, il a l'impression que cela l'aide à réfléchir. Si David est mêlé à la mort de Pieri, d'une façon ou d'une autre, pourquoi reste-t-il à proximité ? Frickx se tire, lui. Deux possibilités : il est couvert et ne craint rien, ou il a une façon personnelle de gérer le risque. Dans ces deux cas, il peut avoir repéré les lieux lui-même avant d'abattre ou de faire abattre Pieri, c'est plus utile et moins risqué que de rester dans les parages après. Je peux essayer d'aller voir au casino si quelqu'un se souvient de lui.

Vendredi après-midi, Marseille

Les états-majors de la Sécurité publique et du SRPJ ont décidé de frapper un grand coup auprès de l'opi-

275

nion publique. L'image de la police marseillaise n'est pas fameuse. Les hold-up, parfois misérables mais presque toujours violents, se multiplient, les agressions et rackets de toutes sortes prolifèrent, la «police des Corses» est vue par la population comme inefficace et magouilleuse, trop proche des truands qui peuplent la ville. En face, les Stups des Parisiens ont le vent en poupe, et font figure de modèles. Pas mouillés avec les truands, eux. Ils bossent, eux, et ils arrêtent des grands chefs de la drogue. Mais surtout la population leur sait gré d'avoir rendu l'air un peu plus respirable en pratiquant à grande échelle des rafles spectaculaires dans les bistros fréquentés, sur le port ou dans la ville, par les drogués et les petits revendeurs. D'où l'idée des pontes de l'Évêché de copier les méthodes des Stups en menant une grande opération de ratissage anti-malfrats, pour montrer la force de la police et amorcer la reconquête du cœur des Marseillais. Une grande opération conjointe, PJ et Sécurité publique, pour afficher leur unité, selon le bon principe : l'union fait la force. Les états-majors ont choisi un nom qui leur semblait sans doute imagé. Ce sera l'«Opération jet d'eau».

Toutes les troupes de l'Évêché ont donc été convoquées dans la cour à 16 h 30. Daquin s'y rend sans enthousiasme, et informe ses supérieurs de l'absence de ses deux inspecteurs, «actuellement en déplacements dans le cadre de notre enquête». Les troupes s'ébranlent à 16 h 45 précises. Le quartier choisi par les états-majors pour leur démonstration de force est celui de la Belle de Mai, un des cœurs populaires et ouvriers de Marseille, quand le port de la Joliette et les chantiers de réparation navale tournaient à plein régime, mais le déclin a commencé depuis la fin de l'ère coloniale, et la dégradation est déjà visible sur les façades des maisons, sur celles des usines à demi vides, et dans les corps et les regards des habitants. Pourquoi la Belle de Mai ? Le dernier règlement de comptes sanglant à Marseille, c'était dans ce quartier, et Daquin est bien placé pour le savoir, c'était le jour de son arrivée dans les locaux de la PJ, son baptême du feu avant que le juge Bonnefoy ne douche son enthousiasme. Bilan deux morts, auteurs toujours non identifiés à ce jour. Les hold-up plus ou moins violents se sont aussi multipliés dans le quartier, cinq répertoriés en un mois, et la presse écrit : « La présence de nombreux repris de justice dans cette zone a été signalée aux forces de police. » Le quartier a donc été bouclé par les gardiens de la paix en uniforme. Sur la place Placide-Caffo, au centre du dispositif, une vaste place rectangulaire appuyée à une usine en voie de fermeture, les policiers en civil des brigades criminelles des deux services ont été mobilisés pour contrôler les identités des passants, sous la protection vigilante des nouveaux Groupes d'intervention de la police, cagoulés et armés de mitraillettes, dont c'est la première apparition publique. Les grands chefs déambulent, l'air concentré. Espèrent-ils retrouver dans la rafle les auteurs du dernier règlement de comptes qui reviendraient traîner sur les lieux du crime, pistolet-mitrailleur à la main ? Peu probable… Mais la presse régionale est présente, et c'est pour elle que l'opération a été montée. Que le spectacle commence ! Les passants défilent. Daquin, l'attention diffuse, opère un, deux, trois contrôles d'identité. Une foule méditerranéenne, Français, Corses, Italiens, Algériens, tous bronzés, burinés, des jeunes hommes en jeans et blousons de toile, qui traînent des pieds dans leurs baskets usagées, et des vieux prolos fatigués, un mélange de langues et de cultures dans un climat de pauvreté inquiète. Ils se prêtent au contrôle et à la fouille avec un sourire en coin et un air goguenard que Daquin ressent comme une brûlure. Je m'en souviendrai longtemps de ces regards. Que disait Paul ? « Tu n'es pas fait pour la routine policière. » Si c'est ça la routine policière, il n'avait pas tort.

Et puis, bref signal d'alarme, un homme d'une quarantaine d'années vient buter sur lui, et quand Daquin lui demande ses papiers, il en fait beaucoup, trop, fouille ses poches, râle, l'apostrophe à haute voix, avec des grands gestes :

— Vous n'avez rien de mieux à faire…

À cet instant précis, un groupe de policiers de la Sécurité publique passe dans le dos de Daquin, le bouscule. Il encaisse un violent coup d'un objet métallique dans le bas des reins, une ombre murmure à son oreille : « Tiens-toi tranquille, pédé… », pendant que l'homme qu'il contrôle tente de s'échapper et de se fondre dans la foule. Sans chercher à se retourner, Daquin le rattrape par le poignet, l'immobilise en lui tordant le bras.

— Tes papiers, toi, vite fait, ou je te boucle.

L'homme finit par extraire une carte d'identité usagée de la poche arrière de son pantalon en grognant. Daquin relève son identité, son adresse, et le relâche. Plus de trace du groupe de la Sécurité publique ni du chuchoteur. L'opération continue. Au bout d'une heure, les équipes de policiers ont contrôlé vingt-cinq bars et trois cent cinquante passants. Pas une interpellation, rien, zéro, résultat nul. Les braqueurs ne sont pas les petits revendeurs de drogue. Le dispositif est levé.

— « Jet d'eau », tu parles, on n'est pas des balayeurs municipaux, on nettoie pas les trottoirs, râle un flic.

— La prochaine fois, on fera moderne, on prendra des karchers pour nettoyer le quartier, rigole un inspecteur, et là, vous verrez, ça sera propre.

En attendant, le grand nettoyage de l'« Opération jet d'eau » a viré à la comédie de l'arroseur arrosé.

Daquin rentre à l'Évêché, d'une humeur massacrante et avec des élancements électriques dans le nerf sciatique.

Vendredi soir, Marseille

De retour dans la cour de l'Évêché, les troupes se scindent en deux groupes. La Sécurité descend vers le Garage, la PJ monte dans ses étages. Daquin grimpe au troisième, en tirant la jambe. Il évite autant que possible toute discussion avec les « collègues » et retrouve Delmas et Grimbert qui l'attendent dans le bureau, en lisant les derniers développements de l'affaire Cartland, qui piétine désespérément, mais tient toujours la une. Brusque changement d'humeur. Oublié le calamiteux « Jet d'eau ». Après deux jours de traques plus ou moins solitaires, c'est le moment de faire le tableau de chasse, il est abondant, et personne ne revient bredouille. Grimbert sort de sa sacoche une bouteille de marsala, achetée à l'aéroport de Palerme. Un voyage éprouvant de trente-six heures, un bateau, une navigation de nuit hasardeuse, et deux avions, Malte est encore au bout du monde. Il sert le vin dans des gobelets en plastique :

— Les Siciliens l'appellent le vin de méditation.

— J'en ai bien besoin, grogne Daquin. Vous aussi, sans doute.

Le bureau est une bulle protégée et fraternelle au milieu du grand brouhaha désordonné des retours d'opérations. Au fur et à mesure que l'heure avance, le bâtiment se vide peu à peu de ses occupants et retourne au calme. Daquin se sent mieux. Cette routine-là, entre hommes, lui convient.

Pendant que chacun sirote son premier verre, Grimbert parle de Pieri.

— Un personnage. À la pointe de la modernité, en un sens. Blanchiment, évasion fiscale, pétrole, pavillons de complaisance, il a tout compris de l'économie de demain. Et il réalise tout ça avec une équipe de vieux truands sur le retour et de membres de la famille corse. Un peu du bricolage de génie avec les moyens du bord. Ça a marché un temps, jusqu'à ce qu'il tombe sur plus coriace probablement. Un gars vraiment outillé. Un pro qui l'élimine et reprend la main.

Longs échanges d'informations, beaucoup d'anecdotes, pas de pression, on prend son temps en dégustant le vin de méditation. Daquin raconte brièvement la saisie d'armes sur le *Santa Lucia*, évoque la possibilité d'un maillon chypriote dans un réseau plus large, s'étend plus longuement sur le pseudo-docker qui vient s'abriter à l'Évêché.

— Grimbert, ça relève de votre compétence. Le patron m'a dit d'oublier. Qu'est-ce qu'on en fait ?

— Compte tenu des antécédents de Simon, et du point de chute à l'Évêché, la présence du SAC dans l'opération, pour moi, n'est plus une hypothèse, mais une certitude. Après, on peut imaginer deux scénarios. Scénario à faible intensité : Simon connaît la nature de

280

la cargaison du *Santa Lucia*, sans être vraiment impliqué dans le trafic. Quand il apprend la mort de Pieri, il saute sur l'occasion de faire revenir le bateau à Marseille, et de récupérer quelques armes pour le SAC. C'est une opération « à un coup ». Scénario sous haute tension : le SAC collabore avec un clan marseillais dans un circuit régulier de trafic d'armes dont Chypre est une étape. On pourrait le savoir si on enquêtait, ce qui me semble difficile, et il est peu probable qu'on nous laisse faire. Dans les deux cas, le SAC sait depuis le mardi 13 mars, c'est-à-dire bien avant nous, que le *Santa Lucia* est en route pour Marseille avec une cargaison d'armes à son bord. Je pense que nous tenons là l'explication des pressions de Leccia. Avec ce que nous savons maintenant, témoignages et preuves à l'appui, si nous n'arrivons pas à avoir la paix… c'est que je suis un incapable.

À la fenêtre, c'est la nuit, à peine teintée de mauve par les lumières de la ville.

— Bien, dit Daquin. Maintenant, passons aux choses sérieuses. Grimbert, à vous. Racontez-nous le versant maltais de l'épopée de votre héros marseillais.

— Impossible pour l'instant d'identifier les bénéficiaires des trafics Somar, je n'ai trouvé aucune liste nominale.

Grimbert raconte brièvement comment s'articulaient la Somar, la Serval et la banque de l'Archipel, et la visite d'un Français, peut-être Micchelozzi, probablement Micchelozzi, deux jours après l'assassinat de Pieri. Les clients de la Somar sont des rapides.

Delmas demande si l'on continue à chercher les noms. Grimbert répond :

— Je crois que nous avons mieux à faire. Le pétrole.

281

Pieri était copropriétaire de deux pétroliers. Ce qui représente une belle somme, certainement. Son associé, dont nous ignorons tout, mais qui réagit avec une rapidité stupéfiante, liquide l'association et vend les pétroliers par avocat interposé dans les trois jours qui suivent l'assassinat de Pieri. Qu'est-ce que vous en dites ?

— On n'a là-dessus que les déclarations d'un témoin de deuxième ou troisième main.

— Vrai. Mais les deux gérants maltais ne me semblent pas en mesure de concevoir et de gérer de grosses arnaques financières.

— Assez convaincant.

— Si je me laisse aller, je me dis que l'associé savait que Pieri allait être assassiné avant que cela n'arrive. C'est le commanditaire que nous cherchons.

— Au même moment, l'Iran bouleverse le marché du pétrole. Nous pouvons tenter un rapprochement ?

— Beaucoup trop hasardeux. Nous ne parlons que de deux tankers de taille moyenne. Rien à voir avec les supertankers qui chargent le pétrole en Iran.

— Le Mossad s'intéresse aussi au pétrole semble-t-il, ajoute Daquin, et cela fait sensation dans le petit bureau.

Daquin sort la page de journal envoyée par le consulat français de New York, donne toutes les informations dont il dispose, et ses interrogations, puis :

— N'oublions pas Frickx. Il travaille avec Pieri, il est incontestablement mêlé à l'assassinat de Simon, qui comptait sur lui pour régler l'avenir de la Somar, il est très lié avec David. Pourquoi ne serait-il pas l'associé que nous cherchons ?

282

— Les traders de matières premières ne « travaillent »
pas le pétrole.

— Jusqu'à maintenant. Mais si le marché bouge, ils
sont peut-être en train de s'adapter.

« Messieurs, je résume. Frickx est un personnage
considérable. Le pétrole est un domaine auquel nous ne
connaissons rien, c'est le terrain de jeu des superpuis-
sances, de leurs services secrets et de diverses officines
privées. Il nous reste cinq jours, et nous ne pouvons
espérer aucun appui dans la maison. Conclusion ?

Grimbert sourit :

— On continue sur cette voie, commissaire.

Dernière tournée. La bouteille de marsala est vide, et
la nuit noire.

Delmas quitte le bureau le premier, Daquin rêvasse
debout devant la fenêtre, Grimbert range les verres,
nettoie les bureaux. Quand ils sont tous les deux seuls,
Daquin se retourne :

— Je peux vous retenir encore quelques minutes ?

Grimbert se rassoit :

— Vous plaisantez, commissaire ?

— Cet après-midi, pendant l'opération foireuse de la
Belle de Mai, je faisais un contrôle quand j'ai été bousculé dans le dos par un groupe de la Sécurité publique.
J'ai pris un coup dans les reins, pas grave, mais l'intention était de faire mal, et au même moment quelqu'un
me murmurait dans l'oreille : « Tiens-toi tranquille,
pédé, sinon… »

Grimbert fait craquer les articulations de ses mains.

— Comment avez-vous réagi ?

— J'ai agrippé le bonhomme que j'avais devant moi,
et qui était en train de se tirer, je le sentais de mèche
avec les agresseurs. Voilà son identité : Pierre Henri, né

en 1932 à Marseille, demeurant 11 rue Crudère, employé à l'OM. Évidemment, je n'ai pu identifier aucun des agresseurs. Qu'est-ce que vous pensez de l'incident ?

— Une opération d'intimidation brutale et grossière, dans le style du SAC de Marseille, sensiblement différent de celui de Leccia. Sans aucun doute liée à l'affaire des armes du *Santa Lucia*. Nous avons les agendas et les carnets de Simon, saisis pendant la perquisition à son domicile. Voyons si nous y trouvons trace de ce Pierre Henri.

Grimbert sort les carnets d'adresses d'une des armoires, les pose sur le bureau, les deux hommes se penchent dessus. Les noms ne sont pas regroupés par ordre alphabétique, mais par groupes de base. Au bout de quelques minutes, Daquin signale :

— Pierre Henri est bien là.

Il montre la liste des noms qui figurent dans le groupe d'Henri à Grimbert qui en souligne un.

— Bartoli… je le connais bien. C'est l'ouverture que j'attendais. Je vais m'en occuper. Et ne vous formalisez pas de vous être fait traiter de pédé, ici, c'est une injure courante.

17

Samedi 24 et dimanche 25 mars 1973

Samedi matin, cap Ferrat

Quand le téléphone sonne, vers 9 heures, David et Emily sont dans la cuisine, comme la veille, et prennent le petit déjeuner. Emily déclare avec un grand sourire :

— Réponds David. Moi, je suis partie faire des courses.

David hésite, décroche. Sans surprise, c'est Michael :

— Emily n'est pas là ?

— Non. Partie faire des courses.

— Si tôt ?

— C'est le week-end, il y a du monde, elle voulait éviter les heures d'affluence.

De l'autre côté de la table, Emily approuve en riant. Michael continue :

— C'est aussi bien. Nous pouvons parler librement. Tu vas lui dire deux choses. D'abord, je pars dans quelques minutes pour Joburg et Pretoria. Je verrai son grand-père, et je le saluerai de sa part.

— Parfait. Autre chose ?

— Genève. Notre nouvelle maison. Tu notes l'adresse ? Route de Lausanne, à Bellevue. La terrasse donne sur le lac et le mont Blanc, une splendeur. Je serai de retour à partir du 29, dis-lui de venir me rejoindre à cette date.

— Je note l'adresse. Mais tu sais qu'elle ne veut pas y aller.

— À toi de la convaincre.

— Je ne sais pas si tu connais bien ta femme.

— Je la connais très bien. Je sais qu'elle est capable de vouloir rester à Nice. Mais j'ai résilié le bail de la villa. Elle doit l'avoir vidée pour le 31 mars. Elle n'aime pas Milan. Donc elle viendra à Genève. C'est simple. Bon, je suis pressé, tu lui fais toutes sortes de gentillesses de ma part. On se revoit à mon retour.

Michael a déjà raccroché.

— Qu'est-ce qu'il a dit ?

— Il va voir notre grand-père à Joburg.

— Et puis ?

— Il t'attend à Genève à partir du 29 mars.

— Je n'irai pas.

— Il a résilié le bail de la villa au 31 mars.

David s'attend à des hurlements. Emily est très calme. Elle refait du thé, sert deux tasses, ouvre un nouveau paquet de biscuits.

— Asseyons-nous, et causons. (David s'assied.) Nous venons de nous rejouer quelques moments de notre adolescence, en beaucoup mieux. Ce fut une parenthèse inespérée. Je t'en suis très reconnaissante. Maintenant, c'est fini, retour au réel. Je suis une femme mal mariée. Et toi, qui es-tu ?

David met du temps à trouver la réponse.

— Quand je ne suis pas ton cousin, je suis un ami de Michael. Je l'ai rencontré par hasard un soir dans un bar de Joburg, nous avons beaucoup bu ensemble, puis je l'ai croisé plusieurs fois ces dernières années. Quand Pieri a été assassiné, nous étions ensemble en Afrique du Sud. Il savait qu'il ne pourrait pas te tenir compagnie, à cause d'affaires très importantes en cours, qui ne pouvaient être retardées. Il m'a demandé de venir. J'ai accepté. Je ne le regrette pas. Entre lui et moi, il n'a jamais été question de Genève, et je n'envisage pas de t'enlever pour te traîner là-bas par les cheveux.

Emily réfléchit en buvant une, deux, trois tasses.

— Grâce à toi, je vais bien, très bien. Tu peux partir quand tu veux, mais tu peux rester ici autant que tu veux, à une condition : tu ne me parles plus de Genève. Moi, j'emballe mes affaires, et je cherche un garde-meuble et du travail à Nice. On verra bien. Je gérerai au jour le jour. Ne fais pas cette tête, David, c'est moi qui suis dans les ennuis, pas toi. Viens, on va se baigner. Autant profiter des derniers jours.

Dimanche soir, Joburg

Demain lundi, Frickx a rendez-vous avec les ministres sud-africains concernés par la question du pétrole, à Pretoria. Mais avant, il a tenu à voir Weinstein qui lui a donné rendez-vous chez lui, dans les quartiers résidentiels et protégés de la ville, en fin de journée. Leur première rencontre depuis sa rupture avec Jos. Difficile à gérer. Jos et Weinstein sont très liés. Deux hommes de la même génération, la même conception des affaires : s'appuyer sur des entreprises fortes, établies, des collaborateurs dévoués, et se méfier des francs-tireurs. Mais Weinstein sait aussi que Frickx a été l'artisan de l'extension du réseau africain de la

Société des Mines d'Afrique du Sud jusqu'au Sahara comme de la création des premières implantations de la Société hors d'Afrique et d'une direction régionale décentralisée en Australie. Un beau succès, en moins de dix ans. Weinstein n'est pas aveugle, et plus ouvert au changement que Jos. Et puis Frickx est l'époux de sa petite-fille bien-aimée. La partie reste ouverte. Il faut la gagner. Il avale deux pilules roses quand la voiture pénètre dans la grande propriété de Weinstein.

Weinstein l'attend dans son bureau. Bibliothèque en bois sombre bourrée de livres dont beaucoup ont été lus, grand bureau massif, fauteuils et canapé en cuir, épaisse moquette. Un décor de club londonien. Le Vieux a toujours adoré les références à l'Angleterre. Un valet noir en habit noir vient servir des whiskies. Frickx pense que, décidément, il n'aime pas l'Angleterre.

— Merci de me recevoir si vite. Je tenais à vous parler de mon départ de CoTrade.

— Cela me semble la moindre des choses. Nous avons fait d'excellentes affaires tous les deux pendant six ans, j'ai beaucoup d'estime pour vous, mais Jos est mon ami, et j'ai donné la main de ma petite-fille à l'homme en qui il voyait son héritier. Il était ici il y a deux jours. Il vit votre départ comme une trahison. Je l'ai trouvé profondément blessé, dans son être.

— Je ne l'ai pas trahi. À aucun moment, pas une seule fois. Depuis 1969, j'ai construit patiemment des réseaux dans le marché du pétrole, avec l'accord de Jos, dans le cadre d'une filiale de CoTrade, que j'ai créée en 1970, avec son accord, en toute loyauté, la Fimex. La situation internationale, pendant ces quatre années, a évolué. Le marché international du pétrole va flamber et échapper au monopole des grandes compagnies, ce sont des évidences pour quiconque regarde la situation actuelle en face. Il faut s'adapter à ces évolutions, on ne peut pas continuer à appliquer tout le temps les mêmes formules. En devenant avant tout le monde des acteurs majeurs du marché libre, nous avons aujourd'hui l'opportunité de mener une fabuleuse opération de trading, avec des centaines de millions de dollars à la clé à très court terme, et des milliards à moyen terme. Des milliards, vous m'entendez ? Le réseau que j'ai construit ces dernières années avec CoTrade n'est pas assez solide pour mener l'opération tout seul, mais il permet de la lancer. Qu'est-ce que je fais ? J'appelle Jos pour discuter de la mise en œuvre avec lui. Il refuse, non pas de faire l'opération, il refuse de m'écouter, il me raccroche au nez. Il ne sait rien de ce que j'entreprends parce qu'il n'a rien voulu savoir. Et il m'a humilié par son attitude méprisante.

Il y a un long silence pendant lequel les deux hommes boivent quelques gorgées de whisky, les yeux dans leur verre. Puis Frickx se lance :

— J'ai rendez-vous demain avec les ministres concernés à Pretoria. Je sais que je vous dois beaucoup. Ils me reçoivent avec bienveillance parce que je suis entré par alliance dans votre famille. Acceptez-vous que je vous informe sur le contenu des discussions à venir avec eux ?

Le vieux se racle la gorge, se cale dans son fauteuil.

— Allez-y.

Frickx marque un premier point. Pas de bêtise, profil bas, j'ai fait la moitié du chemin, je le connais, il ne résistera pas au chant des dollars. Il se penche vers sa sacoche, sort un épais dossier soigneusement préparé avec Pélissier, son banquier. Il glisse une chemise vers Weinstein.

— Les enjeux internationaux, les points que j'évoquais tout à l'heure, études chiffrées. Souhaitez-vous que je développe ?

— Non. Laissez-moi ces papiers, j'y jetterai un œil. Venez-en à l'essentiel, c'est-à-dire Frickx and Co., nous sommes attendus pour dîner.

Frickx expose le quasi-monopole du trading du pétrole iranien qui lui est acquis. La clientèle des raffineurs indépendants en Europe, en pleine expansion, auxquels il peut assurer du pétrole moins cher tout en maintenant un profit plus élevé grâce à un accord secret de coopération avec Israël « sur lequel je ne suis pas autorisé à communiquer », précise-t-il. Et la signature le lendemain d'un contrat de quasi-exclusivité avec le gouvernement d'Afrique du Sud.

— Quel est l'intérêt de l'Afrique du Sud ?

— Le gouvernement a besoin d'assurance et de stabilité. Il a étudié l'évolution de la situation aux États-Unis, les luttes pour l'égalité des droits de la population noire. Il sait que sa politique d'apartheid est critiquée à l'international. Il sait aussi qu'il a absolument besoin de pétrole, en particulier pour son armée. Sur le marché du pétrole le trader Frickx and Co. jouera un rôle d'écran et le mettra à l'abri de toutes représailles. Avec un bon trader, plus personne ne sait d'où viennent les marchandises ni où elles vont. Le gouvernement sait aussi que je travaille avec l'Iran et Israël, deux alliés, pour lui c'est un gage de sérieux, et pour l'Iran, c'est l'assurance d'un débouché que les compagnies ne pourront pas boycotter.

— Vous avez un talent indéniable pour la construction de réseaux efficaces. Mais vous jouez très gros, les risques sont énormes si la tendance s'inverse.

— Non, je ne prends aucun risque. Je joue sans risque.

— Vous vous croyez plus malin ou plus chanceux que tous les autres ?

— Pas du tout. Je suis simplement mieux informé. C'est la clé. Je sais que l'OPEP augmentera le prix du pétrole à l'automne prochain. Ce n'est pas un pari, c'est une information. Je ne sais pas encore si les prix de base seront fixés à trois, ou quatre fois les prix actuels, de toute façon ce sera bien au-dessus de ce que je signe en ce moment, et je saurai le montant exact avant les autres, avant les compagnies elles-mêmes. J'ai mis quatre ans à créer mes réseaux d'information. Ils sont en place. Et quand la tendance s'inversera, ce qui arrivera un jour, je le saurai encore avant les autres, et je jouerai à la baisse. Vous voyez, le jeu est facile. Je peux aussi dire, sans me vanter, que je suis plus travailleur que mes concurrents. Vous m'avez vu faire pendant six ans, vous savez. Depuis trois jours que la décision iranienne est connue, j'ai déjà fait le tour de mes futurs clients et signé de gros contrats en Italie et en Espagne. Et demain, je l'espère, avec l'Afrique du Sud. En cinq jours. Quand les concurrents se réveilleront, ce sera trop tard.

— Vous pouvez me laisser ces documents, que je prenne le temps de les regarder ?

Frickx jubile. Weinstein est ferré. Il se débat, je lui laisse un peu de fil, il se fatigue, je mouline, je le remonte. Le chant des dollars. Il me demandera à entrer dans le capital. En toute discrétion. Et quand Jos l'apprendra, par hasard bien sûr, il en crèvera.

— Allons dîner, ma femme nous attend depuis long-temps, nous allons nous faire gronder.

En se levant, le Vieux demande :

— Comment va Emily ?

— Très bien. Je l'ai eue au téléphone hier, elle sem-blait tout à fait remise de cet épisode regrettable. David, son cousin, lui tient compagnie.

Weinstein regarde attentivement Frickx, fait la moue :

— Je l'ai appris par mon secrétaire. Il ne faudrait pas que cela dure trop longtemps, ce tête-à-tête. Ils ont été très proches dans leur jeunesse. Les feux mal éteints… Je ne sais pas si vous connaissez bien votre épouse, Michael. Elle est de mon sang, c'est une femme capable de tout. Autre chose, des amis m'ont dit qu'Emily leur avait vendu ce qu'on appelle de nos jours une œuvre d'art. Ils m'ont montré des photos… Vous êtes au cou-rant ?

Frickx, surpris, hésite, se décide pour la franchise, moins risquée :

— Pas du tout.

— Il faut vous en soucier. Je ne veux pas que ma petite-fille aille se perdre dans ces milieux de cinglés. Je sais que vous êtes très occupé, prenez cependant un peu de temps pour lui en parler, d'accord ? Dites-lui que je souhaite qu'elle cesse ces âneries, et tenez-moi au courant.

18

Samedi 24 mars 1973

Samedi, Marseille

Depuis sa visite «officieuse» à l'appartement de Pieri, Daquin pense fréquemment à cet «ailleurs» où il devait abriter sa vie privée et ses amours, clandestinité oblige. Il se dit qu'il y trouverait peut-être les listes nominales des «blanchis» qui ne sont ni à la Somar, ni à Malte, mais qui existent quelque part, parce qu'on ne peut pas faire tourner une telle machine en se fiant à sa mémoire. Mais il a surtout envie de percer le secret, de découvrir le lieu, s'y promener, toucher les meubles, flairer l'air, être au plus près du mort. Et puis, des surprises sont toujours possibles.

La veille au soir, il a tenté de joindre Thiébaut au téléphone, sans y parvenir. Il l'appelle donc très tôt ce matin, et le réveille. Voix enrouée, grinçante, peut-être un lendemain de cuite, Thiébaut est sur la défensive. Après quelques phrases de courtoisie, Daquin embraye :

— Nous avançons. Mais j'ai absolument besoin de vous. Ici, à Marseille.

— Pour quoi faire ?

— Parlons-en de vive voix. Venez.

Thiébaut grogne, se racle la gorge, tousse, râle, mais il cède. Les journalistes sont par définition des gens curieux. Il aimerait savoir où en est Daquin.

— Aujourd'hui, impossible. Je peux prendre le train de nuit ce soir.

— Je vous attendrai à la gare demain matin.

En arrivant à l'Évêché, Grimbert entre dans un bureau inoccupé de la PJ, et passe un coup de fil à un ami journaliste dans le grand quotidien régional.

— Pierrot, j'ai besoin d'un service. Tu es en compte avec moi.

— Je le sais, épargne-moi tes calculs de boutiquier.

— Un article sur Mairand, le commissaire de la Mondaine, son pote Bartoli, et les histoires de putes.

— Je t'en ai déjà fait un.

— Aujourd'hui, il n'y a rien de neuf, pas encore, mais j'ai besoin d'un coup de semonce. Tu peux broder autour de ce que je t'avais donné la dernière fois. Tu n'as pas tout utilisé. Et bien sûr tu auras la primeur des répercussions.

— Pour lundi ?

— Parfait. Je te le revaudrai.

Pierrot a raccroché.

Daquin, Grimbert et Delmas se retrouvent dans leur bureau. Grimbert a demandé à la brigade financière de leur envoyer leur spécialiste pétrole. Ce sera l'inspecteur Costa qui est chargé de suivre, depuis la création du port pétrolier dans la zone de Fos il y a une dizaine d'années, la criminalité financière liée aux activités portuaires, et le pétrole y prend une part prépondérante. En l'attendant, les trois hommes lisent la presse en silence, avant de se mettre au travail. Deux sujets occupent les pages d'actualité. La remarquable «Opération jet d'eau», démonstration convaincante de l'unité et de la force de la police marseillaise. Les tout nouveaux Groupes d'intervention de la police, en tenue de combat, ont particulièrement impressionné les journalistes qui font les louanges de «ces fils spirituels de James Bond et de Maigret». Daquin se met à rêver. Cet article n'a aucun rapport avec la réalité et cela n'a aucune importance, il n'est pas fait pour ça. L'article a été écrit avant même l'«Opération jet d'eau». Qui n'a d'ailleurs été programmée que pour que cet article soit écrit. Et pourquoi pas projeter l'opération, exposer le projet aux journalistes, qui écriraient leurs articles, et ne pas se donner la peine de faire l'opération? L'efficacité serait la même, et on gagnerait du temps. La page d'à côté est encore entièrement consacrée à la tragédie de Pélissanne, variations sur le thème : les forces de police sont au point mort. Combien de temps les journalistes parviendront-ils à tenir un sujet sur lequel il ne se passe rien?

Tant que le directeur reste polarisé sur cette affaire, l'équipe garde un peu de liberté.

Arrive un homme, la quarantaine bien sonnée, petite bedaine et calvitie naissante, plutôt jovial. Il se présente :

— Inspecteur Costa, de la Financière. Je viens relayer mon collègue. Il paraît que le pétrole vous intéresse. Si vous estimez avoir besoin de moi…

L'accueil est chaleureux.

Les dossiers de la Somar qui touchent à la Mival et au pétrole ont été sélectionnés, et rapportés dans le bureau de l'équipe de Daquin. Les quatre hommes s'entassent sur les trois petits bureaux qui ont été dégagés, téléphones et machines à écrire sont dans les armoires ou par terre dans un coin, la fenêtre est grande ouverte pour échapper à l'asphyxie.

— Il faut travailler vite, annonce Daquin d'emblée. Le patron va nous demander des comptes lundi, mardi au plus tard, au moment où cessera la procédure de flagrance, il faut avoir quelque chose de concret sur le pétrole à lui soumettre à ce moment-là.

Costa répartit les tâches. Trois axes : la structure financière et la chaîne de commandement de la branche pétrole (Costa assisté de Delmas), les circuits physiques des deux tankers (Daquin), les listes des clients et fournisseurs (Grimbert).

Les quatre hommes travaillent en silence toute la matinée. Vers midi, ils ont bien avancé. Grimbert suggère de faire une pause, et que toute l'équipe aille déjeuner chez Étienne. Adopté à l'unanimité.

Toujours la même ambiance chaleureuse. Détente. On ne parle surtout pas boulot : il faut laisser reposer le travail de la matinée, le laisser mûrir à son rythme.

À 13 heures, les quatre hommes se retrouvent de nouveau entassés dans le petit bureau. Aller à l'essentiel, et y aller vite. Au travail. Costa résume :

— La structure financière est classique pour la branche. Les tankers appartiennent à la Misma, société en nom collectif, domiciliée à Curaçao. Associés : Pieri et un inconnu, représenté par Me Jean Charbonnier, avocat à Genève, cabinet Charbonnier et Fils. C'est certainement l'avocat qui est allé récupérer les tankers pour le compte de son client, avant même que Pieri ne soit enterré. Les statuts constitutifs de la société lui en donnent le droit. À noter qu'il a lui-même déposé lesdits statuts. Curaçao, Genève, il faudra beaucoup de temps pour identifier l'associé de Pieri, et sans garantie de résultat.

— Pas le temps, on laisse tomber.

Costa continue.

— La Misma loue les tankers à la Somar, contrat de longue durée, quinze ans, signé en 1970. La Somar les sous-loue à l'année à la Mival, la seule fonction de cette sous-location est de protéger la Somar et délocaliser les bénéfices vers Malte, qui est en passe de devenir un paradis fiscal et un pavillon de complaisance. Les feuilles de route des tankers sont élaborées par la Somar, qui les transmet à la Mival, qui se contente de les répercuter sur les capitaines des bateaux. La Somar ne garde ses archives que pour l'année en cours, tout le reste est expédié à Malte. Je note : la récupération et la vente des tankers, après l'assassinat de Pieri, étaient légales, compte tenu des statuts de la Misma, qu'on dirait fabriqués sur mesure pour la circonstance. Mais pas la rupture unilatérale du contrat de location avec la Somar. Conclusion : l'associé savait que la Somar était essentiellement une lessiveuse qui ne survivrait pas à Pieri. L'associé était donc au moins complice. La récupération des tankers peut-elle constituer un mobile ? On parle d'une somme avoisinant le million de dollars, en copropriété. Donc un bénéfice de l'ordre de 500 000 dollars pour l'associé survivant.

— Une belle somme et un mobile possible.

— Possible, mais peut-être pas suffisant. Trois meurtres en deux jours, à des kilomètres de distance, il faut une sacrée logistique…

Costa continue :

— Pour un tanker, à peu près 800 000 dollars de chiffre d'affaires sur un an, et un peu moins de 200 000 dollars de bénéfice, amortissements non compris, nous n'avons trouvé aucun chiffre sur ce poste. Cela semble mieux que les concurrents.

— La Somar fait toujours mieux que les concurrents.

On passe aux circuits des tankers. Daquin prend la parole :

— Deux tankers, le *Niklos* et l'*Arkos* sont leurs noms pendant les six derniers mois, 35 à 40 000 tonnes, taille dans la moyenne pour la Méditerranée. Dans les deux derniers mois, chaque tanker a effectué six rotations, soit une durée moyenne de dix jours entre deux livraisons. Livraisons à Sarroch, en Sardaigne six fois, Constanţa en Roumanie (à ce nom, Grimbert et Delmas ensemble : «Comme le *Santa Lucia*») trois fois, Valence en Espagne deux fois, Rijeka en Yougoslavie une fois. Tous les clients sont des raffineries indépendantes des grandes compagnies. Les lieux de chargement sont inconnus.

Costa, Delmas et Grimbert, d'une seule voix :

— Comment cela, inconnus ?

— Ils sont indiqués sur les feuilles de route par les lettres A et B. Deux lieux très proches ou identiques, les durées de rotation ne varient pas dans un cas ou l'autre. Il s'agit nécessairement de ports méditerranéens, compte tenu de la courte durée des rotations.

— Ce serait du pétrole de contrebande ? Libye ? Algérie ?

Costa intervient :

— Des rotations aussi régulières, toujours les mêmes clients, cela me semble très improbable, pratiquement

298

impossible. L'origine du pétrole est un point à élucider en urgence.

— Une idée sur la façon de s'y prendre ?

— Retrouver les bateaux, les capitaines, eux savent, évidemment… Mais, comme les tankers sont vendus, et les registres d'enrôlement des marins à Malte, cela peut prendre du temps.

— On n'a pas de temps.

— De toute façon, signale Grimbert, les archives à Malte ont disparu.

Costa reprend :

— La Lloyd's a des bureaux qui enregistrent toutes les entrées et les sorties des navires dans tous les ports du monde. Dont la Méditerranée, qui nous intéresse ici. J'ai de bons rapports avec le correspondant de la Lloyd's pour le port de Marseille. On a le nom des bateaux, les lieux et les dates de livraison… Je peux lui en parler. Avec deux, trois coups de fil, on devrait y arriver.

— Quand ?

— En sortant d'ici.

— Parfait. À vous, Grimbert.

— J'ai noté deux points. Premier point, le pétrole que transporte la Somar est toujours négocié par le même trader, la Fimex, basée à Genève.

De nouveau Costa :

— Genève n'est pas courant pour le pétrole. Actuellement, les traders du pétrole se trouvent à Rotterdam. Ils sont tous plus ou moins des sous-traitants des grandes compagnies, et agissent aux marges, pour ajuster les marchés entre grandes compagnies. Ici, on est loin de ce modèle. Il faut savoir qui est derrière la Fimex. J'ai peut-être une chance en passant quelques coups de fil amicaux hors service à des amis genevois proches du trading de matières premières agricoles. Si le camouflage n'a pas été trop poussé, ils devraient pouvoir me dire…

— Que ferions-nous sans vous, Costa ?

— Je fais le métier, commissaire.

— Deuxième point : les archives qui concernent la Mival et la Serval filent régulièrement vers Malte. Mais nous avons trouvé dans les papiers ramassés pendant la perquisition l'agenda d'un agent comptable dans lequel figure, pour les quatre dernières années, un répertoire des fournisseurs et des clients, avec leurs coordonnées. Un oubli ou une initiative personnelle, pour nous un coup de chance. Pas de miracle, mais d'abord, un grand absent, Frickx, dont Mme Frickx nous a pourtant dit qu'il était en affaires avec Pieri.

Grimbert marque un temps d'arrêt. Daquin commente :

— Deux solutions. Ou Frickx est absent parce que central et protégé, dans ce cas on pourrait même penser qu'il serait l'associé mystère de la société de Curaçao, ou Mme Frickx ment pour protéger ses propres affaires, dont nous ne savons rien. Aucun élément ne nous permet de choisir.

Grimbert continue :

— Ensuite, en 1970, un client apparaît, un certain Stepanian…

Daquin, Delmas et Costa lâchent ensemble un cri de surprise :

— Stepanian, pas possible !

Et Grimbert, satisfait :

— J'étais sûr de faire mon petit effet.

Daquin se tourne vers Costa :

— Vous connaissez Stepanian ?

— Au SRPJ Finances, on ne connaît que lui. Nous enquêtons depuis des mois à la suite d'une plainte qu'il a déposée en 1971 contre les grandes compagnies pétrolières présentes à Fos. Plainte pour abus de position dominante, entrave à la concurrence, fraude sur les marchés publics. Des milliers de pages noircies, il va y avoir un premier jugement bientôt, et l'affaire durera pendant des années, sans déboucher.

— Pourquoi ? Il y a abus oui ou non ?

— Oui, évidemment. Tout le monde sait que les compagnies s'entendent entre elles, se partagent les marchés, ne se font pas concurrence sur les appels d'offres et s'accordent pour éliminer les intrus du type de Stepanian. Les pétroliers et les politiques considèrent que c'est une nécessité dans une branche où les investissements sont considérables. Donc personne ne veut que la procédure débouche sur une condamnation des compagnies. Même si, dans le cas présent, elles ont effectivement contraint Stepanian à déposer son bilan, et ont ensuite géré elles-mêmes sa liquidation à travers le tribunal de commerce qu'elles contrôlent. Situation classique.

— Nous croyions que Stepanian était le patron d'une petite entreprise familiale de distribution de fuel et de vins. Un bougnat, version marseillaise.

— C'est exactement ça.

— Plutôt déséquilibré, le rapport de force. À ce point-là, c'est suspect.

— Je ne vous le fais pas dire. Nous sommes convaincus que le but qu'il recherche n'est pas d'aller au bout de la procédure, mais d'obtenir une compensation financière des compagnies contre un abandon des plaintes. Une sorte de chantage, c'est un petit voyou. Mais vous, de votre côté, pourquoi connaissez-vous Stepanian ?

— Il était un intime de Pieri, et nous avons du mal à le cerner.

— Je peux vous communiquer notre dossier. Il est volumineux, mais pas sûr qu'il vous aidera à trouver des réponses. Je vous laisse, j'ai à faire avec la Fimex et la Lloyd's.

— Delmas va passer prendre le dossier. S'il y a des développements, nous nous tenons au courant par téléphone. En cas d'absence, vous laissez un message au central, on me le transmettra. Rendez-vous lundi, dans ce bureau.

Le dossier Stepanian de la Financière est effectivement volumineux. Dans son zèle à prouver la responsabilité des compagnies dans sa faillite, Stepanian a fourni aux policiers la quasi-totalité des archives de son entreprise. Les trois hommes commencent par le survoler.

Joseph Stepanian reprend donc l'entreprise familiale en 1969, à la mort de son père. Il la transforme en SARL, la Symax. Le conflit avec les grandes compagnies pétrolières Esso et Shell, présentes à Fos, s'amorce dès 1969, car la Symax commercialise son gazole moins cher que les distributeurs affiliés à ces compagnies, qui protestent. En 1970, il passe à la vitesse supérieure, il implante des entrepôts à Fos, et s'implique dans un projet de raffinerie indépendante en association avec d'autres petits distributeurs. Les grandes compagnies lui coupent alors l'approvisionnement, c'est à ce moment-là qu'il entre en relation avec

Pieri qui lui fournit du pétrole, mais pour des raisons inconnues, il ne lui en livre qu'une seule fois, et la société est mise en liquidation judiciaire en 1971, date à laquelle il porte plainte.

— Des remarques ?

— Il apparaît dans le pétrole au moment où Pieri s'y intéresse. C'est le hasard ?

— Le hasard n'existe pas.

— Pourquoi Pieri ne continue-t-il pas à le livrer ?

— D'autant plus surprenant qu'il semble qu'il y ait des liens affectifs forts. Nicolas parle de frère, Casa nous dit que Pieri adorait jouer les pères adoptifs…

— Ne pas oublier non plus l'autre côté, l'épisode du Bar-Tabac. Noël Legras nous dit que Stepanian cherchait des renseignements sur l'enquête Pieri. Les Stups nous intriguent depuis le début de l'enquête. Ils sont présents à la perquisition de la Somar, ils sont au courant avant nous des voyages de Pieri aux États-Unis en 1972, et il est bien probable que les appartements de Maïté et Pieri ont été fouillés avant notre perquisition…

— Mon copain Casa est gêné quand je l'interroge sur Jo Stepanian. Pourquoi ? Il sait que Jo est un proche de Pieri. Il cherche des renseignements sur Pieri. S'il tient Stepanian d'une façon ou d'une autre, il le fait cracher, et il ne veut pas que nous nous en mêlions…

Il y a un moment de flottement dans l'équipe. Daquin réagit :

— D'accord, tout ceci n'est guère limpide, mais nous tenons de plus en plus d'éléments. Plutôt que de gamberger, il faut récupérer Stepanian, et voir ce qu'il a dans le ventre. Le travail sur dossiers n'est pas la partie la plus excitante du métier, mais là, il faut le faire. Pieri et l'Arménien sont des proches. Il faut croiser systématiquement leurs dossiers. Individus, bateaux, entreprises, tous les points de recoupement possibles. Cela nous donnera des billes pour faire parler Stepanian quand nous le tiendrons. Ensuite, le localiser pour ne pas perdre de temps quand nous déciderons de l'arrêter. Vous aviez prévu quelque chose pour votre samedi soir ?

Grimbert sourit.

— Ma femme est partie avec les gosses chez ses parents, au cabanon. Je me demandais justement ce que j'allais faire de ma soirée.

— Et moi, j'avais prévu de tenir compagnie à Grimbert.

— Parfait. Daquin se lève. Je vous quitte, j'ai à faire. Appelez-moi demain, pour me tenir au courant.

Delmas et Grimbert le regardent sortir du bureau.

— Il part en week-end ? grogne Delmas entre ses dents.

Grimbert ne relève pas.

— Je te suggère qu'on commence par localiser Stepanian. J'ai comme l'impression qu'il s'est fait une grosse trouille l'autre jour, à notre annexe, et il a peut-être déménagé. Il faut le loger. Ensuite, on aura toute la nuit pour travailler tranquillement sur les dossiers.

Stepanian a une adresse à Aubagne. Un coup de voiture, une villa tranquille, entourée d'un jardin, dans une rue déserte, un peu à l'écart de la ville. Et vide. Volets fermés, aucun signe de vie. Grimbert pousse la grille, fait rapidement le tour de la maison, aucun doute, personne. Pas de courrier, prospectus ou journaux dans la boîte à lettres :

— On essaie la poste, il a peut-être laissé une adresse

pour faire suivre le courrier. Tu me suis. Il faut y aller franco, sûr de soi, parce qu'on est en complète improvisation.

Au bureau de poste d'Aubagne, Grimbert bouscule une file d'attente, autoritaire et agressif, suivi comme son ombre par Delmas, exhibe sa carte tricolore en se penchant vers la jeune postière, vaguement menaçant, et obtient immédiatement l'adresse à laquelle Stepanian a demandé de faire suivre son courrier.

Vitrolles. Grimbert passe au ralenti devant une villa qui ressemble à la première, un jardin plus petit et moins fleuri, une gamine pédale sur un tricycle, une femme s'active dans une pièce au rez-de-chaussée. Pas d'homme en vue, pas de voiture non plus dans le garage dont la porte à bascule est restée ouverte.

Grimbert fait un tour, revient se garer sur le côté de la route, une cinquantaine de mètres avant la maison.

— Il ne va sans doute pas tarder à rentrer dîner. On s'assure qu'il habite bien là, et on retourne bosser au bureau.

Delmas ouvre sa fenêtre, allume une cigarette, Grimbert surveille la route dans le rétroviseur. L'attente n'est pas longue. Une voiture en vue. Grimbert la suit des yeux, distingue nettement la silhouette d'un seul occupant au volant, un homme au crâne rasé. La voiture s'approche à petite vitesse, puis pile net, demi-tour en dérapant sur les gravillons du bas-côté, moteur hurlant elle fonce dans le sens opposé. Grimbert, surpris, perd du temps, puis démarre, demi-tour, se lance à la poursuite de l'Arménien. Au bout de deux virages acrobatiques, il lâche prise, la voiture a disparu.

— Tu m'expliques ce qui s'est passé ? demande Delmas.

— Je peux te dire simplement ce que j'imagine. Ste-panian, c'était lui, là, dans la bagnole, rentre tranquille-ment dans une maison où il croit s'être mis en sécurité avec sa femme et ses enfants. Il voit une voiture arrêtée dans sa rue déserte, deux hommes dedans. On est à Marseille. À quoi pense-t-il, à ton avis ?

— Il pense que nous l'attendons pour le descendre.

— Oui, il nous a pris pour des tueurs.

— Qui est à ses trousses ?

Grimbert hausse les épaules.

— En attendant, l'Arménien ne rentrera plus chez lui, nous l'avons perdu. C'est une belle connerie.

Samedi soir, Nice

Vers 7 heures du soir, Daquin entre dans le casino du Palais de la Méditerranée. Décor monumental d'une richesse conventionnelle et tapageuse, quelques beaux vitraux 1930 qui ne rachètent pas la banalité du reste. Il commence la tournée du personnel, la photo de David à la main. Pour les caissières, les chasseurs, les employées du vestiaire, elle n'évoque aucun souvenir. Le physionomiste, à l'entrée des salles de jeux, répond d'abord qu'il respecte l'anonymat de la clientèle du casino. Puis il admet qu'il l'a peut-être vu, pour finir par reconnaître qu'il l'a très bien vu, une dizaine de jours plus tôt, pendant une soirée entière et qu'il était même intrigué par son comportement. Le jeune homme passait plus de temps à arpenter l'entrée et la terrasse qu'à fréquenter les salles de jeux, comme s'il attendait quelqu'un. Le physionomiste avait même craint un ins-tant qu'il ne prépare un mauvais coup.

— Cela avait un rapport avec l'assassinat quelques jours plus tard ?

Daquin élude, et fait un tour dans les salles de jeux. Le dossier de David commence à s'étoffer, avec des faits. Faux papiers, présence dans la région, et maintenant passage au casino du Palais de la Méditerranée dans les jours qui précèdent l'assassinat. Un physionomiste fait un témoin crédible devant les tribunaux.

Autour des tables de roulette, de baccara ou de boule, beaucoup de monde, sans doute des vies qui se déchirent, mais dans une atmosphère de bienséance compassée, la signature particulière de ce casino. Une femme, la belle quarantaine, debout, sculpturale dans une robe fourreau noire stricte, montante jusqu'au cou, un seul bijou, un énorme clip en diamant sur l'épaule, maquillée comme pour une ultime représentation, a fait deux pas pour s'éloigner du tapis de la roulette. Immobile au milieu du va-et-vient des joueurs et des curieux, le regard dans le vide, son maquillage se décompose, consumé de l'intérieur par le feu du désastre, plaques roses et brunes sur les joues livides, le rimmel grisâtre déborde sur les ailes du nez, le rouge à lèvres est mangé. Image saisissante. Daquin voit le spectre de sa mère, quinze ans plus tôt. Ma mère, minée par les médicaments, l'alcool et la haine de son mari, mon père. Même visage, celui de la mort à pas lents et sûrs. Il quitte les salles de jeux.

Dîner au restaurant du casino, sur les traces de Pieri et d'Emily. Un loup grillé très correct. Daquin peut comprendre que Pieri ait eu ses habitudes au casino. Mais il ne parvient pas à évoquer le couple ni à apprécier le repas, hanté bien plus qu'il ne le voudrait par le chuchoteur « Tiens-toi tranquille, pédé », à qui, sans

307

comprendre pourquoi, il associe le spectre de la femme en noir. Menace précise ou à l'aveugle ? Il quitte le restaurant sans finir son repas. Les sensations de sables mouvants et d'étouffement reviennent, lancinantes. Rentrer, dormir. Ce ne sera pas facile. Heureusement, il reste une demi-bouteille de cognac dans le fond d'un placard.

19

Dimanche 25 mars 1973

Dimanche, Marseille

Thiébaut est là, comme prévu, à la descente du train.
Daquin l'entraîne au Café de la Gare, ils s'installent à
une table un peu isolée, commandent deux crème et des
croissants, et Daquin attaque immédiatement :

— Nous avons plusieurs pistes possibles. Un temps.
Ce qui, soyons honnêtes, revient à n'avoir aucune piste
sérieuse. Chaque fois que nous avançons dans une
direction ou une autre, il nous manque des pièces
essentielles. La perquisition à la Somar n'a pas donné
grand-chose, et au domicile officiel de Pieri, rien du
tout. J'ai la conviction qu'il existe un refuge, un lieu
préservé où vous vous retrouviez et vous aimiez librement. Les pièces manquantes sont peut-être là. Il faut
que vous m'y emmeniez.

Thiébaut s'est immobilisé, figé :

— Pourquoi supposez-vous qu'un tel lieu existe ?

— J'ai visité l'appartement de Pieri. Une habitation
de passage. Je suis prêt à parier que vous n'y avez
jamais mis les pieds. Il existe forcément un envers de
ce décor.

— Si ce lieu existe, pourquoi ne serait-il pas à Paris ?

— Pieri est corse et marseillais, je le sens peu transplantable.

— Il ne l'était pas. Un silence. Ce lieu existe, à Marseille. Je n'y suis pas retourné depuis la mort de Maxime. Je n'avais pas l'intention d'y retourner, jamais. Depuis votre coup de fil, je n'arrête pas d'y penser. Il se lève sans regarder Daquin. Allons-y.

Ils montent dans la voiture dont dispose Daquin. Thiébaut indique la direction des calanques. Pas un mot n'est échangé pendant le trajet. Ils passent au-dessus du vallon des Auffes et du restaurant L'Épuisette, Thiébaut ne bronche pas, déjà ailleurs. Un peu plus tard, ils arrivent au bout de la route, à Callelongue. Thiébaut fait signe à Daquin de garer la voiture sous un appentis. Ils en sortent par la porte de derrière, et suivent pendant une centaine de mètres un sentier pentu dissimulé dans la rocaille. Puis, derrière une barre rocheuse, apparaît un cabanon, une construction fragile sur deux niveaux. L'entrée est cachée sous une véranda entièrement noyée dans des liserons, aux fleurs bleues et violettes. Thiébaut se penche, prend une clé sous une pierre, ouvre la porte. Ils entrent directement dans une pièce unique qui occupe tout le rez-de-chaussée, plancher en bois, murs en bois, le regard est attiré vers la façade, une immense baie vitrée qui ouvre sur une terrasse en bois posée sur les rochers. Au-delà, la vue est somptueuse. Sur la gauche, une forteresse de calcaire blanc éblouissant, sans une trace de vert, sans une trace de vie, une de ces parois descend à pic jusqu'à la côte rocheuse, découpée en dentelle, prolongée par quelques îles désertiques noyées dans une mer d'un bleu violent qui s'imprime sur la rétine et semble déteindre à l'horizon sur le bleu plus pâle du ciel. Daquin reste plusieurs secondes muet, immobile, à s'imprégner du spectacle. Une percée sur un autre monde. Pieri était cet homme qui avait choisi de venir vivre, aimer, travailler dans ce paysage. Souvenir de la carte des calanques accrochée dans sa chambre, Callelongue devait en être le centre. Le centre de sa vie.

Thiébaut a fermé les yeux. Il respire à fond deux fois, puis désigne d'un geste l'escalier à claire-voie au fond de la pièce.

— La chambre et le bureau sont en haut. Je n'y monte pas. Pas maintenant.

Il ouvre la baie, passe sur la terrasse, tourne le dos au cabanon et s'assied dans un fauteuil face à la roche, face à la mer.

Daquin monte. Comme au rez-de-chaussée, une pièce unique, au fond une salle de douche isolée par une paroi vitrée, et un lit immense. Il sourit, je le savais. En façade, trois petites fenêtres à mi-hauteur, et juste sous les fenêtres, une planche bureau posée sur des colonnes de tiroirs de rangement occupe toute la largeur de la pièce. Sur le plateau, une machine à écrire, un gros poste de radio avec lecteur de cassettes relié à deux baffles, une trentaine de stylos et de crayons en vrac, plusieurs blocs de papier, quelques photos coincées dans des cadres, toutes de Thiébaut, aucune de Pieri, frustrant. Et trois dossiers posés sur la droite du bureau, sans doute ceux sur lesquels il travaillait ces derniers jours.

Sur le premier dossier, un nom écrit à l'encre bleue : Emily. Daquin l'ouvre. Projet d'achat d'une galerie d'art à New York. Un compte rendu des démarches

311

entreprises et de leur avancée, ainsi que le nom du cabinet d'affaires qui gère le dossier, à New York. Dans le quartier de SoHo, local repéré, premiers contacts établis, amorce de négociation sur le prix, accord en vue. Qui sera l'acheteur ? Dans le dossier que Daquin a sous les yeux, il figure sous le sigle AB. Comme les ports où s'approvisionnent les tankers de la Mival. Coïncidence ? Manque d'imagination ? De toute façon, les relations entre Pieri et Emily prennent une consistance inattendue. Frickx est-il au courant ? Les affaires de Frickx et celles d'Emily communiquent-elles ? Dans ce cas, elle pourrait être complice de l'assassinat ? Les derniers voyages à New York avaient-ils comme objet l'achat d'une galerie d'art ? La fable d'une rencontre due au hasard à Villefranche ne tient plus une seule seconde, si elle a jamais tenu. Emily, son accueil chaleureux, son corps épanoui de plaisir, son cousin amant et guerrier, son mari trader et peut-être assassin, son ami Pieri truand assassiné. Je suis perdu, aucun point de repère. Il faut la revoir. Une rencontre qu'il appréhende. Les femmes sont opaques. Daquin met le dossier de côté.

Deuxième dossier : Nicolas. Renseignements sur les procédures à suivre pour devenir officier de la marine marchande sur les grands paquebots, stages, formulaires à remplir. Pieri en bon père de famille. Je le transmets à Maïté ? Incapable de prévoir sa réaction. Je le laisse ici.

Troisième dossier : Stepanian. Intéressant, voyons. Il l'ouvre. Le contenu semble à première vue décevant, composé essentiellement de coupures de presse annotées en marge. Daquin les parcourt. Les premières, qui viennent de revues spécialisées sur l'économie de la branche pétrole, datent de l'été 1970, et portent sur la création d'une raffinerie sur l'étang de Berre par un regroupement de distributeurs indépendants dont Stepanian apparaît comme le chef de file. Le projet prévoit la reprise et la remise en route d'une première installation qui a fait faillite. Les journalistes parlent tous d'une opération hasardeuse et mal menée. Un article fait précisément les comptes entre les investissements nécessaires et la couverture des diverses entreprises parties prenantes, et conclut au caractère irréaliste du projet. Le tableau chiffré a été entouré à l'encre rouge. En marge, une série de notes manuscrites indéchiffrables. Deux autres articles, datés de 1971, publiés dans la lettre confidentielle *Info Éco Avenir*, signés Pascal Thiébaut, ont la même tonalité. Les suivants, datés de 1972, traitent de la plainte pour abus de position dominante déposée par Stepanian, et évoquent en termes plus ou moins clairs une tentative de chantage. Daquin met le dossier de côté.

Puis il passe à l'examen des tiroirs. Dans les trois tiroirs de droite, des dossiers empilés, certains très anciens. Il les examine tous, un par un. Le cabanon a été acheté en 1961, avant la rencontre avec Thiébaut. Pieri est passé par une série d'intermédiaires, pour ne pas apparaître. Les cures de désintoxication de Nicolas, dans des cliniques de rupins. L'achat de la maison de la grand-mère à Calenzana, puis, plus récemment, celui d'une propriété à Calvi, enregistrée au nom de Maïté. Un cadeau ? Quelques photos, maison traditionnelle corse, dans les hauteurs, vue magnifique sur la baie et le port.

Aucune trace des listes nominales des bénéficiaires des comptes de blanchiment de la Somar.

Dans les tiroirs de gauche, des cassettes soigneusement étiquetées, parfois de la main de Pieri, et rangées par genres. Du jazz manouche. Plus étonnant, presque tout l'œuvre de Purcell et de Lalande. Amateur des voix de haute-contre ? Dans un autre tiroir, de la chanson française, Brassens, Brel, beaucoup d'autres, du très classique, surtout des voix d'hommes, et, entre Nougaro et Moustaki, une cassette dont l'étiquette est blanche. Daquin prend la cassette, la glisse dans le poste de radio, touche lecture.

Une voix d'homme parle américain avec un accent épais.

— Je suis content de te revoir Maxy, après tout ce temps. Le vieux Tommy t'aimait beaucoup, il disait que tu étais la sagesse, et Tonio la force.

— J'ai bougé depuis la mort d'Antoine...

Daquin coupe le son. Coup de chaleur, Maxy, Maxime, Tonio, Antoine. C'est la voix de Pieri. Pas de photo, mais une voix. Grave. De l'autre côté de la mort. Daquin se penche par la fenêtre. Thiébaut s'est assoupi dans son fauteuil, allongé au soleil. Il réenclenche la cassette, en baissant le son.

— ... Je suis dans les affaires.

— Oui. On le dit. Pourquoi tu voulais me voir ?

— À Marseille, ça bouge beaucoup. Nos correspondants ont été virés, les flics déclenchent la guerre contre ce qui reste de la French. Il se dit que les ordres viennent de chez vous. Alors, je viens te voir, pour te demander si tu sais ce qui se passe, si je dois me mettre en sécurité.

Pieri parle un américain fluide, la voix est posée, elle a de la présence, de l'épaisseur.

— Tu as raison de t'inquiéter, Maxy. Les temps ont

changé ici aussi, à New York. Les ennuis des Français viennent de Trafficante.

— Antoine n'a jamais travaillé avec lui.

— Laisse-moi t'expliquer. Trafficante a un bon ami, avec qui il est pote depuis Cuba, avant les barbus. Des histoires de dettes de jeu, je ne sais pas précisément. Et cet ami est devenu président des États-Unis, un peu grâce à Trafficante qui a été son agent électoral en Floride.

— Nixon ?

— Lui-même. Il a d'énormes besoins d'argent, pas seulement pour la CIA, aussi pour ses hommes de main personnels. C'est un maniaque, espionnite aiguë, un passe-temps qui coûte cher.

— Et alors ? Je ne vois toujours pas en quoi cela nous concerne, nous les Marseillais.

— Trafficante est en train de monter un circuit de la cocaïne d'Amérique du Sud aux States, en entrant par la Floride, par chez lui. Et il propose à Nixon de lui verser une commission au passage.

— Nixon narco ?

— Non, simplement un homme politique qui a de gros besoins, comme je te l'ai dit. Où veux-tu qu'il prenne de l'argent si c'est pas dans notre poche ? Ça se voit moins qu'ailleurs.

— D'accord. La suite ?

— Trafficante paie, mais à une condition : que Nixon l'aide à éliminer la concurrence de l'héroïne française, pour faciliter l'installation de la cocaïne américaine. Tu me suis, Maxy ?

— Je te suis, continue.

— Notre président s'est déchaîné dès son arrivée à la Maison-Blanche. La drogue, l'héro en fait, la coke il n'en parle pas, l'héro donc est l'ennemi public numéro un, notre jeunesse est en danger de mort, le grand jeu. Et la faute à qui ? Aux Français. Les labos et les caïds sont tous à Marseille. Un pays de dealers. Il a dénoncé nommément Tonio, qui était mort depuis trois ans, comme étant le caïd des caïds.

— Oui, je me souviens d'avoir lu des échos, ici ou là, dans des journaux. Je les avais pris pour des mauvais scénarios de films américains.

— Tu as eu tort. Comme il trouvait que votre gouvernement et vos flics ne réagissaient pas assez vite, les nôtres ont monté toute une histoire, ils ont arrêté un passeur qui aurait été un homme du SDECE…

— C'est une ânerie. Ça ne marche pas comme ça.

— Aucune importance. Ça a fait un scandale énorme chez nous. Votre président est venu en voyage ici, il y a deux ans à peu près. Il s'est fait invectiver par la foule. À son retour, il a déclenché la guerre à Marseille, Nixon avait gagné. Et vos flics vont avoir des résultats. Tu sais pourquoi ?

— Je m'en doute. Rien de neuf sous le soleil. Trafficante est à la manœuvre.

— Exact. Il donne tous ceux qu'il connaît. Ça aide les flics.

— Il ne me connaît pas.

— Il faut voir plus large. Si tu veux te protéger, coupe tous tes rapports avec tous ceux de chez vous que Trafficante a connus, tous ceux qui sont passés par Cuba ou la Floride.

— Compris. Merci. Et toi, Victor, comment tu te protèges ?

— Moi, je ne me fais pas trop de souci. Tous ces derniers temps, le NYPD a multiplié les petites prises d'héro, pour obéir aux ordres, et c'est moi qui suis chargé de la revente en ville des saisies sous scellés, un travail juteux et tranquille. Je suis couvert par les deux huiles du FBI, les deux que tu as connus. Clark et Walter, tu te souviens? Tant qu'ils sont incontournables, je suis intouchable.

Pieri émet un son bizarre, et l'enregistrement s'arrête brutalement. Le reste de la bande est vierge. Daquin met quelques secondes à reprendre pied, secoué par la voix d'outre-tombe. Il vérifie : Thiébaut dort toujours. Il récupère la cassette, la pose devant lui sur le bureau. Les derniers voyages de Pieri aux États-Unis, pas seulement pour acheter une galerie d'art. Une plaquette de dynamite, ou un pétard de farces et attrapes? Qui est l'interlocuteur? Ce prénom, Victor, lâché dans les tout derniers échanges comme un indice qui me serait destiné, à moi, le complice secret et silencieux… Les arrestations massives à Marseille six mois après cet enregistrement. Troublant. Pieri cherche à se protéger et à protéger Simon, vraisemblablement. «Nos correspondants ont été virés…» Pourquoi enregistre-t-il? Cette bande est-elle l'objet que recherchaient les Stups pendant la perquisition de la Somar, sans bien savoir sous quelle forme il se présentait? Je ne suis pas capable de comprendre comment cette bande s'articule sur mon enquête, et encore moins capable de savoir qu'en faire. Outre-Atlantique, trop lointain, trop compliqué. Je ne dois pas me laisser engloutir dans les sables mouvants. Une chose après l'autre. D'abord, planquer cette cassette. Pieri l'a enregistrée pour moi, pas pour Thiébaut. Il la glisse dans une poche intérieure de son blouson, ramasse les dossiers Emily et Stepanian, jette un dernier regard au grand lit, «Pieri n'était

317

ni débutant, ni complexé », disait Thiébaut. Il avait même sans doute un sacré talent. Un soupçon de regret de ne pas l'avoir connu ? Évidemment. Plus qu'un soupçon. Il descend rejoindre Thiébaut sur la terrasse.

Celui-ci se réveille lorsque l'ombre de Daquin se projette sur son visage. Il se redresse :

— Alors ?

— Je ne sais pas si j'ai trouvé ce que je cherchais. Il faut que je replonge dans mes notes. J'ai descendu deux dossiers que je voudrais emporter avec votre autorisation. Voici le premier. Il le lui donne. Il concerne les affaires d'une jeune femme, celle qui était au côté de Pieri le soir de sa mort. Apparemment, il l'aidait à acheter une galerie d'art à New York. Rien de personnel dans le dossier. Je vous demande l'autorisation de le lui remettre en mains propres.

Thiébaut le parcourt attentivement, page par page. Un brin de jalousie ? Puis rend le dossier à Daquin.

— D'accord.

— Voilà le second. Savez-vous pourquoi Pieri s'intéressait à Stepanian ?

Thiébaut prend le dossier, l'ouvre, voit qu'il est composé d'articles de presse, le parcourt très vite en diagonale, tombe sur ses propres articles.

— Je ne savais pas que Maxime lisait mes articles. Il ne m'avait jamais parlé de Stepanian, mais moi je lui en ai parlé, je m'en souviens très bien. J'avais travaillé sur sa tentative de raffinerie indépendante, un projet dans l'air du temps, mais un échec annoncé. Le pétrole est un fleuve d'or et de dollars, mais c'est un produit industriel, pas une machine à sous. Stepanian flairait l'or mais avait une mentalité de joueur de casino. Pour gagner dans le pétrole, il faut d'abord mettre beaucoup,

beaucoup d'argent. C'est une branche dans laquelle les PME n'ont pas leur place. Stepanian n'avait aucune surface, aucun soutien bancaire, et ses alliés étaient des bras cassés, comme lui. Ensuite, il faut connaître le produit, son infinie diversité, il n'est pas facile à transporter, à stocker, il s'évapore, s'enflamme. Il est difficile à transformer, si l'on veut produire de la qualité constante. Stepanian ignorait tout de ce processus. Il pensait que faire de l'essence, c'était à peu près comme produire du pastis clandestin, ce qu'il avait dû faire dans l'arrière-cour de son magasin. Enfin, il faut avoir des réseaux stables d'approvisionnement et de vente, ce qui, à l'heure actuelle, est encore très difficile, voire impossible, hors des grandes compagnies. Sur ce point, Stepanian prétendait avoir un fournisseur régulier, très en dessous des prix habituellement pratiqués. Mais apparemment, cela n'a pas fonctionné. Stepanian était un joueur et un tricheur, pas un homme d'affaires.

— Les annotations manuscrites en marge sont bien de la main de Pieri ?

— Oui. Il semble que je l'avais convaincu. Par contre, comme racketteur, je pense que Stepanian sait y faire. Avec son procès aux grandes compagnies, il va parvenir à leur extorquer un peu d'argent. Quel est le rapport entre Stepanian et l'assassinat de Maxime ?

— Je ne sais pas, je cherche. Les deux hommes se connaissaient de longue date.

— Première nouvelle. Gardez le dossier, au cas où il pourrait vous servir.

Thiébaut se lève, s'étire.

— Vous rentrez à Marseille ?

— Oui.

— Partez sans moi. Je reste. Je suis heureux d'être revenu ici. Grâce à vous. Merci.

— J'ai laissé le dossier contenant les actes de propriété du cabanon sur le bureau, au premier étage.

Daquin rentre sur Marseille, en rêvassant à Pieri, à sa voix, à son lit, à la terrasse, à Callelongue. Et à la cassette dans la poche de son blouson. En arrivant à l'appartement, il trouve un mot dans sa boîte à lettres :

«Dimanche 10 heures. Je dois vous joindre absolument. Je téléphonerai chez vous toutes les heures, à l'heure précise. Signé : Grimbert.»

Daquin regarde sa montre : 1 h 40. Juste le temps de monter à l'appartement, de passer dans la cuisine, de se faire une tartine à l'ail, à l'huile et à la tomate, à la mode de Barcelone, de la manger debout dans la loggia, face au Vieux-Port, en buvant un verre de saint-amour. À 2 heures pile, sonnerie du téléphone, la voix de Grimbert :

— Enfin vous êtes là… En croisant les dossiers Pieri et Stepanian, nous avons trouvé un employé de Stepanian qui avait fait une rotation sur l'un des tankers de Pieri, le *Niklos*, fin 70.

— Bravo. C'est formidable. Nous avons enfin une chance de savoir d'où vient ce pétrole. Pourquoi vous n'êtes pas plus enthousiaste ?

— Fatigué. Nous avons travaillé toute la nuit…

— Et ?

— Et nous avons perdu Stepanian.

— Et vous comptez sur moi pour le retrouver ?

— C'est à peu près ça.

— Rendez-vous au bureau dans un quart d'heure.

Daquin arrive le premier à l'Évêché. Il branche la cafetière, ramasse sur son bureau un message de Costa, l'inspecteur de la Financière, transcrit par le central : « Je n'ai pu trouver aucune trace dans les listes de la Lloyd's des opérations d'approvisionnement des tankers de Pieri. Mystère complet. La Fimex : moins difficile. Faux nez de CoTrade, un géant du trading spécialisé dans les minerais, qui ne veut pas apparaître en tant que tel dans le pétrole. À lundi. » Gros coup de chaleur. La Fimex, c'est Frickx. Enfin… Le pétrole, nous y sommes, tout va se mettre en place. On peut commencer à y croire. La cassette, dans la poche du blouson, trop gros, trop loin, ne pas se disperser.

Daquin appelle Lenglet à Beyrouth. Il lui faut six ou sept coups de téléphone avant de parvenir à le localiser. Il n'est pas à Beyrouth, mais en Italie. Ce sera plus simple.

— Il faut que nous nous voyions. J'ai quelque chose pour toi qui mérite le voyage, et je ne peux pas quitter la région. Marseille ou Nice, ça m'est égal. Mais vite.

— Je te rappelle.

— À mon bureau. Je ne te donne pas plus d'un quart d'heure. Sinon, cette nuit, chez moi.

Grimbert arrive. Ils sont tous les deux debout, face à face, autour de la cafetière. Grimbert commence par un récit très court de leur tentative de localisation de Stepanian, et de la façon dont ils l'ont perdu. Daquin ne fait aucun commentaire. Grimbert se sent moins fatigué, et s'assoit. Daquin sert les cafés.

— Une goutte de cognac ?

— Pourquoi pas ?

— Maintenant, au travail.

— Le marin qui a embarqué sur le *Niklos* s'appelle Fancello. Il n'habite plus à l'adresse que nous avons trouvée dans les archives de Stepanian. Delmas le cherche.

— Parfait. Nous, nous allons retrouver Stepanian.

— Si nous arrivons avant les tueurs qui sont à ses trousses.

Daquin tend à Grimbert le message de Costa. Sonnerie du téléphone, il décroche, et laisse Grimbert lire le message. En ligne, Lenglet. Rendez-vous pour dîner ce soir, chez un ami, sur les hauts de Saint-Tropez. Daquin note le nom de la villa Serena, le numéro de téléphone et l'itinéraire pour y parvenir. Il y sera, peut-être un peu tard. Puis il refait des cafés.

Il ajoute de nouveau une rasade de cognac, parce qu'il faut arroser le bond en avant qu'ils sont en train de faire.

— Je résume, très vite, avant de partir en chasse. Marché du pétrole en ébullition. Sur ce marché, Frickx est l'associé de Pieri. Il décide de se débarrasser de lui, récupère un ou deux tankers au passage, ce qui doit bien l'aider dans ses projets, mais à mon avis cela ne peut pas être le seul mobile, l'opération est trop grosse. David est dans le montage, nous ne savons pas encore pourquoi ni comment. Maintenant Stepanian. Il compte sur Pieri pour faire fortune dans le pétrole, Pieri le laisse tomber fin 70 ou début 71. Mettez-vous à la place de Stepanian, qu'est-ce que vous faites ?

— Aucune idée, je n'ai pas la fibre entrepreneuriale.

— Lui non plus. Il a fait ses classes chez les Guérini. Il ne sait pas d'où vient le pétrole de Pieri. Il conclut : pétrole de contrebande.

— C'était notre première réaction, à nous aussi.

— Exact. Donc, si c'est de la contrebande, il pense qu'il pourra faire chanter Pieri, et obtenir la poursuite des livraisons, s'il a des preuves.

— Faire chanter Pieri, un minable comme lui…

— Et il envoie son employé…

— Fancello.

— C'est ça, Fancello, faire une rotation sur le *Niklos* comme marin. Je m'arrête là, il nous dira la suite.

— Si nous le retrouvons.

— Où Stepanian a-t-il cherché un refuge sûr, à votre avis ?

— Aucune idée.

— Nous parlions, à son propos, de la génération des fils adoptifs, vous avez vu de vos propres yeux ses attentions à l'égard de Maïté, Nicolas le considérait comme son frère, Casanova évoquait le goût de Pieri pour la posture de père d'adoption, vous avez toute la famille. Nicolas le capitaine serait le bon fils, celui qui meurt en service commandé, et l'Arménien le mauvais, le raté, celui qui foire. Le père est mort, mais la mère est encore là, et les mères ont parfois beaucoup d'affection pour les fils perdus. Ne négligeons pas la mère.

— Maïté ?

— Pourquoi pas ? Il est aux abois… On peut essayer. Avec prudence. Elle n'est pas facile.

Daquin ramasse le cahier de poésies de Nicolas Serreri, qu'il n'avait pas versé au dossier.

— J'emporte. Si ça se présente, je le donne à Maïté, pour l'amadouer. Ça devrait faire de l'effet.

Maïté habite rue du Commandant-Rolland, parallèle à la rue Paradis. Daquin a pris une voiture, et prévient Grimbert qu'il a un rendez-vous pour dîner, en dehors

323

de la ville. Une tentative pour retrouver Stepanian, et après il s'en va. Les deux hommes pénètrent dans l'immeuble, localisent l'appartement, deuxième étage sur le jardin, inspectent le jardin. Végétation luxuriante, quelques palmiers, un magnifique bananier. Un bananier que Daquin a déjà vu. Il regarde attentivement l'immeuble qui leur fait face. De l'autre côté du jardin, au quatrième étage, un appartement aux persiennes fermées, un balcon sans plantes vertes ni meubles de jardin. Il le montre à Grimbert.

— Regardez, en face, l'appartement de Pieri, au quatrième étage.

— Elle ne le lâchait jamais ?

Daquin pense à Pieri, son poumon blessé, ses médicaments si bien rangés dans la table de nuit, l'omniprésence de Maïté, les réseaux marseillais oppressants. Et puis le cabanon de Callelongue, l'amant venu d'ailleurs, la violence de la respiration à l'air libre. Daquin sourit. Le héros marseillais avait su se ménager son espace de bonheur. C'est sans doute cela aussi Marseille. L'intensité des moments de liberté.

— On monte chez Pieri, on ne risque pas grand-chose et on aura une bonne vue sur l'appartement de Maïté.

Grimbert suit, sans rien dire.

Arrivés sur le palier de Pieri, sans aucune hésitation, Daquin sort un épais trousseau de clés, bricole, ouvre la porte. Grimbert le regarde faire, l'air grave.

— Je ne savais pas que les commissaires se livraient à ce genre de sport. Avec une réelle dextérité, d'ailleurs. J'apprécie en connaisseur.

— Je suis seulement adjoint, Grimbert. Adjoint, n'oubliez pas.

Ils entrent. Les stores ont été baissés sur les grandes baies, et les pièces sont plongées dans l'obscurité. Daquin va chercher un couteau dans la cuisine (à l'aise, note Grimbert, comme chez lui) et écarte deux lames du store, à la hauteur des yeux. Grimbert vient se poster à côté de lui. Vue plongeante chez Maïté. Elle est là, va et vient, d'une pièce à l'autre, entasse des objets dans des cartons.

— Elle déménage ?

— On dirait.

Pendant près d'une demi-heure, ils l'observent en silence. Rien à signaler. Puis apparaît une autre silhouette, un homme qui porte un énorme carton. Il le dépose à côté d'une pile d'autres cartons, dans la pièce centrale. Crâne rasé, version Stepanian. L'homme disparaît.

— On y va, vite.

Grimbert se planque le long du mur, Daquin sonne à la porte. Quelques secondes d'attente, Maïté entrouvre, Daquin fait un pas de côté, Grimbert jaillit, la bouscule, Maïté trébuche en poussant un cri de surprise, Daquin la saisit par le bras, la traîne sur le palier, Grimbert s'engouffre dans l'appartement, claque la porte derrière lui et se rue à la recherche de Stepanian. Daquin plaque Maïté contre le mur.

— Alors, vous partez pour Calvi, sans rien me dire ? Nous avions pourtant prévu de nous revoir…

Elle s'est raidie.

— Calvi… Comment vous…

— Écoutez-moi d'abord. Je veux une seule chose : interroger Stepanian. Parce que je veux savoir qui a assassiné Pieri.

— Vous vous imaginez qu'il le sait ?

— Il sait beaucoup de choses. Et vous, vous ne savez pas qui est Jo l'Arménien. Assistez à l'entretien que nous allons avoir, nous ferons le point ensuite.

Grimbert a trouvé Stepanian en train d'escalader le garde-corps du balcon pour passer chez le voisin, l'a saisi par une jambe, plaqué sans ménagement au sol, lui a cogné la tête sur le ciment du balcon, histoire qu'il se calme, passé les menottes, enfoncé un mouchoir dans la bouche, puis traîné dans l'appartement. Il vient maintenant leur ouvrir la porte du palier. Daquin pousse Maïté devant lui, et ils se retrouvent dans la pièce principale, pleine de la lumière et de l'odeur des arbres du jardin. Grimbert ramasse Stepanian, l'assied, menotté, sur un carton plein de livres et s'installe sur une chaise juste à côté de lui, prêt à bondir. Il m'a planté une fois, pas deux. Maïté et Daquin ont pris deux fauteuils profonds, face à face. Il la surveille en permanence. De ses réactions à elle dépend l'issue de la confrontation avec Stepanian, qui reprend lentement ses esprits. Daquin fait signe à Grimbert d'enlever le bâillon, et attaque tout de suite :

— Je précise que cet entretien n'a rien d'officiel, comme vous pouvez vous en douter. Pas de PV ni de rapport. Nous enquêtons sur l'assassinat de Pieri, et nous cherchons à démêler le rôle que vous avez pu jouer, vous, Jo l'Arménien.

Stepanian, à vif, crie :

— Aucun, c'est absurde.

Maïté attend, muette. Daquin continue :

— En janvier 1971, un de vos employés dénommé Fancello a embarqué sur le *Niklos*. Il y a fait une rotation de dix jours, puis est revenu dans vos bureaux. Ma question est simple : pourquoi vouliez-vous espionner Pieri ?

Stepanian crie :

— Je ne voulais pas l'espionner.

— Que cherchiez-vous, alors ?

— Nous étions en affaires. J'essayais de monter une raffinerie de pétrole indépendante, à l'époque. Pieri m'avait garanti qu'il me fournirait du pétrole. Je voulais m'assurer qu'il en avait les capacités. Je prenais mes précautions. Vous savez, une raffinerie, c'est une très grosse affaire…

Daquin le coupe :

— Vous faites erreur. Je vais vous rafraîchir la mémoire. D'après les archives de votre propre entreprise, Pieri vous a livré du pétrole à l'automne 1970. Ensuite, il a estimé votre projet mal géré et voué à l'échec, j'ai des notes manuscrites de sa main qui l'établissent. Donc, il a refusé de continuer à vous livrer, et en janvier 71, vous le saviez parfaitement. Alors, Fancello ?

Maïté a son visage des mauvais jours :

— Jo, explique-toi.

Stepanian, tête baissée, cherche une issue. Daquin enchaîne :

— Vous avez pensé que Pieri faisait de la contrebande de pétrole comme il avait fait de la contrebande de cigarettes. Et vous avez cru que vous pourriez le faire chanter pour obtenir qu'il reprenne ses livraisons.

Maïté dit très bas :

— Salopard.

Daquin sait qu'il marque le point. Il continue sur le même ton :

— Ce n'est pas tout. Vous êtes un visiteur du soir du

consulat américain de la rue Ar-mény, l'ami de Cole-man, l'agent de la CIA déguisé en consul, et vous dra-guez régulièrement les services de police de l'Évêché pour obtenir des renseignements sur le déroulement de l'enquête sur l'assassinat de Pieri.

Brusque changement de registre, Daquin se lève, domine Stepanian de sa taille, de son poids :

— Qu'est-ce que tu leur vends, aux Américains ? Qui tu leur vends ? Pourquoi t'es mort de peur ? Qui a juré de te descendre ?

Maïté, immobile, mains crispées, croisées sur les genoux, dévisage Stepanian, et attend. Il croit trouver une porte de sortie :

— J'ai vendu aux Américains que des renseigne-ments bidon. Coleman, le consul, il offre 50 000 dollars pour tout renseignement, et crie partout qu'il a assez de fric pour se permettre des erreurs. Alors, j'ai tenté ma chance. J'ai besoin de leurs 50 000 dollars et d'un pas-seport américain. J'en ai besoin, il faut que je parte aux États-Unis, ici je suis foutu, ruiné. Et mon procès contre les pétroliers, j'ai bien compris, si jamais je gagne, ce sera dans dix ans. D'ici là, je serai mort.

— Oui, tu en prends le chemin. Il se tourne vers Maïté : au moment de la mort de Pieri, les Américains et les Stups savaient beaucoup de choses. Ce sont sans doute eux qui ont visité vos appartements avant même que nous ne soyons informés de l'assassinat de Pieri. Il revient à Stepanian : ils savaient que Pieri était allé aux États-Unis deux fois en 1972. C'est toi qui leur avais mis la puce à l'oreille.

Stepanian est écroulé sur son carton de livres, conscient du désastre.

— Je pensais que c'était sans importance, puisqu'il n'y allait pas pour l'héro.

— Tu savais pour quoi il y allait ?

— Il m'avait dit pour le pétrole.

Daquin s'adresse à Maïté :

— Pourquoi Pieri lui avait-il parlé de ces voyages ?

Maïté hausse les épaules :

— Aucune idée. Et ça m'étonne beaucoup. Pas le genre de Maxime.

Stepanian, accablé :

— Il ne m'en avait pas parlé. C'est la fille de l'agence de voyages. Alors, je lui ai demandé à lui ce qu'il allait faire là-bas, et il m'a dit : « Pour le pétrole. »

Maïté est livide. Daquin lui laisse un temps pour qu'elle prenne bien conscience de l'ampleur de la trahison, puis reprend :

— Quand tu es passé à l'annexe de l'Évêché mardi dernier, pour savoir où nous en étions avec l'enquête sur la mort de Pieri, c'était pour les Stups ou les Américains ?

— Les Américains. Les Stups ne paient pas.

— Que voulaient savoir les Américains ?

— Si le dossier était toujours vivant, ou s'il était enterré.

— Et tu leur as dit ?…

— Enterré.

Maïté semble ne plus respirer.

— Qui te terrorise ?

— Personne.

— Tu déménages avec toute ta petite famille, ensuite tu t'enfuis quand tu aperçois une bagnole avec deux hommes à bord… Tu te réfugies chez Maïté, mais tu n'as pas peur ?

— Je ne comprends même pas de quoi vous parlez.

— Tu l'as dit toi-même, il y a deux minutes, si tu ne trouves pas du fric vite, tu es un homme mort.

Stepanian se tait, tête baissée. Daquin réalise qu'il ne tirera rien de lui sur ce point. D'abord parce qu'il lui fait moins peur que «les autres». Et probablement à cause de la présence de Maïté, d'abord un atout, maintenant un frein. C'est une impasse. Il faudra reprendre autrement et ailleurs. Ne pas oublier l'objectif principal : le pétrole.

— D'accord, c'est ta peau, tu en fais ce que tu veux. Maintenant, tu vas me dire où le *Niklos* s'approvisionnait en pétrole et je te laisse filer.

Stepanian reprend espoir. Ces cinglés de flics ne savent pas tout.

— À Ashkelon.

— Israël n'a pas de pétrole.

— Israël a un pipeline qui va de la mer Rouge à la Méditerranée, d'Eilat à Ashkelon. Le pétrole qui coule dedans est iranien.

Daquin est sous le choc, assommé par la dimension que prend brutalement l'enquête. Stepanian s'en aperçoit, il en profite.

— Je n'en sais pas plus, et je ne veux pas en savoir plus. Il se dit que moins on en sait et mieux on se porte. Ni les Iraniens ni les Israéliens ne veulent en entendre parler, je ne veux même pas savoir pourquoi. Ce ne sont pas des rigolos. Ils ont tué Pieri et Simon. C'est d'eux que j'ai peur.

— Tire-toi, et essaie de ne pas te faire flinguer tout de suite.

Dès que Grimbert a enlevé les menottes, Stepanian s'enfuit, la porte claque.

Daquin, Grimbert, et Maïté restent face à face, silencieux pendant un temps. Daquin choisit ce moment pour sortir de la poche intérieure de son blouson le cahier de poésies de Nicolas Serreri, et le tend à Maïté.

— Tenez, cela vous revient de droit.

Maïté prend le cahier, l'ouvre, reconnaît l'écriture, le ferme, se racle la gorge et demande :

— Vous allez trouver les assassins ?

— Je n'en sais rien, je ne peux vous donner aucune garantie, mais reconnaissez que je fais le maximum pour y arriver.

— Je le reconnais. Elle se lève. Je vais voir s'il me reste de quoi faire un café dans la cuisine.

Elle emporte le cahier. Dès qu'elle a quitté la pièce, Grimbert dit à voix très basse :

— Nous y sommes presque. Le pipeline est peut-être la clé. Israël, Iran, pétrole, trafic d'armes, David, marins iraniens, on va finir par arriver à tout emboîter avec Pieri, Simon et Nicolas. Mais je ne pense pas qu'ils terrorisent Stepanian. Quand il a vu qu'on était sonné par l'info sur le pipeline, il a improvisé.

— D'accord avec vous.

Maïté revient avec trois tasses de café, le café de la ménagère corse, pas terrible. Mais elle a ajouté des biscuits et des chocolats. Les deux hommes apprécient l'attention, la remercient et se servent. Elle commence à se ressaisir, dit très simplement :

— Vous aviez raison, je ne connaissais pas Jo. Il espionnait Maxime en permanence.

C'est le moment, estime Daquin.

— Acceptez-vous de nous parler de la Somar ?

— Cela dépend des questions que vous me poserez. Je risque de vous décevoir. Maxime cloisonnait soigneusement ses activités. Une habitude qu'il avait prise dans sa jeunesse. Et il ne me parlait jamais des affaires dont je ne m'occupais pas. Maxime était un bavard qui ne disait rien.

— Pieri était associé à Frickx dans toutes les affaires pétrolières de la Somar. Pour lui, c'était la branche d'avenir. Si j'articule ce que je viens d'apprendre sur le pipeline avec ce que je sais déjà, il transportait de façon régulière, depuis près de deux ans d'après les comptes de la Somar, du pétrole qui transitait par Israël.

— J'ai appris cette histoire en même temps que vous.

— Comment a-t-il pu faire en même temps du trafic d'armes avec la Roumanie, qui ne représentait pas des sommes importantes comparé au pétrole, et dont il ne pouvait pas ignorer que c'était inacceptable pour ses clients israéliens?

— Maxime m'a parlé des armes, effectivement, il y a quatre ans, parce que cela concernait aussi Nicolas, que je considère comme mon fils. Les Roumains en avaient fait une condition pour signer les contrats d'achat de pétrole. C'était de la contrebande, au moins au début, donc tout bénéfice pour les interlocuteurs roumains. Maxime n'était pas chaud, il avait conscience des dangers. Frickx l'a poussé à accepter. Nicolas a été consulté. Il a pris le commandement du *Santa Lucia* en toute connaissance de cause. Ensuite, nous n'en avons plus jamais parlé. Maxime a dû se laisser prendre au jeu. Le risque de personnalités comme la sienne est de ne jamais savoir se fixer de limites. Antoine était pareil.

— Vous vous occupiez de la comptabilité de la Somar, de ses rapports avec la Serval, d'après les documents que nous avons trouvés dans votre bureau.

— C'est exact.

— Nous possédons des listes de versements de la Somar sur des comptes en banque à l'étranger…

— Beau travail. Malheureusement inutilisable devant un tribunal, vu la façon dont vous vous les êtes procurées.

Daquin hoche la tête, toujours performante, Maïté.

— Nous le savons… mais nous n'avons pas trouvé les listes des noms des détenteurs de ces comptes. Vous les avez. Donnez-les-nous. Il n'est pas impossible que l'assassin soit dans la liste.

Maïté rit.

— Cet argument, vous n'y croyez pas vous-même. Je n'ai plus ces listes, et si je les avais encore, je ne vous les donnerais certainement pas. Je suis une femme d'ordre, moi, pas un boutefeu anarchiste, j'aime cette ville, comme elle est. Il y avait, dans les listes des bénéficiaires, de quoi faire sauter tout un pan de la ville. Ça vous aurait amusé ?

— Chercher est mon métier.

— C'est votre conception du métier. D'autres policiers ne cherchent pas, ils gèrent. Maïté sourit, un large sourire heureux, première fois depuis la mort de Maxime. Je vais vous dire, ces listes, vous les avez eues entre les mains, vous les avez laissées passer. Maintenant je les ai récupérées, et je les ai détruites.

Daquin croque un chocolat, réfléchit. Ce ne peut être que pendant la perquisition de la Somar. Il se remémore toute la séquence, en continu. Et soudain : il prend en main le recueil de mots croisés, bourré de chiffres et de lettres, écorné, usé, raturé, Maïté, debout à son côté, ne bronche pas et quitte la pièce.

— Le recueil de mots croisés ? (Elle hoche la tête,

333

tout sourire.) Là, franchement, je vous admire. Votre façon de partir… Grandiose.

Les cafés sont bus, les gâteaux et les chocolats croqués. Daquin se lève, signal de départ. Il s'incline devant Maïté.

— Bon déménagement, et prenez soin de vous, à Calvi.

— Je regrette que vous n'ayez pas connu Maxime. Vous étiez faits pour vous entendre.

— Peut-être, peut-être pas.

Quand les deux hommes se retrouvent seuls dans la rue, Grimbert dit simplement :

— Je n'ai pas suivi tous les épisodes. Quelques trucs sur Stepanian, les mots croisés, Calvi…

— Passons sur les détails, Grimbert. Le pipeline, Israël, l'Iran, nous tenons toute l'histoire.

— Peut-être, mais trente-six heures sans dormir, je suis crevé, je rentre me coucher.

— Dormez bien, à demain.

Daquin prend sa voiture, et part vers la sortie de la ville, et la route de Saint-Tropez. La découverte du pipeline israélien, de ses liens avec l'entreprise Pieri est une secousse sismique, le centre autour duquel tout gravite. Il faut voir comment, une fois l'onde de choc passée, tous les éléments s'emboîtent enfin.

Dimanche soir, Saint-Tropez

Les indications que Lenglet lui a données au téléphone sont claires, il n'a pas de mal à trouver la villa Serena, dans les hauteurs au-dessus de Saint-Tropez. Il franchit le portail grand ouvert, très belle maison moderne, de ces maisons que l'on dit « maisons d'architecte ». Bien sûr, Lenglet ne pouvait pas faire moins. Personne. Daquin laisse sa voiture dans la cour, contourne la maison par le jardin, et tombe sur une grande terrasse en bois autour d'une vaste piscine. L'ensemble domine le village, la côte, la mer. Belle vue, plus convenue que celle de Callelongue et du cabanon de Pieri. Entre la baie ouverte de la maison et la piscine, trois hommes sont allongés au soleil de cette fin de journée, discutent, boivent l'apéro. L'un d'eux se lève, vient à la rencontre de Daquin. Lenglet. Il lui passe le bras sur les épaules, et l'entraîne vers les deux autres hommes. Lenglet est un peu plus âgé que Daquin, grand, mince, des muscles très secs, allongés, une sorte d'élégance fluide, les cheveux châtains mi-longs. Une amitié indéfectible les unit, faite d'admiration réciproque, jamais perturbée par aucune rivalité amoureuse, leurs types d'hommes sont trop différents.

— Salvo, je te présente Théo Daquin, mon ami de plus de dix ans. Théo, Salvo est le propriétaire de ce petit paradis.

Et ton compagnon de lit, pense Daquin, tout à fait ton genre, maigre, poitrine creuse, mèche blonde travaillée, tu n'as jamais su résister à ce genre de mèche, et des yeux noirs extraordinairement vivants. Un diplomate, sans doute.

— Enchanté.

— Vous restez dîner avec nous, j'espère ?

Français parfait, accent italien délicieux.

— Si vous me le proposez, bien sûr, avec grand plaisir.

— Nous risquons de finir un peu tard, vous pourrez

dormir ici sans problème, plutôt que de reprendre la route en pleine nuit vers Marseille.

Lenglet enchaîne :

— Je te présente Carlo, un ami italien qui nous tient compagnie pour la soirée. Il va falloir que tu fasses des efforts en italien, Théo.

Beaucoup plus mon genre, tu le savais Lenglet, merci. Pas très grand, musclé, visage carré et cheveux courts noirs. Le seul qui soit en maillot de bain, heureux d'exhiber son cul rond et ferme, ses hanches étroites, légèrement saillantes. Poser mes deux mains sur ces hanches-là, les agripper, sentir ces fesses contre mon ventre. Poussée de désir. Daquin apprécie. Poignée de main, sourires, le courant passe.

— *Non sarà difficile.*

D'abord, le travail. Lenglet entraîne Daquin vers un petit bureau, à l'arrière de la maison, dont la fenêtre ouverte donne sur la montagne, odorante en fin de journée. Deux tables côte à côte, chargées de matériel. Lenglet est très à l'aise au milieu des téléphones, télés, postes radio, magnétophones, machines à écrire. Chacun s'assoit à une table, et Daquin commence à parler de la façon la plus percutante et concise possible, de Pieri, de l'homme et de ses affaires. Lenglet et lui n'ont guère de secrets l'un pour l'autre. Puis il sort la cassette de sa poche, précise les dates et les conditions de l'enregistrement et de sa découverte.

— Les Stups et les Américains de Marseille se doutent de l'existence d'un document de ce genre, probablement sans savoir quelle forme exacte il a, et l'ont recherché activement. Deux perquisitions mexicaines et une participation plus ou moins officieuse à une per-

336

quisition officielle. Par contre, personne ne sait que je l'ai trouvé et que je le détiens.

Ils écoutent la cassette tous les deux. Lenglet, très concentré, ne prend aucune note. Daquin s'absorbe dans la voix de Pieri, les inflexions graves, l'américain étonnament juste, le charme des traces d'accent marseillais.

… Grognement bizarre de Pieri. Fin de l'enregistrement.

— Moi, je ne peux rien en faire. Est-ce qu'elle t'intéresse ?

— Trafficante a effectivement donné ?

— Sans doute. Il y a eu une trentaine d'arrestations à Marseille fin 72. Ce sera facile de savoir si elles ont concerné des gens passés par Cuba ou la Floride. Et toi, tu sais qui est Victor ?

— Selon toute vraisemblance, Victor Papa, un vieux de la famille Lucchese, il a été arrêté à l'automne dernier. Il a demandé un plaider-coupable qui lui a été refusé. Maintenant, il est en taule où il va sans doute se faire assassiner assez vite, les prisons américaines sont des lieux peu sûrs, et ses deux amis du FBI s'en tireront. On ne touche pas au FBI. C'est en cela que la cassette m'intéresse. Quand je les croiserai…

— Donnant-donnant. J'étouffe à Marseille, je ne tiens pas dans cette ville, je veux m'en aller, et je compte sur toi pour m'y aider.

— Tu étouffais déjà à Beyrouth.

— Pas pour les mêmes raisons.

— Tu crois que tu vas te poser un jour ?

— Tu me fais la morale ?

— Moi ?

— Pour prendre pied dans la vie marseillaise, il faudrait que j'y passe des années, et je n'en ai pas l'envie. J'ai mal géré mon arrivée dans le milieu des flics marseillais. Tu me connais, je ne suis pas du genre à afficher mon goût pour les hommes. J'ai horreur de l'ostentation. Du coup, je me suis laissé enfermer dans les amours clandestines, et je ne le supporte pas. Je me sens en porte-à-faux avec mes collaborateurs, et je ne sais pas comment en sortir. Il est temps de reconnaître mes erreurs, et de prendre la fuite avant de finir impuissant.

— À mon avis, vu l'effet que t'a fait la simple vue de Carlo, tu as encore de la marge.

— Le trafic de drogue est la machine à fabriquer du fric noir qui est le nerf de la guerre sale, la guerre d'aujourd'hui. J'ai envie de me poser aux Stups. Avec un passage par les États-Unis, voir le monstre de près. Tu peux m'aider ?

— Je vais essayer. Je pense y arriver, je connais bien l'antenne des Stups français là-bas. Bon, maintenant, passons aux choses sérieuses, allons baiser.

20

Lundi 26 et mardi 27 mars 1973

Lundi, Marseille

Le matin, Daquin arrive à l'Évêché fatigué, émoussé, repu. Il trouve dans la petite pièce du troisième étage Grimbert et Delmas, effondrés sur leur bureau, secoués de rire. Delmas finit par retrouver son souffle :

— Vous connaissez la nouvelle, commissaire ? Il donne des petites claques sur le journal régional étalé devant lui. Aujourd'hui commence à Marseille la semaine de la non-violence. Du 26 au 31 mars. Réceptions, buffets, conférences, séminaires, journalistes, intellos, sociocu, bla-bla…

Grimbert, en s'essuyant les yeux :

— La semaine de la non-violence. Ici, à Marseille… Ça va mal finir. Dans un bain de sang. Vous pariez ?

Daquin sourit.

— Je ne parie jamais. Alors, Delmas, Fancello ?

— Je l'ai retrouvé assez facilement, par ses voisins. C'est un homme tranquille qui travaille maintenant dans une petite compagnie de navigation. Il confirme ce que vous a dit Stepanian. Le pétrolier sur lequel il a embarqué chargeait à Ashkelon. Il va passer faire sa déposition dans les règles, d'une minute à l'autre.

— Parfait.

Quand Fancello arrive, Delmas l'emmène dans un bureau inoccupé. Grimbert prend alors le journal qui traîne sur son bureau, l'ouvre à la page Justice-Faits divers, et le pose devant Daquin.

En gros titre, sur toute la largeur de la page : « L'affaire Bartoli deviendra-t-elle l'affaire Mairand ? » Daquin lit en diagonale.

Bartoli, ancien latéral droit de l'OM qui a laissé aux supporteurs nombre de très bons souvenirs, s'était reconverti en patron d'une petite affaire de prostitution, employant quatre jeunes femmes avenantes et une hôtesse… Arrêté il y a six mois, il a soutenu qu'il était protégé par le commissaire Mairand, qui dirige la brigade mondaine, à la Sécurité publique, à qui il aurait versé chaque mois une somme dont il a refusé de préciser le montant. Les allégations de Bartoli ont été passées sous silence par la hiérarchie policière. Il n'y a eu ni enquête ni sanctions. Et le commissaire Mairand a pris, très opportunément, un congé maladie, qui court toujours. Avec maintien intégral de son salaire, cela va sans dire. Aujourd'hui, l'affaire pourrait bien ressurgir…

Daquin jette un coup d'œil à Grimbert.

— L'article ne répond à aucune actualité judiciaire…

— Effectivement.

— Mairand est au SAC ?

— Vous progressez, commissaire. Il est aussi un des patrons de la Mondaine, ce qui signifie qu'il a quelques contacts avec les jeux.

— Les jeux. Nice et ses casinos. Mairand serait un pont entre le SAC de Marseille et notre ami Leccia ? Vous avertissez Leccia par Mairand interposé…

— Brillant, commissaire. Bientôt citoyen d'honneur ?

— Comment faites-vous pour respirer au milieu de cet écheveau de réseaux ?

— C'est mon milieu naturel. Je respire au milieu des réseaux comme les poissons dans l'eau. Si vous laissez le poisson hors de l'eau, il crève.

Daquin se lève et va faire des cafés.

— Pendant notre séance chez Maïté dimanche, elle a dit de Stepanian, après son départ : «Il espionnait Pieri en permanence.» Cette phrase me revient en boucle depuis mon réveil ce matin. Cela me paraît être une vraie possibilité, presque une évidence. Et s'il espionnait Pieri en permanence, il a peut-être vu les assassins.

— Ou aidé les assassins, en les renseignant par exemple sur les habitudes de Pieri au casino de Nice.

— Quand je pense que j'ai remis ce type dans la rue…

— Nous venions de prendre le choc du pipeline israélien en pleine figure, nous n'avions pas repris notre souffle. Et je ne suis pas sûr que nous pouvions faire autrement, compte tenu de la façon peu orthodoxe dont nous étions entrés en contact avec lui.

Delmas revient dans la pièce, la déposition de Fancello en main.

— Il faut retrouver Stepanian, lui dit Daquin.

Et ils se mettent tous trois à éplucher les dossiers, à la recherche d'une piste.

À 11 heures, Costa arrive, il a une mine d'enterrement. Les trois hommes se tournent vers lui :

— Alors ?

— Aucune confirmation officielle de la Lloyd's. Il fallait s'y attendre. Mais j'ai réussi à joindre par divers intermédiaires un employé français de la Lloyd's à Kharg, le port iranien. Ils ont bel et bien eu la consigne de fermer les yeux sur la destination de tankers qui se rendaient de toute évidence à Eilat, le port israélien qui doit être le point de départ du pipeline. La Lloyd's ! Ça dépasse tout ce que j'aurais pu imaginer. On ne peut plus se fier à aucune institution.

— L'intérêt de passer par Israël ?

— J'ai fait le calcul. Une tonne de pétrole iranien qui contourne l'Afrique arrive en Europe à 35 dollars la tonne. Par le pipeline, elle arrive à 28 dollars la tonne. 7 dollars de superbénéfice. Vous multipliez par 250 000 tonnes…

— Mais un tanker, ça se voit quand ça entre ou quand ça sort d'un port. Je ne comprends pas qu'on parle de secret d'État…

Grimbert, silencieux jusque-là, intervient :

— Moi, je comprends très bien. Il ne faut pas parler de secret d'État, mais d'information protégée. Tous les gens du métier sont au courant, mais chacun a un intérêt particulier à se taire. Un équilibre du silence. À Marseille, nous fonctionnons de la même manière.

Daquin pense qu'on est loin des envolées de Paul sur la révolution en marche et le sens de l'Histoire. Dommage. Tout compte fait, c'était plus sain.

Costa a toujours l'air lugubre.

— Le commerce international est un vaste foutoir. Et pas seulement à cause de l'effondrement du dollar. Je déjeune avec vous si vous allez chez Étienne. Après, je vous laisse attaquer des forteresses avec des pistolets à eau, et je rentre me mettre au calme à la Financière.

Dès le retour du déjeuner, les trois hommes se retrouvent de nouveau seuls dans leur bureau, autour d'un café. Daquin attaque d'emblée.

— Nous sommes à deux jours de la fin de l'enquête de flagrance, j'ai une synthèse à vous proposer. Pas d'objection ?

Aucune objection.

— L'histoire est simple au départ. Comme des milliers d'entrepreneurs, Frickx et Pieri s'associent pour faire des affaires. Leur terrain, à eux, c'est le commerce du pétrole dans les espaces de liberté qui s'aménagent au fur et à mesure que la production augmente et que le monopole des compagnies s'effrite. À ce premier stade, beaucoup de contrebande. Dans un deuxième temps, ils montent avec Israël une combine qui leur permet de faire des superprofits sans beaucoup de difficultés. Tout baigne. Puis le Shah d'Iran décide de court-circuiter les grandes compagnies, en utilisant la combine du pipeline israélien, qui est bien rodée par nos deux associés. Changement radical de dimension, perspectives mirobolantes. Frickx en profite pour éliminer son partenaire, et récupérer tout le business pour lui. Comment le faire à moindres risques ? Pieri est mouillé dans un trafic d'armes avec des terroristes. Lorsque le pipeline prend une dimension stratégique internationale, il est facile de convaincre Israéliens et Iraniens qu'il n'est pas possible de garder dans le circuit un trafiquant d'armes. Ça tombe bien. Ces deux pays sont connus pour la solidité de leurs services secrets ou de leur police politique. Israël élimine Pieri et Simon, avec la collaboration active de Frickx, et l'Iran se charge de Nicolas Serreri. Je m'autorise même à penser que Frickx a encouragé Pieri à continuer le trafic d'armes avec la Roumanie pour avoir une excellente raison de le faire descendre par ses alliés.

Delmas murmure :

— Vous ne trouvez pas que vous exagérez, là ?

— Souvenez-vous, Delmas, dès le départ, en 1970, Frickx a fait rédiger par son avocat les statuts de la Misma à Curaçao de façon à pouvoir récupérer en quelques heures les tankers en cas de mort, violente ou non, de son associé. Frickx est un très grand joueur. Il n'a pas un coup d'avance sur ses partenaires et adversaires, mais deux ou trois. Il n'a fait qu'une bouchée de Pieri, qui n'était pourtant pas né de la dernière pluie.

— Ce que vous nous dites là, ce n'est pas ce que vous allez consigner dans le rapport d'enquête ?

— Non, évidemment. Nous ne pouvons pas tout prouver. Et notre rapport, s'il était trop ambitieux, finirait à la poubelle et nous avec. Notre objectif est que notre enquête de flagrance débouche sur l'ouverture d'une enquête judiciaire, qu'un juge soit saisi, et qu'il nous confie la poursuite de l'enquête, pour que nous la menions au bout. D'accord ?

— D'accord.

— Nous n'avons pas identifié formellement, nommément, les assassins de Pieri et Simon. Nous ne nous occupons pas de Nicolas Serreri, personne n'a remis officiellement en cause la thèse de la police turque d'une noyade accidentelle. Mais nous avons établi qu'il existe une rupture frauduleuse du contrat de location des tankers de la Misma à la Somar. Merci Costa. Cette rupture frauduleuse plus la rapidité avec laquelle l'avocat récupère les tankers rendent nécessaires l'identification de l'associé et son audition, ce que permettra l'enquête judiciaire. Frickx, par l'intermédiaire de la Fimex, est le fournisseur de pétrole de la Somar. C'est établi. Il est directement impliqué dans le meurtre de Simon, cela aussi nous l'avons établi, et en fuite. L'enquête judiciaire doit permettre de l'entendre. Le trafic d'armes est également établi, les liens avec le circuit du pétrole doivent être éclaircis, si c'est possible, mais la Roumanie… Enfin, David Hammersfeld. Fausses identités, passage par le casino avant le meurtre de Pieri, je demande que nous l'entendions avant la fin de la flagrance. Tout le reste, dont le témoignage de Fancello, je laisse tomber pour l'instant, trop gros. Les documents rassemblés restent dans le dossier et nous permettront de rebondir par la suite. Cela vous convient ?

Les deux inspecteurs acquiescent.

— Très bien, je me mets à la rédaction, et vous, vous retrouvez Stepanian.

Delmas se charge dans un premier temps de revoir Catherine, réinterroger ses souvenirs de Jo l'Arménien, pour y chercher la trace d'un refuge possible.

Grimbert verra la femme de Stepanian. Il annonce qu'avant cela, il va passer prendre un café au Garage.

— Attention, Grimbert. Deux fois en une semaine, prenez garde à ne pas incommoder vos anciens collègues.

— Le café et le pousse-café, c'est une bonne heure. Et je pense que mes interlocuteurs seront passionnés par ce que j'ai à leur dire.

La salle aveugle qui jouxte les ateliers de réparation des voitures de l'Évêché empeste les gaz d'échappement, l'éclairage au néon clignote, les yeux souffrent, mais la foule qui se presse autour du bar est franchement joyeuse. Dérogation à la règle qui impose de ne jamais parler boulot, on arrose au pastis le plantage de la PJ dans l'affaire Cartland-Pélissanne dont le Garage a été informé avant tout le monde. L'Anglais qui a tué son père va repartir en Angleterre. Bravo les fins limiers de la Criminelle. Et une autre tournée… Grimbert est accueilli par une rafale de rires et un toast à sa santé. Il salue le barman, un mécano qu'il a bien connu, il tenait déjà le bar il y a cinq ans, et marche vers un gars un peu gras, assis à une table au milieu d'un cercle de supporters de l'OM, qui préparent le match du surlendemain contre Reims. Il se penche à son oreille :

— Bonjour, Marcel. Je m'éternise pas, je veux pas déranger. Mon équipe et moi, on cherche des emmerdes à personne. Le *Santa Lucia*, c'est pas des pétards qu'on a trouvés, c'est des bombes. Nous, on les a mises au frigo et on n'a pas l'intention de les en sortir. Dis-le à tes amis, ils peuvent compter sur nous. Tant que personne nous cherche des ennuis. Notre commissaire est parisien, mais nous, on s'en accommode. Vu ? Je sais qu'entre nous deux, Marcel, y a pas de soucis. Je te dis ça pour que tu transmettes à tes amis. Au fait, t'as lu la presse, ce matin ? Ça pourrait tourner vinaigre pour Mairand, ça serait dommage…

Grimbert se redresse, puis d'une voix forte, à la cantonade :

— Salut les gars. Amusez-vous bien.

Et il remonte vers les terres de la PJ.

Delmas a prévenu Catherine de son arrivée. Après-midi libre, lui a-t-il dit. Elle l'attend dans le jardin de sa villa de l'Estaque, en nettoyant les plates-bandes de rosiers. Embrassades et au lit. Une fois ces préliminaires accomplis, Delmas est allongé au soleil dans le jardin, Catherine à son côté, il lui raconte la fuite éperdue de Stepanian à la vue de leur voiture arrêtée dans sa rue, en brodant beaucoup, et la fait rire.

— Moins drôle, il a des tueurs à ses trousses, nous le cherchons pour le mettre à l'abri. Il n'est pas chez lui. Tu as une idée de l'endroit où il aurait pu trouver refuge ?

— Non, aucune. Et tu m'avais dit : « après-midi libre ». Ce n'est pas pour parler boulot, feignant.

Retrouver Stepanian. Grimbert passe d'abord à la villa de Vitrolles dans laquelle Stepanian s'était installé avec toute sa petite famille avant qu'il ne lui fasse une grosse frayeur. Personne. La villa semble vide, tous les volets fermés, le jardin désert. Ensuite, le domicile officiel de la famille, la villa d'Aubagne. La femme de Stepanian est dans la grande pièce à vivre, occupée à faire goûter ses deux gamins. Il se présente, elle l'accueille sans réticence, et le fait asseoir sur un canapé ravagé par les gosses, comme le reste de la pièce.

— Madame, je cherche Joseph Stepanian. Pour deux raisons. Nous avons besoin de son témoignage dans une affaire en cours. Et nous avons de bonnes raisons de penser qu'il est en danger, et a besoin de notre protection. Vous l'avez vu récemment ?

— Pas depuis samedi dernier, et franchement, je ne m'en porte pas plus mal.

Grimbert attend la suite, qui vient, comme à regret.

— Quand nous nous sommes mariés, Jo était un homme charmant. Le temps de me faire deux enfants, et il est devenu carrément invivable. Les nerfs à vif, colérique, méchant avec les mômes. Il y a quelque temps, il nous a fait déménager sans explication. Samedi dernier, il me donne une claque devant les enfants, et il disparaît sans un mot. Depuis, plus de nouvelles.

— Il a fait de mauvaises affaires, je crois.

— Oui, c'est vrai. Il s'est lancé dans des procès à répétition, et les frais de procédure sont en train de le ruiner. Et nous avec.

— Il nous a parlé d'une grosse rentrée d'argent à venir…

— Il l'attend depuis trois mois, nous n'avons rien vu, et je n'y crois plus. Un soir, pas longtemps avant Noël, il est rentré très éméché. J'ai couché les gosses pour qu'ils ne voient pas leur père dans cet état. Après, pendant que j'essayais de le faire manger, pour éponger tout cet alcool, il m'a raconté au moins trois fois que son frère faisait du trafic d'armes, et qu'avec ça il allait gagner beaucoup d'argent. Il a déliré là-dessus toute la soirée, avant que j'arrive à le coucher. Le lendemain, j'ai téléphoné à ses frères, l'un après l'autre. Je m'entends très bien avec sa famille. Évidemment, c'était un délire d'ivrogne. À cette occasion, j'ai même appris qu'il leur empruntait de l'argent depuis deux ans, sans rien me dire, et sans jamais les rembourser.

— Vous croyez qu'il aurait pu se réfugier chez eux ?

— Non, je ne crois vraiment pas. Après toutes ces histoires, ils sont brouillés.

— Dans son entreprise ?

— Elle est fermée depuis plus d'un an.

— Chez Nicolas Serreri ?

— Je ne connais pas ce nom-là.

— Si vous avez de ses nouvelles, vous voulez bien nous prévenir ?

— Sans problème.

Mardi, Marseille

Daquin a rendez-vous à 8 heures dans le bureau du patron. Avant de s'y rendre, il a consulté la presse régionale pour savoir quelle sera son humeur. L'affaire Cartland-Pélissanne, la grande affaire de la PJ marseillaise, celle sur laquelle elle n'a pas le droit de se planter, a disparu des premières pages, ce n'est pas bon signe. En page intérieure, le fils Cartland, que la PJ de Marseille soupçonne d'avoir tué son père, est rentré en Angleterre. Carrément catastrophique. Le patron sera de méchante humeur.

Daquin revêt donc sa carapace avant d'entrer dans le bureau. Il expose sur un ton neutre le contenu de sa note d'étape. Il conclut sur l'opportunité d'ouvrir une enquête judiciaire, et la demande d'audition de David Hammersfeld, dans les plus brefs délais.

Le patron hésite :

— La famille Frickx et les apparentés sont des personnages considérables. Il faut être très prudent. Je ne sais pas ce que va dire le procureur Coulon. Ce David Hammersfeld, d'accord il utilise diverses identités, je ne le nie pas. Mais quel rapport avec les meurtres de Pieri et Simon ?

— Ce sera à l'enquête judiciaire de creuser, monsieur le directeur. Pour l'instant nous avons établi sa proximité avec Frickx, qui est directement impliqué dans l'un des deux meurtres, et sa présence dans la région pendant la période qui nous intéresse, qu'il cherchait à dissimuler sous diverses identités. Il a effectué une visite au casino où le meurtre de Pieri a eu lieu dans les jours qui l'ont précédé. Cela nous semble suffisant pour justifier une convocation et un interrogatoire, le plus vite possible, car nous craignons qu'il ne quitte le territoire, comme Frickx l'a fait.

Le patron soupire.

— J'ai déjà d'énormes soucis avec le dossier Cartland. Le fils est reparti en Angleterre. La décision de l'y autoriser paraît insensée. Les Anglais ne nous font pas confiance, et personne ne veut de complications diplomatiques. Je me demande ce que va dire la presse demain… Bon, vous me laissez votre note, je vais en discuter avec le procureur de Nice. Vous aurez votre réponse demain matin. Mais en attendant, pas d'initiative. Vous restez au point mort.

Quand Daquin arrive dans le bureau, Grimbert l'informe, l'air un peu trop sérieux :

— Stepanian a parlé à sa femme, un soir où il était complètement saoul, du trafic d'armes que faisait son frère et de l'argent qu'il allait en tirer. Elle ne connaît pas Nicolas, et les frères, les vrais, ont démenti… Stepanian peut être l'informateur qui a livré le trafic d'armes et amené la chute de Pieri.

— Bien. Admettons. J'ai peut-être donné à Frickx plus qu'il ne méritait. Je viens de voir le patron, j'ai remis la note, demandé à entendre David. Réponse demain matin. En attendant, je suis prié de ne rien faire. Je vais donc me promener au bord de la mer, et voir des amis. Mais ces ordres ne concernent que moi. Rien ne vous empêche de continuer à chercher Stepanian. Le dernier témoin vivant. Il faut faire vite. Si jamais Pieri avait des associés dans le trafic d'armes, Stepanian n'en a plus pour longtemps.

21

Du mercredi 28 au vendredi 30 mars 1973

Mercredi, Marseille, Nice

Grimbert attend Daquin avec le sourire.

— Nous avons des nouvelles du patron. Rendez-vous à 11 heures, dans son bureau. L'Angliche, l'autre, le vrai, le fils Cartland, est rentré en Angleterre. Je vous parie qu'il va nous parler de lui, plus que de notre enquête.

— Vous ne prenez pas beaucoup de risques…

— D'après ce que j'entends dire ici ou là, les manœuvres d'intimidation vont sérieusement se raréfier, nous pourrons travailler tranquilles.

— Bonne nouvelle. Mais allons-nous encore travailler ?

À 11 heures, le patron leur annonce que le procureur de Nice accepte, non pas une convocation dans les locaux de la police, toujours traumatisante… (souvenir de l'acuité, de la dureté de David, Daquin se pince pour ne pas rire)… mais un déplacement de leur équipe, accompagnée par Bonino, pour entendre au cap Ferrat David Hammersfeld comme témoin. Bonino les attend vers 3 heures, à Nice. L'ouverture d'une enquête judiciaire dépendra ensuite des résultats de l'audition du témoin.

Delmas continue à chercher Stepanian, il a entrepris de faire le tour de tous les membres de sa famille. Daquin et Grimbert partent pour Nice.

Ils passent prendre l'inspecteur Bonino au SRPJ de Nice et tous trois se rendent à la villa du cap Ferrat pour recueillir le témoignage de David Hammersfeld. Ils y arrivent vers 16 heures. La grille est ouverte. Daquin gare la voiture dans la cour, remarque que la Citroën n'est pas dans le garage. Pas bon signe. Il se dirige vers la porte d'entrée, sonne. Emily ouvre rapidement, lui sourit. Daquin lui présente ses deux collègues, elle les invite à entrer. Dans la grande pièce, alignés devant la baie, des cartons de déménagement à moitié pleins.

— Vous déménagez ? demande Daquin.
— Oui.
— C'est une épidémie depuis la mort de Pieri.
— Le bail de la villa arrive à échéance le 31 mars.
— Nous sommes venus pour avoir un entretien avec David Hammersfeld, votre cousin.
— Il est parti ce matin, vers 8 heures, en me disant à peine au revoir, et je ne sais pas où il est allé.
— Pourquoi, une urgence ?
— Je n'en sais rien. Il a reçu un coup de téléphone.
— Un simple coup de téléphone, et il plie bagage en quelques minutes ? Il compte revenir ?
— Je ne pense pas. Il a emporté sa brosse à dents.
— Vous savez qui lui a téléphoné ?
— Non, il ne me l'a pas dit. C'est moi qui ai décro-

ché. Une voix d'homme, qui a demandé David. Je lui ai passé. Le type lui a dit une phrase ou deux, pas plus, David s'est habillé et il est parti.

— Un Français, un accent d'ici ?

— Oui, autant que je puisse en juger.

Un temps de silence pesant. Grimbert demande :

— Un accent d'ici, qu'est-ce que vous voulez dire ? Un accent niçois ou marseillais ?

— Vous plaisantez ? Je suis sud-africaine. Comment voulez-vous que je distingue un accent niçois d'un accent marseillais ? Certes, j'ai été élevée par une Française, mais je ne pourrais même pas vous dire de quelle région elle était.

Grimbert lui sourit.

— C'était une Parisienne, madame, sans l'ombre d'un doute.

L'atmosphère se détend un peu.

— Messieurs, je vous offre quelque chose à boire ?

Bonino refuse poliment, et amorce un mouvement vers la sortie. Daquin enchaîne :

— Nous n'allons pas vous déranger longtemps, mais accepteriez-vous de répondre à deux ou trois de mes questions ?

— Évidemment, commissaire, elle pose sa main sur le bras de Daquin, répondre à vos questions sera toujours un plaisir. Elle laisse traîner le mot, et la main.

— Votre cousin est de nationalité sud-africaine comme vous ?

— Oui.

— Savez-vous s'il a aussi la nationalité américaine ?

— Je ne crois pas. Nous avons tous deux une double nationalité, moi je suis sud-africaine et américaine, lui est sud-africain et israélien.

— Israélien ?

— Oui, notre famille est très attachée à l'État d'Israël. David s'est engagé dans l'armée israélienne en 1966, après un chagrin d'amour. Je me souviens de la date, c'était l'année de mon mariage.

Échange de regards entre Emily et Daquin.

— Juste une dernière question. Comment se fait-il qu'il se soit retrouvé à votre chevet le 15 mars dernier ? Vous vous voyiez souvent ?

— Non, nous ne nous sommes pas vus pendant des années, mais au moment de la mort de Maxime Pieri, mon mari était en Afrique du Sud, en compagnie de David. Quand il a appris les conditions de sa mort, et ma… défaillance, il savait qu'il ne pourrait pas rester à mon chevet, pour des raisons de travail, et il a demandé à David de venir me tenir compagnie. Il savait sans doute que cela me ferait plaisir.

Plaisir, de nouveau elle traîne sur le mot et sourit à Daquin, qui fait signe à Bonino qu'il n'a plus de questions. Celui-ci demande à Emily de bien vouloir indiquer au commissariat central de Nice sa nouvelle adresse après son déménagement, pour que l'on puisse la joindre, en cas de besoin.

Au moment où il se dirige vers la porte, Daquin :

— Ah, j'oubliais. Un de nos amis communs, qui dirige une galerie d'art à Marseille, m'a demandé de vous transmettre ceci. Il sort de sa poche une invitation sur papier glacé : «Les expositions César». L'inauguration a lieu vendredi à Marseille. Votre ami espère vous y voir, m'a-t-il dit. Madame, mes hommages.

Dans la voiture qui les ramène tous les trois vers Nice, Daquin demande à Bonino :

— Vous avez lu la note d'étape que nous avons remise à notre hiérarchie à Marseille, elle vous a été transmise, je crois ?

— Oui, nous l'avons. Mais nous n'avons pas encore eu le temps de la lire.

Bonino est profondément démobilisé, et c'est compréhensible. Impossible de lui en vouloir.

Arrivé sur la Promenade des Anglais, Daquin arrête la voiture, le Niçois descend, salue et s'en va.

Deux heures de trajet en tête à tête avant de retrouver Marseille. Dans un premier temps, les deux hommes se taisent, ruminent en silence. L'immense déception d'avoir laissé échapper David. La conviction que c'est irrémédiable. La quasi-certitude que le coup de fil qui l'a sauvé vient de la maison. La rage de se sentir trahi. La rage d'admettre que c'est sans surprise. Qui ? Grimbert a quelques idées, il les gardera pour lui. Il rompt le silence :

— On peut aussi se dire que nous avons vu juste. Emily ne nous apprend rien, à nous. Mais son témoignage pourra servir au moment de l'enquête judiciaire.

— Oui, on peut se dire ça. Si on veut.

Nouveau temps de silence, puis Grimbert :

— Allez-y, videz votre sac.

— J'ai commis deux erreurs, toutes les deux graves. Sans parler des petites bourdes. Si vous me dites : «c'est le métier qui rentre», j'arrête la voiture sur le bas-côté et je vous étrangle.

— Je ne prends pas le risque. Quelles erreurs ?

— La première, la plus évidente, j'ai eu entre les mains l'objet qui aurait permis de trouver les noms des clients de la lessiveuse Somar, et là, le rapport de force aurait été très différent.

— Commissaire, ne vous faites pas plus naïf que vous ne l'êtes. Si nous avions trouvé la liste des clients et si nous nous en étions servis, à l'heure qu'il est, nous aurions été mutés tous les deux dans les services administratifs.

— Possible. En tout cas, cette liste, je l'ai laissée passer.

— Cette histoire de mots croisés à laquelle je n'ai rien compris chez Maïté ?

— C'est ça. Pendant la perquisition de la Somar, je me suis occupé du bureau de Maïté. Elle m'a accompagné, a ouvert devant moi les tiroirs fermés à clé, m'a vu prendre en mains dans son tiroir un vieux recueil usagé de mots croisés, et elle est sortie du bureau. J'ai feuilleté le recueil, les grilles avaient l'air à peu près toutes remplies, je n'y ai accordé aucune importance, je l'ai reposé dans le tiroir et je suis passé à autre chose. Je me souviens très bien avoir souri à l'idée que l'irréprochable Maïté, la femme-roc, faisait des mots croisés au bureau. Sans doute le petit sentiment de supériorité du mâle quand il trouve des points de faiblesse chez les femmes apparemment les plus costaudes. Quel connard ! Vous voyez ce que je veux dire ?

— Très bien.

— Si la même scène s'était passée avec un homme, au moment où je saisissais le recueil, il aurait sans doute surjoué l'impassibilité, l'indifférence, j'aurais senti, physiquement, sa tension, son inquiétude, et j'aurais regardé le recueil comme une pièce importante. Elle, elle s'en va. Et je me plante.

— La deuxième erreur ?

— Plus complexe. Pieri et Simon étaient des hommes qui avaient un passé pesant et étaient tous les deux liés

357

à des réseaux institutionnels forts. Frickx est entré en scène très vite, la crème des hommes d'affaires à l'échelle internationale. Et je ne vous parle pas du pipeline que nous n'avons découvert que plus tard. Nous aurions dû comprendre tout de suite que cette machine était trop grosse pour nous, que nous ne pouvions pas espérer la démanteler en l'attaquant de front, ni en nous appuyant sur les institutions, car elle est dans les institutions. Il fallait chercher dans la machine la pièce mal ajustée, celle sur laquelle nous pouvions appuyer pour la casser et enrayer tout le mécanisme de l'intérieur.

— Le président Mao l'a dit de façon plus ramassée : les contradictions externes jouent toujours par le biais des contradictions internes.

Daquin jette un coup d'œil à son passager.

— Grimbert, vous n'avez pas fini de me surprendre. Je n'oublierai pas cette pertinente maxime du Grand Timonier. Je continue. Cette pièce, nous l'avions sous les yeux. Emily Frickx. Et nous l'avons complètement négligée.

— Désolé, je ne vous suis pas.

— Si Emily n'avait pas été au bras de Pieri ce soir-là, nous n'aurions jamais entendu parler de Frickx ni de pétrole, et la thèse du règlement de comptes, faute de mieux, aurait été avalisée. D'accord ?

— Je ne me l'étais jamais formulé aussi clairement, mais c'est vrai.

— Frickx aurait disparu le soir même de l'assassinat de Simon, ni vu ni connu, et nous n'aurions jamais entendu parler de David non plus, évacué en urgence lui aussi, le même soir. Il n'est resté que pour surveiller et protéger sa cousine.

— Toujours d'accord.

— Jeune, jolie, mariée, famille richissime, que faisait-elle au bras de Pieri ? Nous avons accepté, après des vérifications plus que sommaires, son histoire de rencontre de hasard qui ne tenait pas debout. En fait, nous l'avons mise hors de cause pour le meurtre de Pieri, de façon tout à fait légitime sans doute, mais dès lors, nous ne nous sommes plus intéressés à elle. Quantité négligeable. Nous n'avons pas un instant tenu compte du fait qu'elle est au cœur du dispositif de Frickx. J'ai lu les articles de presse sur son mariage avec lui : ça ressemble plus à une fusion d'entreprises qu'à Roméo et Juliette. Elle tient son rôle de garantie de l'alliance entre Frickx et la famille Weinstein, elle continue à le tenir. Mais qui, quel projet cherchait-elle à protéger à travers ses histoires à dormir debout ? Sûrement pas son mari. Que serait-il arrivé si nous avions compris pourquoi elle était avec Pieri, si nous lui avions expliqué, à un moment où elle était encore sous le choc, que son mari et son cousin avaient fait tuer Pieri et pris le risque de tirer sur elle ? Trop tard pour le savoir, Frickx et David sont hors de notre portée.

— Si c'est trop tard, pourquoi l'avoir invitée à l'exposition César ?

— Pas moi, son ami galeriste.

— Allez…

— Bon, admettons. Pas grand-chose de rationnel. Disons frustration et curiosité.

— Dans notre métier, il faut savoir accepter et gérer un échec.

— Peut-être, Grimbert, mais pas trop souvent. Je suis un chasseur, mon métier, c'est de sauter sur mes proies et de les déchiqueter. Ce plaisir-là, je ne l'ai pas eu, je suis en manque, et je n'arrive pas à me résigner. Comme les chiens courants, si je reviens bredouille deux ou trois fois, je risque de perdre le goût du sang et de la chasse. Vous avez vu vos collègues à l'Évêché ? Je ne veux pas finir comme eux. Frickx m'a échappé, David m'a échappé. Reste Emily. Elle n'est pas une proie, je ne sais pas si elle viendra, et si elle vient, je ne sais pas ce que j'en ferai. Mais j'ai envie de la rencontrer.

— Elle viendra. Elle a envie de coucher avec vous…

Daquin coule un regard vers Grimbert :

— Pas sûr que cela me facilite la tâche.

Quelques kilomètres plus loin, Grimbert :

— Le patron des Stups de Marseille, le Parisien, a l'habitude de dire : «Je suis un aventurier payé au mois.»

— Belle formule. Au mois, pas à l'heure, notez-le.

— En travaillant avec vous, je l'avais bien compris.

Après un temps de silence, Daquin lâche :

— Vous avez remarqué, Grimbert, deux femmes, deux erreurs. Le continent noir.

Pendant deux jours, Grimbert et Delmas cherchent en vain Stepanian. Ils commencent à penser que les Américains l'ont finalement payé, et qu'il est parti vers la Terre promise.

Vendredi, Marseille

L'invitation à l'exposition César, galerie d'art, 7 rue Fortia, précisait : inauguration à 18 heures, en présence d'Yves Montand. César, Montand, Marseille aime fêter les Marseillais. Daquin vient reconnaître les lieux vers 17 heures. La rue Fortia, du côté du Vieux-Port, est une rue typique du vieux Marseille, étroite et rectiligne, hautes maisons de quatre étages, façades colorées beaucoup moins misérables que dans le Panier. Il passe devant la galerie, aperçoit à travers les baies vitrées deux salles d'exposition, blanches, fortement éclairées, et, accrochées au mur comme des tableaux, des compressions métalliques de César. Les organisateurs et quelques-uns de leurs amis arpentent les salles, fébriles.

La rue a été interdite à la circulation, et de grandes tables sont dressées entre la galerie et Le Peano, le bar du coin de la rue. Des serveurs apportent de somptueux plats de charcuterie, des corbeilles de pain. Quatre tonneaux ont été mis en perce. Dans quelques poignées de minutes, bousculade assurée. Daquin s'installe à une petite table à la terrasse du Peano, un peu en retrait, d'où il surveille l'angle de la rue Fortia et du Cours d'Estienne-d'Orves, et commande un café-cognac. Attendre. Viendra, viendra pas ? Qu'est-ce que je fais ici ?

Daquin aperçoit la silhouette d'Emily vers 17 h 30. Elle porte une petite robe à fleurs, légère et flottante, de ces robes qu'on enlève d'un seul geste, pense Daquin qui commande un autre café-cognac. Elle marche, équilibre et rythme naturels, au milieu de la foule de plus en plus dense qui s'écarte spontanément devant elle. Dès qu'elle voit Daquin, elle vient vers lui, sourit, s'assoit à sa table, pose sa main sur la sienne :

— Quelle surprise et quel plaisir de vous voir ici. Alors, vous aussi, comme Pieri, vous vous intéressez à l'art contemporain ?

Elle est rayonnante, bien plus que belle, attirante. Le

public commence à affluer vers les buffets. Pour reprendre son souffle, Daquin va chercher une assiette de charcuterie et deux verres de rouge, pose le tout devant elle. Emily prend une tranche de saucisson entre ses doigts, la grignote en le regardant s'asseoir. Ce regard, il le connaît, à l'affût de l'animal dans le corps de l'autre, à l'affût du désir. Et il aime le sentir sur son corps. Peu, très peu de femmes lui ont fait cet effet. Quand cela lui arrive, il adore en profiter. Cette fois-ci, il hésite. Et n'entre pas dans le jeu. Avec une once de regret.

— J'ai trouvé dans les papiers de Pieri un dossier intitulé Emily. (Emily se fige.) Il y avait dedans tout un projet, très avancé, d'achat d'une galerie d'art à New York. (Muette, tendue.) Ce qui m'amène à penser que la rencontre fortuite avec Pieri le soir du meurtre est une aimable plaisanterie.

Une pause.

— Continuez. Qu'est-ce que vous en concluez ?

— Très simple. Votre mari et votre cousin sont mouillés jusqu'aux yeux dans les meurtres de Pieri et Simon…

— Simon ? Qui est Simon ?

— L'adjoint de Pieri, assassiné à l'aéroport de Nice le lendemain de l'assassinat de Pieri, en présence de votre mari qui lui avait lui-même fixé le rendez-vous. Vous n'êtes pas assez naïve pour ignorer le rôle de vos proches, vous dissimulez à la police vos relations avec Pieri, vous êtes présente sur le lieu du premier crime, j'en conclus que vous êtes complice. Une affaire de famille en somme.

Emily est maintenant blanche de colère.

— Comment pouvez-vous dire une chose pareille ?

— Je peux, sans problème. N'oubliez pas. Votre mari a quitté précipitamment le territoire français, et n'y reviendra pas. Votre cousin a été prévenu de notre visite, et s'est enfui dans les minutes qui ont suivi. Je laisse ces deux-là de côté, j'y reviendrai plus tard. Parlons de vous. L'assassinat de Pieri a été programmé, préparé. Les tueurs connaissaient ses habitudes au casino, savaient qu'il y viendrait ce soir-là. Vous qui étiez en affaires avec lui, et pouviez donc lui donner rendez-vous, vous qui étiez à son bras, peut-être pour le désigner aux tueurs…

Emily l'interrompt d'un geste :

— Vous savez pourquoi je suis venue ici ?

— Mon collègue pense que vous avez envie de coucher avec moi.

— Il avait raison. Maintenant je n'ai plus envie, je m'en vais.

Elle est debout. Sans se lever, Daquin lui attrape le poignet, le tord brutalement, la force à retomber sur sa chaise.

— Vous allez rester avec moi, et m'écouter. Pour une bonne raison. Je sais ce qu'il y a dans le dossier de Pieri, et vous, vous voulez le savoir. (Daquin la lâche, elle ne bouge pas.) Pour tout vous dire, je ne vous ai jamais crue complice du meurtre. Pour vous tenir aux côtés de Pieri, dans la zone de tir, en sachant qu'il allait être la cible, il vous aurait fallu un sang-froid que vous n'avez pas. Votre effondrement nerveux n'était pas simulé.

— Alors pourquoi…

Daquin enchaîne :

— Saviez-vous que votre cousin était non seulement un amant exceptionnel, mais aussi un tireur d'élite de l'armée israélienne ? Saviez-vous que dans les jours qui ont précédé le meurtre, il n'était pas en Afrique du Sud, comme il vous l'a dit, mais sur la Côte sous de fausses identités, et qu'il a été vu par un témoin fiable au casino, en repérages ?

Emily, tétanisée, plonge dans ses souvenirs. Elle revit toute la scène. Elle voit, elle reconnaît la silhouette de David dans le costume noir du tueur. Dans l'ombre profonde du casque, un visage s'anime, arête du nez, barre des sourcils, elle voit, elle reconnaît le visage de David. Elle sent le corps de Pieri tomber au sol à ses pieds, elle voit le geste du tueur, au ralenti, qui abaisse son arme, la glisse dans son blouson, contre son cœur. Elle revoit le corps nu de David sur le matelas, au ras de la mer, une traînée brune sous le sein gauche. « Ce n'est rien, une brûlure, très superficielle, ça va passer. » Elle frissonne, des reins à la nuque, fascinée par ce cousin tueur si maître de lui et amant conquis, fascinée d'avoir vécu cette aventure et d'en sortir si pleine de vie.

Daquin la regarde. Elle s'est échappée, je l'ai perdue.

Yves Montand arrive à ce moment précis pour inaugurer l'exposition, au milieu d'un groupe compact de journalistes, de photographes et de badauds. La terrasse du Peano est envahie, la table de Daquin et Emily bousculée, un verre de vin renversé sur la robe à fleurs, un serveur se précipite, éponge en main, Emily sort de son hypnose, Daquin sait que l'instant séduction est passé, se demande s'il le regrette ou non, et enchaîne :

— Pieri et la galerie new-yorkaise. Comment s'est monté ce projet ?

Elle est presque enjouée, bavarde, une autre femme.

— Au début, le hasard. J'ai rencontré Maxime, il y a

à peu près deux ans, dans le bureau de mon mari, à Milan, exactement comme je vous l'ai déjà raconté. Nous sommes allés déjeuner ensemble. C'était un homme charmant, avec lui je me sentais bien, détendue, en confiance. Puis je l'ai croisé de nouveau à Antibes, chez un ami galeriste, en février ou mars de l'année dernière. Il allait partir pour New York, je rêvais d'y vivre. Nous avons parlé de la ville. Il la connaissait bien, il y avait vécu un temps. Il s'intéressait à l'École de Nice, tous ces peintres sont mes amis. Nous nous sommes revus, et d'un sujet à l'autre, très vite il m'a proposé de nous associer pour monter une galerie d'art à New York, lui le capital, moi la gestion. Mes amis niçois étaient emballés et soutenaient le projet.

— Pourquoi Pieri s'intéressait-il à l'art contemporain ? Je n'arrive pas à me l'imaginer en train d'admirer, tenez, les compressions de César, là de l'autre côté de la rue.

— Sur César, vous vous trompez. Il aimait beaucoup les compressions. Elles le touchaient, il les sentait faites à son image. Mais dans l'art, ce qui l'intéressait d'abord, c'était le marché. Il avait flairé un marché avec un gros potentiel d'expansion, pas régulé du tout, qu'il considérait comme idéal pour blanchir des fonds.

— Et ça ne vous dérangeait pas ?

— Qu'on parle argent ? Pourquoi ? Le marché de l'art est un marché comme un autre.

— Je veux dire : cela ne vous dérangeait pas de vous associer à un truand qui finançait votre galerie avec de l'argent hors la loi ?

— Je pense que non. En fait, je ne me suis pas posé cette question. Je me demande même si je la comprends.

— Qui étaient ses clients fournisseurs d'argent liquide ?

— Maxime était très chaleureux, il parlait beaucoup mais jamais de ses affaires. Pas plus que de sa vie privée, d'ailleurs.

— Vous saviez qu'il vivait avec un homme ?

— Maxime ?… Vous êtes sûr ?

— Oui.

— J'ai du mal à y croire.

— Pourquoi ? Vous couchiez avec lui ?

— Vous êtes odieux. (Un temps.) Non. Mais j'aurais pu.

Encore un silence. Emily regarde les passants dans la rue, Maxime, un ami si proche, un inconnu, sentiment d'un rendez-vous manqué. Envie de pleurer.

— Et les affaires de Frickx, il vous en a parlé ?

— Le seul qui m'en ait parlé un peu, très peu, c'est David. Michael vient de quitter CoTrade, ces jours-ci, et de fonder sa propre boîte de trading de pétrole, à Genève.

Daquin se recueille quelques secondes. Frickx avait un mobile, des moyens. Je le savais déjà. Et une échéance à tenir, il fallait être prêt pour répondre à l'initiative iranienne. Alors, quand Emily apparaît au bras de Pieri, pas question de différer, le tueur tire. Et Frickx se met en danger.

— Vous connaissez le nom de son entreprise ?

— Frickx and Co. Il va entrer dans la catégorie des très grands, des très riches, gagner des milliards, m'a dit David. En attendant, je suis censée le rejoindre à Genève, où il a installé le siège de son entreprise.

— Vous irez ?

— Certainement pas. Il a résilié le bail de la villa au

366

cap Ferrat pour me forcer à le rejoindre. Mais je n'irai pas. Je cherche du travail à Nice. Je vais en trouver.

— Petite-fille et épouse de milliardaires, je ne comprends pas pourquoi vous aviez besoin de Pieri pour financer l'achat de votre galerie.

— Parce que vous ne connaissez pas ma famille. Pour mon grand-père, tous les artistes sont des dévoyés et des parasites. Il est exclu qu'un membre de sa famille se fourvoie dans ce milieu. À plus forte raison sa petite-fille. Il est inutile de chercher à le convaincre. Il n'est pas un homme à accepter de se laisser convaincre. Et mon mari est d'accord par principe avec lui. Je ne joue pas les victimes, mon grand-père m'aime et je l'aime, j'ai une fonction sociale importante et reconnue : je suis la garante de la solidité des liens d'affaires entre mon mari et mon grand-père. Vous trouvez cette conception un peu vieillotte…

— Je n'ai rien dit…

— … moi j'ai joué le jeu, et j'en ai profité, je ne vais pas m'en plaindre. Mais dans le contrat tacite entre mon mari et moi, il était convenu que nous vivions à New York, pas à Milan et encore moins à Genève. Je l'avais épousé pour cela, m'échapper d'Afrique du Sud et vivre à New York. J'ai rempli ma part du contrat, pas lui. Donc, j'ai cherché une solution ailleurs.

Silence, chacun dans ses pensées. Emily finit le plateau de charcuterie, boit le verre de rouge de Daquin. Lui se dit que Pieri a dû la trouver très attirante, lui aussi. Il prend dans la poche de son blouson le dossier « Emily » trouvé dans le cabanon de Pieri. Je vais lui donner. Pourquoi ? Parce que j'ai envie de la revoir à New York ? Il le pose sur la table entre eux deux, en laissant sa main dessus.

367

— Si je vous dis que vous ne m'avez jamais vu ?

— Ce n'est pas tout à fait exact. Je n'ai jamais rencontré le commissaire Daquin à Marseille, mais je l'ai croisé deux fois chez moi, au cap Ferrat.

— Nous sommes d'accord.

Il le glisse vers elle, elle l'ouvre, le feuillette. Tout y est, le nom du cabinet d'avocats, du vendeur, l'adresse de la galerie, les transactions en cours. Cette fois-ci, elle a franchement les larmes aux yeux.

— Je ne sais pas quoi dire…

— Tant mieux, ne dites rien. Et écoutez-moi encore deux minutes. Votre affaire n'est plus financée. Vous allez avoir besoin d'arguments. Votre mari a fait de la contrebande de pétrole avec Pieri pendant quatre ans. Au moment où l'affaire change de dimension, où il crée Frickx and Co., il élimine un associé pas présentable avec l'aide de David. Nous avons de quoi lui poser des problèmes sérieux s'il revient en France, mais pas de preuves suffisantes pour un mandat d'arrêt international. Si avec ça, vous n'arrivez pas à obtenir de Frickx qu'il finance une affaire déjà complètement montée, c'est que vous n'avez aucune chance de survivre dans le milieu des marchands d'art.

Daquin se lève.

— Au revoir, madame, je ne veux pas vous retarder davantage, il faut que vous alliez visiter cette exposition. C'est pour cela que vous êtes venue, non ?

— Pas exactement. Sourire. Et vous le savez.

— J'ai noté l'adresse de la galerie à New York, je passerai vous saluer à mon prochain voyage.

Le soir même, vers minuit, Emily téléphone à Frickx à Genève.

— Enfin! D'où téléphones-tu? Tu es à l'aéroport? Je t'ai attendue hier toute la journée, j'ai téléphoné aujourd'hui, pas de réponse. Qu'est-ce qui se passe?

— Je ne viens pas, pas tout de suite. Je veux discuter d'abord avec toi. Voyons-nous à Nice demain. Je peux venir te retrouver à l'aéroport de Nice.

— Non. Je ne tiens pas à venir en France en ce moment.

Ça ressemble à un aveu. Emily a la tête qui tourne. Elle s'assoit. Frickx reprend :

— Pourquoi ne viens-tu pas ici, à Genève? Je ne comprends pas. De quoi veux-tu qu'on discute? Il n'y a rien à discuter.

— Attention, Michael. Je vais raccrocher et débrancher le téléphone.

— Bon, si tu veux. Je ne peux pas venir demain. Disons San Remo, dimanche. Dans la journée.

— Dimanche à 13 heures, déjeuner au restaurant du Bel Canto, à côté du casino.

Elle raccroche.

22

Samedi 31 mars et dimanche 1er avril 1973

Samedi, Marseille

Début de soirée sur le Vieux-Port. Entre le fort Saint-Jean et l'hôtel de ville, des flâneurs profitent de ce week-end de printemps, de la tiédeur de l'air et du beau temps, et se promènent en famille. Sous les arcades de pierre ocre, trois bars, côte à côte, le Chouchou Bar, le Tanagra, le Lido, à peu près identiques : un grand store pour abriter du soleil quelques tables métalliques quelconques en terrasse, à l'intérieur, décor de maison close, velours rouge et or aux murs, lumières tamisées, appliques en verroterie. En dehors des périodes d'affluence, lorsque les bateaux de guerre américains font escale, et déversent leurs marins en quête de putes, ces bars sont peu fréquentés. Ils sont réputés pour être des repères à truands qui y ont leurs habitudes et n'aiment pas trop être dérangés par des pékins qui boivent de la limonade.

Ce soir-là, malgré le week-end et le beau temps, il n'y a donc aucun client à la terrasse du Tanagra, et pas grand monde à l'intérieur. Joseph Lomini dit Jo Le

Toréador, un grand et bel homme de trente-cinq ans, l'un des meilleurs soldats de Gaëtan Zampa, proxénète à ses heures, est le propriétaire des lieux. Accoudé au bar, il boit un tanagra, le cocktail maison à base d'alcools espagnols que lui a préparé la barmaid, Carmen, une belle Andalouse, la quarantaine épanouie, et discute avec Aslan-Alfred Bistoni, dit l'Aga Khan, l'un des caïds de la French Connection du temps de sa splendeur, qui, à l'âge canonique de soixante-deux ans, aime jouer les retraités à temps partiel dans la campagne de l'arrière-pays, et passe ses week-ends à Marseille à se promener sur le Vieux-Port, boire au Tanagra, régler quelques affaires, et traîner dans le lit de Carmen, sa régulière occasionnelle. Un couple d'habitués est attablé au fond de la salle, boit des pastis, et alimente le juke-box de disques de flamenco. Calme plat. Un rythme de week-end.

À 18 h 30, Stepanian entre dans le bar, et vient saluer Bistoni, son lointain cousin, qui ne semble pas enchanté de le voir, mais la famille arménienne c'est la famille arménienne, il quitte le comptoir, et entraîne Stepanian vers une petite table dans un coin de la salle.

— Tu voulais me voir ? Pourquoi ? Fais vite, j'aime pas trop être vu en ta compagnie.

— Aslan, je suis cramé.

— Je le sais, Jo, tout le monde le sait. Zampa t'a condamné. Tu es fou de venir chez Le Toréador.

— Lomini ne me connaît pas. Aslan, il faut que tu me croies. Je ne savais pas que Zampa était dans la combine des kalachnikovs avec Pieri.

— Il faut toujours se renseigner avant de faire des conneries. Tu m'aurais demandé, je te l'aurais dit. Maintenant, qu'est-ce que tu veux ?

— Je veux t'expliquer, Aslan. Écoute-moi. Quand je suis allé rue Armény, pour les kalachnikovs, je croyais que j'allais toucher le gros lot, les 50 000 dollars et le passeport. J'en ai besoin, je dois disparaître. Pieri m'avait fait un sale coup, il m'a laissé tomber avec les histoires de pétrole, si j'en suis là, c'est sa faute…

— Arrête de salir les morts, tu veux ?

— Et puis il avait assez d'amis pour s'en sortir, je pensais. Et tu sais quoi ? Je n'ai pas eu un sou, le gars m'a ri au nez, et m'a dit : « Ça fait longtemps qu'on est au courant, faudra trouver autre chose. » Alors tu vois…

Il est 18 h 55, une Mercedes beige s'arrête en double file en face du Tanagra.

— Non, je ne vois rien…

Lomini fait un signe à Bistoni, qui se lève.

— Ne bouge pas de cette table, je reviens tout de suite.

Et il se dirige vers le bar.

Trois hommes descendent de la Mercedes, marchent de front vers l'entrée du bar, bousculent les tables de la terrasse, pénètrent sous les arcades. Arrivés devant les portes vitrées, ils ouvrent le feu avec un pistolet-mitrailleur, un colt 45 et un fusil à pompe. Lomini a le réflexe de saisir son pistolet dans son holster, pas le temps de tirer, il meurt l'arme à la main. Vingt secondes plus tard, « c'est fait », dit l'homme au pistolet-mitrailleur, les tireurs font demi-tour, remontent dans la Mercedes et quittent les lieux en direction de la Joliette. Ils ont fait dans le petit bar dévasté un carnage. Toutes les vitres de la façade sont brisées. Dans la pénombre, toutes les lumières sont explosées, plus un homme debout, cinq corps disloqués s'entassent au sol dans des mares de sang, un sixième, celui de la barmaid, sera retrouvé derrière le comptoir. Des traînées de sang ont giclé partout sur les murs jusqu'au plafond, l'odeur de poudre et de sang dans le local confiné est insupportable.

Dans les minutes qui suivent, les ambulances, la police et la presse arrivent. L'Évêché et les bureaux des journaux sont à deux pas. Il y a foule dans le petit bar, on patauge dans le sang. Sécurité publique, police judiciaire, les grands chefs sont là, eux aussi.

Dehors, sur le quai, les badauds s'agglutinent, rien que des hommes. Spectacle de choix pour un samedi soir, mais pas pour des femmes. Trop sensibles. Elles sont renvoyées à la maison, avec les gosses. Des policiers en uniformes tentent de tenir les badauds à distance pour permettre aux ambulances de circuler : il paraîtrait qu'un des cadavres est encore en vie. Les discussions vont bon train, à très haute voix, de préférence. Il faut que les flics sachent ce que pense le peuple.

— On n'est plus en sécurité. Sur le Vieux-Port, pendant un week-end. Quand on se promène avec les gosses. Voir ça… c'est une honte.

— La police, des mickeys, je te dis.

— Qu'est-ce que tu crois ? Tous copains, les flics et les truands.

— La peine de mort, moi je vois que ça.

— Bien d'accord. Il faut les prendre et les exécuter ces sauvages. Tous.

— Ça va pas, les mecs ? Vous voyez pas qu'ils s'en chargent eux-mêmes ? Laissez-les faire. Tant qu'ils s'entre-tuent entre voyous… Ça coûte moins cher au contribuable, lance un badaud.

Daquin et Grimbert travaillaient ensemble à l'Évê-

ché, à boucler le rapport final sur l'enquête de flagrance. Ils sont pris dans la frénésie qui saisit l'étage de
la PJ, suivent le mouvement, et se retrouvent sur les
lieux de la fusillade. Tous deux, après avoir jeté un
coup d'œil, restent en retrait. Grimbert se penche vers
Daquin :

— Vous vous souvenez de ce que je vous avais dit
lundi dernier, une semaine de la non-violence, à Marseille, ça va se finir dans un bain de sang. La semaine
de la non-violence se termine demain. Nous y sommes.
Vous avez bien fait de ne pas parier.

— Je ne parie jamais. Au moins là, on a un règlement
de comptes du milieu exécuté dans les règles de l'art, si
j'ai bien compris. Pas de minauderies, on y va à l'arme
lourde et on mitraille tout ce qui bouge.

— Oui, ils ont soigné la réalisation. Une sorte de
chef-d'œuvre de l'artisanat local. Le record qu'Al
Capone a établi le jour de la Saint-Valentin ne doit pas
être loin d'être battu.

— Au rythme où ils vont, s'ils ne l'ont pas battu
aujourd'hui, ils le battront demain.

Les deux hommes observent la scène pendant
quelques minutes, et Daquin :

— Dites, c'est une coutume locale de se mettre à
plusieurs dizaines pour piétiner les scènes de crime ?

Grimbert n'a pas le temps de trouver une réponse, le
patron de la PJ les repère, se dirige vers eux. Il n'a pas
l'air particulièrement affecté par le massacre.

— Vous savez qui sont les victimes ?

— Non, monsieur le directeur. Nous arrivons, nous
ne sommes au courant de rien.

— Sans surprise, Lomini, le propriétaire du bar,
l'homme de Zampa, la cible du Belge depuis six mois.

Alfred Bistoni, pas de surprise non plus, faux retraité de la French, on parle de lui dans le financement des casinos niçois, donc lui aussi un homme de Zampa. La barmaid, deux inconnus, et Jo Stepanian, l'Arménien.

Daquin et Grimbert se figent, crispés, sans un mot. Le patron continue :

— Un nom dont Costa m'a beaucoup parlé. Très présent dans votre dossier, d'après ce qu'il m'a dit. Le bruit court dans Marseille que Zampa aurait été mêlé au trafic d'armes de la Somar. Ça explique peut-être la présence de Stepanian ici. Tout ceci renforce ma conviction : les meurtres de Pieri et Simon sont un épisode des règlements de comptes en cours dans le milieu marseillais. Je viens de téléphoner au procureur Coulon pour l'informer du massacre et de la présence de Stepanian parmi les victimes. Nous sommes d'accord. Par souci d'efficacité, il convient de réunir ce dossier à ceux dont le juge Bonnefoy a déjà la charge. Je pense que les décisions officielles en ce sens seront prises lundi. Venez me voir dans l'après-midi, avec le dossier Pieri-Simon au complet, nous le transmettrons au juge qui sera nommé, selon toute probabilité Bonnefoy. Et nous verrons quelles équipes, chez nous, se chargeront de la suite. Sur ce, messieurs, je vous souhaite un bon dimanche.

Dès qu'il est parti, Daquin demande à Grimbert :

— Vous avez une idée de ce que Stepanian faisait au Tanagra ?

— Aucune. Je n'aurais jamais eu l'idée de venir le chercher ici, en plein territoire Zampa. Zampa a fréquenté Pieri chez les Guérini, il l'appréciait, j'ai du mal à imaginer qu'il ait couvert Stepanian. Par contre, Zampa mêlé au trafic d'armes, le lien avec Fratoni, puis

375

Leccia, puis le SAC, puis Simon, c'est très possible. Ça expliquerait…

— Arrêtez Grimbert. J'ai ma dose, je ne suis pas prêt à replonger dans ce sac de nœuds. À votre avis, le patron nous enlève l'enquête ?

— Ça y ressemble. De toute façon, avec le juge Bonnefoy… Vous avez déjà fait l'expérience.

— Un bon dimanche dit le patron… Je pense que je vais aller me saouler. Et vous ?

— Le cabanon. Un week-end en famille.

Dimanche, Nice, San Remo

Dimanche matin vers 10 heures, Augusto, le patron de la galerie d'art de Nice avec lequel Emily est en affaires, passe la chercher en voiture, et ils prennent la direction de San Remo.

— Merci d'avoir accepté de m'accompagner. Je t'explique. Je vais à un rendez-vous que m'a fixé Michael. Il me trompe, j'ai des preuves, je lui demande le divorce, j'obtiens le fric pour monter à New York la galerie dont nous avons parlé. Et nous bossons ensemble, comme convenu.

— Pourquoi as-tu besoin de moi ?

— Pour me rassurer. J'ai peur.

— De quoi ?

— Je ne sais pas, un enlèvement, par exemple.

— Tu te fais ton cinéma, ton mari n'est pas un truand.

— Il ne faut jamais se fier aux apparences.

Puis la conversation dérive sur les petites histoires de l'un ou de l'autre dans le microcosme niçois. De quoi occuper tout le trajet.

Ils arrivent à San Remo avec une heure d'avance. Le Bel Canto est un restaurant charmant, nappes blanches, et fresque représentant la baie de Naples. À cette heure, la salle est vide. Emily visite les toilettes, Augusto se perd du côté des cuisines. Aucun gros bras suspect à l'horizon.

Emily choisit une table loin des portes. Augusto s'assied à une autre table, d'où il peut la surveiller. Il la regarde du coin de l'œil, en lisant un journal. Elle est immobile, le corps très droit, les mains croisées sur la table, les yeux fermés. Il est impressionné, se demande s'il fait de la figuration dans un vaudeville ou un polar. Elle, elle se concentre, se répète : j'affronte un assassin. Je n'ai pas peur. J'ai des armes. Je suis forte. Je vais gagner.

Frickx arrive en taxi à l'heure exacte du rendez-vous. La salle de restaurant est maintenant à moitié pleine. Augusto se surprend à surveiller les entrées, et, de nouveau, ne repère aucun gros bras dans l'environnement.

Frickx se dirige vers la table d'Emily. Profondément agacé de perdre du temps en palabres inutiles, mais le masque de l'homme à l'aise et souriant sur le visage, comme toujours. Il embrasse sa femme, baiser léger sur les lèvres, et s'assied. Emily se répète que Frickx est redoutable, il ne faut pas lui laisser le temps de prendre en main la discussion. Une seule tactique, l'offensive. Dès qu'ils ont passé commande, deux spaghettis carbonara et un carafon de blanc, elle attaque :

— Je sais à peu près tout. David et toi avez organisé l'assassinat de Pieri et de son ami Simon. La raison de fond : des histoires de pétrole que je ne te détaille pas, tu les connais mieux que moi. Accessoirement, vous avez accepté le risque de me tuer aussi. Je n'ai donc plus aucune confiance en toi. J'ai mis les documents que je possède, et qui me viennent de Pieri, à l'abri, et j'ai demandé à des amis de venir nous surveiller, ici, dans ce restaurant. De ta part, je considère que tout est possible.

Le serveur apporte les spaghettis, le vin. Michael en profite pour parcourir la salle du regard, cherche des gardes du corps professionnels, ne repère personne. Bluff ? Il demande :

— Qu'est-ce que tu comptes faire ?

— Je ne vais pas me précipiter au commissariat de Nice pour raconter ta vie, n'aie crainte. Je vais tirer parti de la situation. Divorcer à tes torts, pour des histoires d'infidélité quelconques, tu n'auras que l'embarras du choix, et avec l'argent du divorce, je m'installe à New York et j'ouvre une galerie d'art.

— Divorcer, impossible.

— Pourquoi ?

— Parce que en droit français, une épouse ne peut pas témoigner contre son mari…

Il avoue tout, je le tiens.

— … Et parce que ton grand-père ne me le pardonnerait pas. Par contre, un appartement à New York… mais la galerie d'art, impossible. J'ai vu ton grand-père, il y a trois jours. Il avait rencontré des amis à qui tu avais vendu quelque chose… une œuvre d'art. Il m'a dit : « Je ne veux pas que ma petite-fille aille se perdre dans ces milieux de cinglés, débrouillez-vous. »

— Tu vois, c'est ton problème, pas le mien. Tu financeras la galerie, et tu te débrouilleras avec mon grand-père. J'accepte de renoncer à vendre mes artistes en Afrique du Sud pendant au moins cinq ans, cela te facilitera les choses. Mais j'aurai l'appartement et la galerie. Si tu refuses, cela te coûtera beaucoup plus cher, et je sais que tu es capable de faire le calcul. Pense seulement à ce que dirait mon grand-père, aux mesures qu'il prendrait, s'il apprenait que tu as fait tirer sur sa petite-fille.

— Une galerie d'art à New York ne se trouve pas comme ça, et je ne sais pas de quelle somme nous parlons.

— Moi, je le sais.

Emily extrait de sa poche quelques feuilles pliées en quatre, des photocopies de certaines pages du dossier préparé par Pieri, la localisation de la galerie, les premières négociations sur le prix.

— Je viens d'ouvrir un compte en banque à New York. Dès que tu auras versé les sommes dessus, je conclurai l'affaire.

Emily fait un clin d'œil à Augusto, pendant que Frickx, stupéfait, lit les documents. Très bien faits. L'adresse est belle, le prix bien négocié.

— Qui a fait ça ?

— Pieri, avant que des salopards ne l'assassinent. Il m'a laissé ce dossier, avec d'autres.

— Je n'y comprends rien. Il a l'air vraiment perdu. Pieri ne pouvait pas s'intéresser à des trucs d'art. Comment as-tu fait ? Tu couchais avec lui ?

— Michael, tu es un pauvre type. Tu travaillais avec lui depuis combien, quatre ans, cinq ans ?

— Quatre.

— Et tu ne t'es jamais aperçu qu'il n'aimait que les hommes ?

— Pieri ? Impossible…

Et puis si, tout compte fait. Il n'est jamais venu dans aucune de nos petites fêtes, je ne l'ai jamais vu avec une pute… Il devait bien y avoir une raison. Qui n'aime pas les putes n'aime pas les femmes. Un type secret… Pourtant, il a confié à Emily qu'il était pédé. Donc, cette histoire de documents qu'elle détiendrait, peut-être pas du bluff… Ce que je redoutais depuis le début, depuis que j'ai découvert qu'elle avait passé cette soi-rée au casino… Frickx est de nouveau complètement dépassé. «Je ne sais pas si vous connaissez bien votre femme, Michael», disait le Vieux. Mais à ce point… Emily parle, écoute-la.

— Maxime s'intéressait au marché de l'art contem-porain parce qu'il y voyait une formidable machine à faire de l'argent frais et du blanchiment. Il parlait de niche inexploitée, et d'après lui, ceux qui arrivent les premiers sont toujours les mieux servis. Ce sont ses expressions. Nous nous étions mis d'accord, lui ache-tait la galerie, moi je la gérais. Avec d'autres préoccu-pations, évidemment. Il me faisait confiance pour les choix artistiques. Et je lui faisais confiance pour le par-tage des bénéfices. Nous devions négocier cela à l'amiable chaque mois, en fonction des flux que nous aurions à gérer l'un et l'autre.

Marché de l'art, blanchiment, gisement… prendre en compte l'avis de Pieri, il avait une formidable intui-tion, rappelle-toi Malte…

— Et moi, ton mari ? Je n'existais plus ?

— Maxime était certain de te convaincre de te mettre en tiers dans l'opération. Il pensait que tu ne résisterais pas à l'étude de marché sur laquelle il travaillait, mais qu'il ne m'a pas laissée. Il n'a pas eu le temps de la finir. Un temps de silence. Entre toi et moi, seuls, ce sera un partage moitié-moitié. Mais la galerie est à mon nom.

Frickx réfléchit en déchiquetant un morceau de pain. «Vous ne connaissez pas votre femme… Elle est de mon sang, elle est capable de tout.» Il a raison, le Vieux… Ajoute le flair de Pieri. Peut-être pas bête, ce moyen de rapatrier de l'argent aux USA, en échappant à tout contrôle. Pour… Contre… La moins mauvaise solution… Je me débrouillerai pour trouver la mise de départ, je me suis toujours débrouillé. Banco.

Il regarde sa femme, attentivement. Impression de la rencontrer pour la première fois. Il lui sourit. Enjôleur.

— Emily, c'est la première fois en sept ans que nous avons une vraie conversation. Je découvre ma femme et c'est une femme d'affaires. Le choc est rude. Je regrette d'avoir attendu ces circonstances… et d'avoir perdu tout ce temps. Je suis partant pour la galerie d'art. Nous allons arroser ça. Champagne avec la zuppa inglese.

Postface en quelques chiffres

En 2014, Genève occupe la première place mondiale dans le commerce du pétrole.

La place traite le tiers du commerce mondial du pétrole et du gaz.

Les quatre premières firmes les plus importantes de Suisse, en chiffre d'affaires, sont des firmes qui négocient le pétrole : Vitol (307 milliards de dollars), Glencore Xstrata (252 milliards de dollars), Trafigura (133 milliards de dollars), Mercuria Energy Group (112 milliards de dollars).

La cinquième est Nestlé, multinationale dans le domaine de l'industrie alimentaire (96 milliards de dollars).

Vitol, la plus importante des firmes de trading du pétrole, emploie 5 400 employés, pour un chiffre d'affaires de 307 milliards de dollars, et n'est pas cotée en Bourse.

Nestlé emploie 330 000 salariés, pour un chiffre d'affaires de 96 milliards de dollars, elle est cotée en Bourse.

D'octobre à décembre 1973, le prix du baril de pétrole est passé de 3 à 10 dollars. Puis à 30 dollars en

1980. Dans les années 2010, il se négociait autour de 100 dollars.

*

Pour suivre l'évolution du marché de l'art, nous disposons de données parcellaires.

En 1970, s'ouvre la première foire d'art contemporain. C'est à Bâle, en Suisse.

En 1974, s'ouvre à Paris le premier Salon de l'art contemporain, qui deviendra ensuite, sur le modèle de Bâle, la Foire internationale de l'art contemporain (FIAC).

Le marché le plus facile à suivre est celui des ventes aux enchères :

En 1950, la place de Paris représentait 80 % de ce marché, et 40 % en 1990.

En 2014, les places chinoises et américaines se partagent la première place, en réalisant 78 % des ventes à elles seules. Londres vient ensuite, 15 %. Paris assure 2 % des ventes.

Sur la période juillet 2013-juillet 2014, les ventes aux enchères d'œuvres d'art contemporain ont connu leur meilleure année avec 2 milliards de dollars de recettes. Leur chiffre d'affaires mondial a progressé de 1 078 % en dix ans, et les prix de 70 %.

DU MÊME AUTEUR

Aux Éditions Gallimard

Dans la collection Série Noire

OR NOIR, 2015, Grand Prix du roman noir 2016 (Folio Policier nº 819).

L'ÉVASION, 2013 (Folio Policier nº 758).

BIEN CONNU DES SERVICES DE POLICE, 2010, Trophée 813 2010 (Folio Policier n° 611).

Avec DOA

L'HONORABLE SOCIÉTÉ, 2011, Grand Prix de littérature policière 2011 (Folio Policier n° 688).

Aux Éditions Rivages

LORRAINE CONNECTION, 2006, Trophée 813 2007, Duncan Lawrie International Dagger, 2008.

NOS FANTASTIQUES ANNÉES FRIC, 2001, prix Mystère de la Critique, 2002.

KOP, 1998.

À NOS CHEVAUX !, 1997.

Aux Éditions du Seuil

LE CORPS NOIR, 2004.

SOMBRE SENTIER, 1995, prix Sang d'encre (Vienne) 1995, prix de Saint-Nazaire 1996.

Aux Éditions Allia

LE RÊVE DE MADOFF, 2013.

Retrouvez Dominique Manotti sur son site Internet :
www. dominiquemanotti.com

Composition: APS-Chromostyle
Impression Novoprint
le 20 janvier 2017
Dépôt légal : janvier 2017

ISBN 978-2-07-270216-7/ Imprimé en Espagne.

310088